EL COLEGIO
Y
LA ESCUELA

Antropología de la Educación en la República Dominicana

Editora
Marina Ortiz

Revisión de textos y diagramación
Jeannette Canals

Portada
Julissa Ivor

Foto de Portada
José Miguel Tejera

Impresión
Amigo del Hogar

Santo Domingo, República Dominicana
2005

EL COLEGIO
Y
LA ESCUELA

Antropología de la Educación en la República Dominicana

GERALD F. MURRAY

FONFO PARA EL FINANCIAMIENTO DE LA MICROEMPRESA, INC.
(FONDOMICRO)
Santo Domingo, República Dominicana
2005

Dedicatoria

Este libro lo dedico a la memoria de la
Hermana Carmen Cuadrado Sánchez,
Misionera Dominica del Rosario,
quien fuera directora de la
Escuela Parroquial Padre Arturo, de Monte Plata.
La Hermana Carmen comprobó que
una escuela pública dominicana
dirigida con disciplina y mística
puede ofrecer a los niños dominicanos
una educación tan esmerada
como la de los mejores colegios privados.

Reconocimientos

El presente estudio sobre la educación en la República Dominicana comenzó a finales de los años 1990. No hay mal que por bien no venga. La demora en su terminación y publicación, producto de múltiples factores, quizás acabe siendo una bendición latente, en vista de que su puesta en circulación corresponde a los inicios de un nuevo período político en la República Dominicana. Los períodos de "nuevos comienzos" crean un espíritu de apertura a nuevas ideas. Esperamos que los hallazgos de este estudio contribuyan en algo a la búsqueda de soluciones. Agradezco a FondoMicro, financiadora principal del presente estudio, y a EDUCA, la mayor suplidora de apoyo moral y logístico, su paciencia sobrehumana.

Agradezco en primer lugar a Aida Consuelo Hernández, directora de EDUCA, por su ayuda constante y generosa, al igual que a Gustavo Tavares, presidente fundador de EDUCA. Marina Ortiz, socióloga y directora de investigaciones de FondoMicro, ha contribuido enormemente, no sólo con apoyo material y logístico, sino también con sus conocimientos como madre con hijos en colegio privado.

Un agradecimiento especial lo debo a Guadalupe Romero, fundadora y directora de la Primaria Montessori. Durante varias semanas, me hice discípulo de ella, visitando el colegio, observando las interacciones entre maestros y niños, y empapándome de lo que podía en lo que para mí era una rama algo nueva, la educación de los niños. De manera parecida aprendí mucho del Prof. Antonio Medina, director de colegio de barrio. Quedé inspirado con las biografías de estos dos educadores, dedicados por cierto a la educación de niños de capas sociales muy distintas. Todo el país, al igual que quien escribe, le debemos agradecimiento a Francette Armenteros, fundadora y directora del Colegio Babeque, quien fue una de las pioneras en la educación privada en la República Dominicana.

Hay muchos otros individuos que me concedieron largas entrevistas grabadas. Entre ellos quisiera agradecer a los siguientes: Padre Raúl Peguero (Padre Antonio, director del Instituto San Juan Bautista); Madre Carmen, directora de la escuela de Monte Plata; Alberto Cruz hijo, Dr. José Vicente Díaz, Elizabeth De Windt, Eduardo Fernández, Sor Leonor, de la escuela de Consuelo; Katia Mejía, Padre José Luis Mesa, y Roberto y Maruja Ravelo.

La corrección de mis múltiples errores de gramática, de ortografía y de fraseología a veces excesivamente popular, se la debo, como siempre, a Jeannette Canals.

Un agradecimiento muy especial a la sicóloga dominicana Dra. María Dolores Alvarez por sus múltiples manifestaciones de apoyo lingüístico, intelectual y personal en el curso de este estudio tan prolongado.

Los hallazgos, algunos controvertidos, son presentados en lenguaje algo tajante, por el carácter candente del tópico: la educación (o la abusiva falta de educación) de los niños. Trato de no hacer críticas a personas específicas, sino más bien a sistemas impersonales, a veces infectados y corruptos, que utilizan recursos y podios educativos para perseguir otras finalidades. Finalmente, quiero clarificar que las opiniones emitidas en este libro son mías, no de FondoMicro, ni de EDUCA, ni de ninguna otra institución. Soy el único responsable de cualquier error.

Gerald F. Murray

Contenido

LISTA DE CUADROS

LISTA DE RECUADROS

Presentación

De entre todas las microempresas y pequeñas empresas de la República Dominicana hay un grupo que se destaca por su singularidad económica y por su gravitación social y cultural. Este grupo está compuesto por miles de escuelas y colegios privados que hasta el día de hoy no habían recibido atención académica desde una perspectiva antropológica.

Este es, precisamente, el enfoque principal de este libro escrito por el antropólogo norteamericano Gerald F. Murray, muy bien conocido en nuestro país por sus obras *El Colmado* y *El Taller,* los cuales, a su vez, estudian dos importantes conjuntos de microempresas bajo el lente de la antropología económica.

El Colegio y la Escuela: Antropología de la Educación en la República Dominicana coloca el colegio privado dentro del contexto de la evolución general de la educación dominicana durante los últimos 50 años, y examina su estructura y funciones dentro del sistema educativo nacional, al tiempo que define y analiza sus desempeños como empresa privada —generalmente pequeña, a veces grande— pero siempre empeñada en producir rentas suficientes que le permitan sobrevivir y acumular riquezas para continuar cumpliendo con su función educativa.

Este libro es necesariamente controversial y polémico, puesto que la educación dominicana ha venido sufriendo una dinámica de conflictos políticos a raíz de la caída de la dictadura de Trujillo, en 1961, que el autor analiza para explicar el colapso de la educación pública así como el surgimiento y proliferación de colegios privados como una alternativa de calidad frente a una escuela pública cada vez más deteriorada y deficiente.

El Dr. Murray ha optado por la utilización de un lenguaje semicoloquial en numerosos pasajes de esta obra, para acercar el objeto de su estudio al lector no especializado. Como él mismo reconoce, la escogencia de un estilo y un lenguaje conlleva una carga ideológica y cultural que, en este caso, aleja al autor de la neutralidad pero, aun cuando él toma partido a favor de una educación de calidad y critica fuertemente el deterioro del sistema educativo, el uso de los datos empíricos refleja siempre una incontestable objetividad.

Con esta obra se completa una trilogía diseñada por el Dr. Frank Moya Pons, primer director de investigaciones de FondoMicro, quien acertadamente visualizó la importancia de analizar a profundidad ciertas empresas típicas de cada uno de los sectores económicos, al descubrir que había conjuntos de negocios que ameritaban estudios monográficos para poder explicar el cambiante mundo de las microempresas dominicanas.

El Colegio y la Escuela: Antropología de la Educación en la República Dominicana ofrece a los estudiosos del tema educativo aspectos que no se habían considerado anteriormente y reivindica el papel de los colegios privados así como su lógica económica dentro de un esquema de generación de ingresos y reinversión de ganancias.

El autor analiza la dinámica específica de la educación básica así como el surgimiento y operación de los colegios privados utilizando cifras estadísticas que permiten ofrecer una visión cuantitativa de la dimensión económica de los colegios y las escuelas: tarifas y salarios profesorales, entre otros temas. Quedaría ahora por investigar cómo han aflorado recientemente miles y miles de centros de educación técnica en cómputos e idiomas, así como salas de tareas que forman también parte del tejido microem-presarial educativo dominicano y que pudieran constituir un interesante tema de estudio.

Esta obra pondrá al lector a pensar profundamente sobre el problema educativo y creemos que le obligará a tomar partido sobre un tema de vital importancia para el futuro de la República Dominicana como es la necesidad de rescatar la calidad de la formación de nuestros estudiantes.

En nombre de FondoMicro, expreso las gracias al Dr. Gerald F. Murray por ofrecernos este trabajo con su característico bisturí intelectual que escudriña el fondo de los temas que analiza. Agradecemos a la Agencia de los Estados Unidos para el Desarrollo Internacional, el haber aportado los fondos para esta investigación, y a la organización Acción para la Educación Básica (EDUCA) le agradecemos la colaboración prestada al Dr. Murray en la realización de la misma.

Marina Ortiz
Directora de Investigaciones

CAPÍTULO I

El brote del colegio dominicano

A. INTRODUCCIÓN

"En mi país hay dos tipos de escuelas: unas son centros de educación privados; las otras son centros privados de educación." La versión original de este doloroso y cínico, pero incisivo juego de palabras se atribuye, no a un dominicano, sino a un ecuatoriano.[1] Representa una declaración sobre la diferencia de calidad que se percibe en muchos países entre los centros docentes públicos, que ofrecen una educación muy deficiente, y los centros privados, que generalmente imparten una mejor educación.

El presente libro intenta aplicar conceptos y métodos antropológicos al análisis de este dilema en la República Dominicana. Más concretamente, aborda un fenómeno de alta prioridad actual: la proliferación de escuelas privadas como alternati-

---

[1]Ver la obra de Plinio Apuleyo Mendoza, Carlos A. Montaner y Alvaro Vargas Llosa, *Fabricantes de Miseria.* Barcelona: Plaza y Janés Editores, 1998, p. 260. La versión original utilizó la palabra *universidad* en vez de *escuela.* Agradezco al señor Gustavo Tavares por haberme facilitado un ejemplar del tomo.

va al vacío creado por un defectuoso sistema educativo público. La educación pública dominicana gozaba de bastante calidad y credibilidad social antes de la muerte del dictador Rafael L. Trujillo en 1961. Pero a partir de aquel año comenzó un proceso de deterioro que continuaría durante los siguientes 25 años, cuyo resultado fue un brote de nuevas escuelas privadas.

Según las deprimentes cifras nacionales e internacionales que serán presentadas, los esfuerzos serios de recuperación de las escuelas públicas que se lanzaron en los años 90, en el contexto de un Plan Decenal, todavía no han obtenido los resultados educativos deseados. El Plan Decenal venció y fue reemplazado por un Plan Estratégico que aún está por implementarse. Pero de ninguna manera estos intentos, por serios y costosos que hayan sido, han logrado restablecer la confianza de la ciudadanía dominicana en la educación pública.

A diferencia de la situación en Europa y en América del Norte, y a diferencia aún de ciertos otros países latinoamericanos —donde una minoría de familias pudientes siguen mandando sus hijos a las escuelas públicas—, en la República Dominicana son pocas las familias urbanas de la clase media para arriba que ponen sus hijos en una escuela pública. Sería mejor decir que a *ninguna* familia de la clase media para arriba se le ocurriría acudir a las escuelas públicas. El antropólogo por lo general rehuye tales generalizaciones. Pero muchos dominicanos me han asegurado, frustrada y fervientemente, que esta generalización se puede hacer con poco o ningún peligro de equivocarse o de exagerar. Para cualquier familia dominicana con recursos económicos, y aun para decenas de miles de familias con pocos recursos, la compra de una educación privada para su prole se define como una seria obligación paternal.

Es más, aun los funcionarios de la educación pública mandan sus hijos a escuelas privadas. El mejor conocido programa de "becas" instituido por el Estado dominicano, quizás el único, ejemplifica la conducta prototípica del funcionario dominicano tal como se describe en muchas entrevistas con no-funcionarios.

Se supone que en un programa de becas organizado por un gobierno los fondos públicos se pondrían a disposición de los estudiantes de altos logros académicos pero de pocos recursos económicos. (En el Estado de la Florida, donde reside el autor, el programa de "Bright Futures" garantiza que los alumnos de mayores logros académicos reciban una educación universitaria casi gratuita.) En la República Dominicana, en cambio, el principal programa de becas que salió a relucir en la investigación es justo al revés. Varios dueños de colegios nos aseveraron que el gobierno en sí no da becas, sino que exige que los colegios privados den becas. Y según estos entrevistados, los beneficiarios no son los niños pobres de la nación, sino los hijos de los funcionarios de la educación pública. De ser cierta esta acusación (la cual reportamos sólo como aseveración oída en varias entrevistas), indicaría que los arreglos becarios filantrópicos que se dan en otros países se convierten, en su manifestación dominicana, en arreglos parasitarios en que los funcionarios del Estado exigen recursos de los colegios privados para su propia prole, sean cuales sean los logros académicos de éstos. Lo interesante es que los mismos funcionarios educativos no confían en la educación pública. No sólo insisten que sus hijos reciban educación privada, libre de los defectos de las aulas que ellos mismos encabezan, sino también que la reciban de manera gratuita o subsidiada.

El presente tomo tiene como objetivo principal un análisis antropológico de la estructura y del funcionamiento de este movimiento de educación privada ya tan importante en la vida dominicana.

B. El lenguaje educativo dominicano

Antes de empezar, debo confesar que en el primer párrafo del libro ya violé el Primer Mandamiento Antropológico "¡Aprenderás y utilizarás la terminología de la cultura local!".

Aludí a la aparición de la "escuela privada". Pero la voz de mis ancestros antropológicos me grita: "¿Cuándo en tu vida has oído a un dominicano común y corriente decir que tiene sus hijos en una "escuela privada"? Eso lo decimos los extranjeros, cuando hablamos en nuestros propios idiomas o cuando "machacamos" el español con esforzadas traducciones literales. Pero el dominicano no usa el término "escuela privada". Los criollos que pagan una educación privada para sus hijos en vez de mandarlos a una escuela pública, dicen (a veces con cierto orgullo) que sus hijos están estudiando en un *colegio.*

En lenguaje dominicano el *colegio* se distingue del término *escuela*, que ya se reserva popularmente para los centros docentes primarios del Estado. Un director de colegio privado de barrio se quejó en una entrevista conmigo de que los alumnos de centros docentes privados acaban pagando más por los libros de texto. Criticó la discriminación como injusta. He aquí sus palabras textuales: "Los [alumnos] que están en las escuelas son de padres dominicanos y los que están en los colegios también son de padres dominicanos." Esta frase constituye un ejemplo lingüístico excelente de la nueva dicotomía semántica que se ha institucionalizado en el país entre *colegio* y *escuela.* El *colegio* es cualquier centro docente privado de nivel básico o de secundaria. Se distingue del centro de enseñanza público que a nivel básico o primaria se denomina *escuela* y a nivel secundario *liceo.*

Los pueblos, por supuesto, forjan su propio lenguaje. Y en el hablar popular dominicano hay leves inconsistencias semánticas en el vocabulario educativo. Muchos dominicanos hablan de "escuela pública" y de "colegio privado". Son frases redundantes con adjetivos realmente innecesarios. Como el colegio es de por sí ya *privado* en el lenguaje dominicano, hablar de "colegios privados" y "escuelas públicas" es como hablar de "toros machos" y "vacas hembras". Así como todas las vacas son hembras, de la misma manera todas las escuelas dominicanas son públicas y todos los colegios son privados. Sin embargo, me adaptaré a las prácticas lingüísticas dominicanas y hablaré de escuelas públicas y de colegios privados, salvo en párrafos que aluden a las escuelas privadas de otros países hispanohablantes, en los cuales el vocablo *colegio* tiene otras connotaciones.[2]

Bajo el rubro *colegio privado* dominicano, incluyo no sólo los colegios laicos, sino también los colegios religiosos, tanto los centros católicos tradicionales como los colegios protestantes más recientes.

C. La destrucción de las escuelas públicas

El brote de colegios privados en el país ha sido objetiva y estadísticamente impresionante. En el año 1961, el año en que murió Trujillo, la cantidad de colegios privados en la República

---

[2]La comercialización radical del vocabulario educativo en la República Dominicana —usar una palabra para un centro donde pagas, otra para un centro gratuito— no parece usarse en la mayoría de los países hispanoparlantes. Un *colegio* en Chile, por ejemplo, es un centro que combina primaria con secundaria. Puede ser público, puede ser privado. El centro privado primario es una *escuela*, no un *colegio.* En España, por lo menos en Valencia, los dos términos se usan de manera sinónima, la palabra "escuela" siendo más usada en pueblos pequeños en campos, y "colegio" en las ciudades grandes. (Hay "colegios públicos" y "colegios privados" en la guía telefónica de Valencia.) En Perú también se usan *escuela* y *colegio* en escritos formales como simples sinónimos; y ya casi no se usa *escuela* en el hablar diario. Todos los niños limeños van a "su colegio", sea público o sea privado. En Costa Rica, en cambio, un *colegio* es un centro exclusivamente secundario, del sector que sea. Es decir, la comercializada práctica dominicana de definir un *colegio* sólo por la variable del dinero que se paga es una práctica idiosincrásica, aun en el mundo hispanoparlante. Cabe señalar que el Colegio Central de Santiago de los Caballeros, del siglo diecinueve, era público. Es decir, que la apropiación y la redefinición de la palabra *colegio* para referirse a una variable exclusivamente comercial es una idiosincrasia léxica reciente en la República Dominicana. El mismo fenómeno curioso se da en el renglón de la salud. El centro público que no cobra es un *hospital.* Pero el centro privado al otro lado de la calle, de igual tamaño y que brinda los mismos servicios, pero cobra, ya no es *hospital*, es una *clínica.* Tal comercialización del vocabulario educativo refleja, a nuestro parecer, una preocupación cultural con respecto al pago de servicios educativos.

Dominicana probablemente no excedía dos docenas, la gran mayoría establecida por congregaciones católicas extranjeras. Pero ya para el año 2000 había por lo menos 2,500 colegios privados en el territorio nacional, la mayoría de ellos establecidos por particulares.[3]

Dicho brote de colegios empezó a partir de la década de los 70. Es decir, se puede calcular que en la República Dominicana un promedio de 70 u 80 colegios privados se han fundado por año en los últimos treinta años. Si estipulamos, en cifras redondas, la población del país en 8.8 millones de habitantes y el tamaño promedio del hogar en 5 personas, existe un colegio privado más o menos por cada 700 hogares dominicanos en el territorio nacional. No están, por supuesto, repartidos equitativamente, como veremos en otro capítulo, pues, aunque alrededor de un tercio de la población nacional se encuentra en la zona capitaleña, un poco más de la mitad de los colegios se encuentran en la ciudad de Santo Domingo.

Nos interesa menos la causa de la concentración capitaleña que el origen más profundo de la proliferación nacional. ¿A qué se debe esta proliferación de centros educativos privados? Hay

---

[3]La Secretaría de Estado de Educación, durante la gestión de la Dra. Milagros Ortiz Bosch (2000-2004), realizó una encuesta mediante la cual cada colegio en el territorio nacional, fuera laico o religioso, tenía que suministrar ciertos datos. Unos 1,800 colegios cumplieron y aparecieron en la base de datos. Ciertos colegios bien conocidos, sin embargo, no aparecieron en la lista de la Secretaría. Si ponemos una tasa de 70 por ciento de cumplimiento con la encuesta, sacamos una cifra redonda de 2,500 colegios en el país. Esta cifra está muy por debajo de la cifra de 6,958 microempresas que caen bajo la etiqueta de "Educación" en un estudio que realizó FondoMicro en el año 2000 (Ortiz y Aristy Escuder 2000, p. 99). Se puede considerar como conservadora y realista la cifra de 2,500 colegios que enseñan desde la preprimaria hasta el bachillerato. Pero esta cifra no toma en cuenta la cada vez más importante actividad de la "sala de tarea": el maestro que, quizás en su propia casa, ayuda al niño con sus tareas, o le ayuda a estudiar las materias que el niño no aprendió bien en el aula.

que emplear cautela lógica en la asignación de causas. Hay escuelas privadas por todas las Américas.[4] No se debe invocar factores idiosincrásicos locales para explicar un fenómeno universalizado por todo el continente.

Sin embargo, planteo que el carácter masivo y repentino del movimiento de privatización educativa en la República Dominicana se puede atribuir a una crisis sociopolítica y educativa muy local y muy especial que vino en las huellas de la muerte de Trujillo, en 1961. Después de esta fecha, el país sufrió, quizás como pocos o como ningún otro país, unos 25 años de un deterioro educativo que todavía no se ha logrado suavizar a pesar del lanzamiento del Plan Educativo Decenal a principios de los años 1990. El carácter relativamente abrupto y absolutamente radical de la destrucción total de un sistema educativo otrora funcional, quizás sea un patrón que distingue a la República Dominicana del país latinoamericano típico. Y el país todavía no se ha recuperado.

Durante la Era de Trujillo, las familias de toda clase social entregaban sus hijos sin recelos a ciertas escuelas excelentes del sistema educativo público. La educación pública dominicana de aquel entonces gozaba, por lo menos en ciertas zonas urbanas, de escuelas excelentes y de maestros de alta fama pedagógica y de alto renombre social. Sus nombres todavía se citan con reverencia. Las mejores escuelas y liceos públicos urbanos agrupaban gente de toda clase social y se consideraban de mejor calidad que la mayoría de los pocos colegios privados que existían.

Admito que no está nada de moda hablar bien de aquella dictadura detestada y felizmente desvanecida. Sencillamente repito, sin embargo, los comentarios casi unánimes de varios do-

---

[4]El libro *Educación Privada y Política Pública en América Latina*, (2002) editado por L. Wolff, P. González y J.C. Navarro, provee un excelente panorama analítico de la educación privada en América Latina.

minicanos educados que vivieron aquellos tiempos y que saben de lo que hablan. Con el perdón del lector democrático, las escuelas del "Jefe" funcionaban.

Muere el dictador, sin embargo, y entra el diluvio. El aparato educativo centralizado no desaparece. Al contrario, se engorda aún más. Pero cambia de función. Ahí entramos en jerga académica. La estructura sistémica sobrevivió la crisis, pero las reales funciones sistémicas de dicha estructura se transformaron. El aparato quedó de pie. Pero la misión institucional educativa de aquel aparato, que se cumplía bajo la mano férrea de un dictador, se desbarata por completo bajo las manos pegajosas de los funcionarios que le siguieron. Las oficinas centrales del aparato educativo público pronto abandonarían su función educativa y se convertirían más bien en una fuente de rico pasto salarial para los activistas del partido de turno.

En los planteles docentes de los barrios y los ensanches, en cambio, predomina el caos. Las escuelas se convierten en un centro de huelgas y desórdenes. Nace y se apodera de las escuelas una élite sindical cuyos dirigentes, conforme al *zeitgeist* de los años de 1960, leían y citaban los escritos de Marx, Lenin y Trotsky más que los escritos de María Montessori, John Dewey o Eugenio María de Hostos. El profesorado del pasado dominicano, altamente respetado y hasta venerado, desaparece. Se degenera en los años de 1970, bajo nuevas órdenes sindicales, en voceros de la vanguardia del proletariado. La enseñanza tranquila y el estudio profundo, rasgos ennoblecedores del profesor de antaño, se desvalorizan como vicios burgueses. El nuevo héroe pedagógico es el barbudo profesor-agitador con sus eslóganes, su camiseta del Che y su boina negra.

La huelga, el paro y la estrepitosa manifestación callejera se pregonan como el nuevo deber central del maestro y del estudiante. Y los estudiantes... encantados. Hay que decirlo: después de treinta años de silencio aterrorizado, en que las familias dominicanas secretamente susurraban a sus hijos que con fulano se podía hablar pero con mengano había que callarse, finalmente se podía hablar, quejarse y gritar en público. El contenido de los gritos lo diseñaron los líderes emboinados que dirigían el coro. A los estudiantes les daba igual. Ni entendían ni hubieran podido deletrear la mitad de lo que gritaban. El asunto era gritar y desahogarse después de treinta años de represión.

Para resistir tal proceso, penetran a los recintos escolares con gases lacrimógenos agentes uniformados del aparato militar. Y en estos enfrentamientos violentos entre analfabetos vestidos de guardias y agitadores profesionales disfrazados de profesores, los niños de la nación acaban en la calle. El impotente maestro común y corriente, que en los últimos años de Trujillo se veía obligado, quisiera o no, a desfilar en la calle y cantar elogios al Jefe, para los años 1970 y 1980 se veía obligado de nuevo, quisiera o no, a salir a la calle, pero ahora bajo las órdenes de un autoritario liderazgo sindical para gritar eslóganes sacados del librito rojo de Mao Tse Tung.

D. La aparición de una nueva demanda por la educación privada

El pueblo se satura de ver sus niños echados a la calle. Los que pueden, toman medidas para rescatar a sus hijos del tremendo lío. Las clases media y alta, y gran parte de la clase baja capitaleña, retiran su prole del sistema público, buscando otras alternativas para sus hijos[5]. ¿Pero adónde ponerlos? Los colegios católicos tradicionales, a su vez, caen en su propia crisis en las huellas del Concilio Vaticano II. En vez de incrementar su oferta para

[5]Los datos recogidos por EDUCA indican que en un momento dado en los años 1990, casi la mitad de los estudiantes capitaleños estudiaban en colegios privados en vez de escuelas públicas. Con el lanzamiento de programas de desayunos escolares y otros elementos del Plan Decenal, esta tasa parece haberse mermado algo en años recientes.

satisfacer la nueva demanda, el mundo tradicional del colegio católico urbano más bien se encoge en este período turbulento. Con el éxodo masivo de sacerdotes y monjas al estado laico o a apostolados más compatibles con la imperante teología de la liberación, la oferta educativa católica también disminuye. A mediados de la década de 1970, en tal contexto de demanda incrementada y oferta tradicional reducida, una nueva flora educativa, diversificada y tupida empieza a brotar: el "colegio privado."

Este nuevo brote surge primero en los sectores más acomodados. Por cierto, ya se habían fundado en décadas anteriores algunos colegios privados no religiosos, como el Colegio Luis Muñoz Rivera y el Instituto Escuela, en Santo Domingo, y el Instituto Iberia y la Alta Escuela Juan Pablo Duarte, en Santiago. Pero el fenómeno de los años de 1970 constituía un movimiento educativo nuevo, encabezado hasta cierto punto por madres de la clase profesional que observaban con preocupación las transformaciones problemáticas que sufrieron los colegios religiosos.[6]

Bajo los lemas imperantes de la nueva liberación teológica, la disciplina tradicional llegó a ser objeto de burla, con los mismos religiosos de la nueva ola emitiendo las carcajadas más

---

[6]Para ser fiel a los hechos históricos habría que decir que los centros privados "reaparecieron." En el siglo diecinueve un porcentaje nutrido de los pocos centros docentes que existían era propiedad de particulares. El sector privado casi desapareció de la educación bajo Trujillo. Para el resumen histórico de la aparición del colegio privado en los párrafos que siguen, agradezco la información brindada durante entrevistas grabadas con numerosos individuos, incluyendo (en orden alfabético de sus apellidos) la Sra. Maruja Alvarez de Ravelo, la Lic. Francette Calac de Armenteros, el Dr. José Vicente Díaz, la Lic. Aida Consuelo Hernández, el Lic. Eduardo Fernández, la Lic. Marina Ortiz, el Dr. Roberto Ravelo y el Ing. Gustavo Tavares. Este último, al igual que la Lic. Hernández y la Lic. Ortiz, han brindado un apoyo extraordinario a través de esta investigación. Cualquier error en los hechos o en la interpretación de los hechos es culpa del autor, no de los susodichos individuos.

menospreciantes. No sólo las sotanas sino también los uniformes desaparecieron. Y a los estudiantes de algunos colegios se les informó que la asistencia a las clases debe ser considerada como un acto voluntario. Los estudiantes empezaron más bien a compartir cigarrillos en el recinto escolar con sus docentes liberados. Como un porcentaje nutrido de los religiosos no sólo abandonó sus sotanas y hábitos religiosos, sino que también entró al estado laico, los pocos colegios que quedaban se vieron obligados a contratar un profesorado laico. Los religiosos mantenían, y mantienen, los roles de director y de cobrador en centros docentes ya dominados por un magisterio laico.

Aparte de las inquietudes públicas y los problemas creados por esta transformación radical del colegio religioso tradicional, las mismas madres de la clase media y alta buscaron otra alternativa para sus hijos.[7] Muchas eran esposas de profesionales. Algunas habían ido al extranjero con sus esposos que cursaban estudios universitarios. No sólo rechazaban como absurda la condición diluida e híbrida del colegio católico "liberado". Tampoco hubieran querido un regreso del colegio católico tradicional. Tales madres querían sencillamente un camino nuevo para sus hijos. Los antiguos colegios católicos, los que sobrevivieron las transformaciones, apaciguarían eventualmente las manifestaciones más candentes de excesos clericales y reestablecerían el equilibrio razonable entre lo moderno y lo tradicional que prevalece hoy en día.

Pero ya era tarde. Ya aquellas madres de la clase profesional se habían movilizado a mediados de los años 1970 para promover la fundación de una nueva ola de colegios laicos para la educación de sus hijos. No era un movimiento cooperativista. Las madres

---

[7]Las iniciativas y las decisiones educativas en la República Dominicana quedan tradicionalmente más en manos de las madres que de los padres, aunque, por supuesto, hay familias en donde los dos intervienen.

buscaron más bien educadores dispuestos a fundar su propio colegio privado. Pero estos fundadores recibieron el apoyo entusiasta de aquellas madres interesadas. No les torcían el brazo para lanzarse. Pero casi. Había una demanda muy fuerte, un mercado absolutamente garantizado. Y la oferta nació.[8]

Este movimiento también se propagaría abundantemente en los barrios más pobres. La fuerza motriz del movimiento de los barrios era diferente. La clientela popular de los barrios rehuía, no el deteriorado colegio católico, al que poco acceso había tenido realmente, sino la deteriorada escuela pública. Los rasgos generales del deterioro, y las impresionantes dimensiones cuantitativas de la respuesta privatizada, ya se expusieron en párrafos anteriores.

E. Analizando los factores causales

Pasemos de la modalidad cronológica a un marco más analítico. Los aludidos eventos turbulentos ejercieron un impacto forjador en la rapidez y el rumbo de la evolución educativa del

---

[8]Entre los colegios pioneros figuran el Colegio Babeque de la licenciada Francette Calac de Armenteros, el Maternal Montessori de la licenciada Raquel Cuello, y la prolongación de éste, el Instituto Montessori, fundado por el Dr. José Vicente Díaz, un psicólogo español que vivía desde hace años en la República Dominicana. A diferencia de muchos de los colegios de barrio que vendrían después, cuyos directores orgullosos los bautizarían con su propio nombre, estos colegios de clase profesional portaban nombres simbólicos. *Babeque* es un nombre criollo derivado de una palabra indígena. El nombre Montessori se escogió de manera no oficial para simbolizar un nuevo enfoque niño-céntrico hacia la educación. Un colegio oficialmente acreditado por el movimiento Montessori internacional, la Primaria Montessori, sería fundada después en el país por la docente mexicana Lic. Guadalupe Romero. Su colegio fue evaluado de manera oficial en años recientes y ganó un premio Montessori internacional. Alojado inicialmente en una casa de familia transformada, como la mayoría de los colegios dominicanos, la Primaria Montessori ya goza de una nueva planta física diseñada explícitamente a base de principios Montessori.

país. Pero sería intelectualmente inocente e incorrecto atribuir el brote de la educación privada sólo al susodicho impacto negativo de la otrora conducta estatal y sindical. Las causas de la proliferación de colegios son múltiples. El proceso se debe a la confluencia de por lo menos tres poderosos factores causales.

1. Valor de la educación en la cultura contemporánea de la República Dominicana

Aún sin los líos y tropiezos del caos post-trujillista hubiera surgido una intensificada demanda educativa. En el momento actual, comienzos del año 2005, hay unos 8.8 millones de dominicanos ocupando los 48,730 kilómetros cuadrados que constituyen el territorio nacional de la República, es decir unas 180 personas por kilómetro cuadrado. Como en toda sociedad moderna, esta cifra promedio disfraza distribuciones demográficas concentradas en varios centros de densidad extraordinaria. Hoy por hoy, un 70 por ciento de la población dominicana está concentrado en centros urbanos. Como la población capitaleña ya excede los 3 millones de habitantes, uno de cada tres dominicanos vive en la Provincia de Santo Domingo. El segundo vive en otra zona urbana. Y sólo el tercero sigue viviendo en los campos.

Esta concentración urbana ya empieza con la muerte de Trujillo al desaparecer los controles que imponía sobre la movilidad geográfica. El nacimiento de la actual demanda universal para la educación fue producto de la destrucción de la viabilidad de la economía agraria minifundista, de la urbanización que vino en sus huellas y de una subsiguiente transformación de los mecanismos intergeneracionales de transferencia económica. Antes dejabas tierra a los hijos como el patrimonio principal. Ahora, con la excepción de estratos muy pudientes, el único patrimonio de real valor material que les puedes dejar es una educación. Todos quieren dejarles algo. Por eso es que ya todos quieren que sus hijos vayan a la escuela.

La urbanización de cualquier país transforma casi de manera automática su cultura educativa —es decir, la actitud de la población adulta en cuanto a la educación de los hijos. En la vida rural tradicional, la herencia que dejo a mis hijos, como garantía de su futuro económico, es la tierra. Si no les dejo tierra, no cumplí. Soy hasta cierto punto un fracaso como padre, aunque no sea mi culpa. Si les dejé tierra, cumplí.

Para los pueblos y las ciudades el cálculo cambia. Lo que tengo que dejarles a mis hijos es una educación. Es un sustituto de la tierra en zonas rurales. Si soy muy rico, les dejaré dinero y otras formas de propiedad material, pero querré que se eduquen, que vayan a la universidad a estudiar tal o cual carrera, porque en mi círculo social eso es lo que se estila. Pero sé que no es de eso que van a vivir. Muchos de clase media y hasta pobres, en cambio, ven la educación como su deber principal, y la garantía más segura para el futuro de los hijos. Si pertenezco a aquellas clases medias o bajas, mis hijos no van a recibir gran cosa material después de mi muerte. No tengo mucho que dejarles. Tengo que darles una herencia importante estando yo todavía en vida. Eso es la educación. Y una carrera basada en esa educación.

Ya la República Dominicana cae firmemente dentro de los países donde la herencia principal que la gran mayoría deja a sus hijos es la escolarización. Hay un interés casi universal en la educación como vehículo de posible ascenso socioeconómico. Si vivo bien, pero de un negocio "sucio", donde estoy entre ruido, mugre y "tígueres", voy a querer que mis hijos salgan de ahí. Como vimos en nuestro estudio anterior sobre los colmados, el dueño típico de colmado genera ganancias atractivas. Pero ese colmadero típico, según hemos podido constatar, no quiere que sus hijos se queden en esa profesión. Son pocos los que usan a sus hijos como mano de obra gratuita. Pagarán a un ayudante para que los hijos puedan estudiar. En fin, el brote extraordinario de colegios privados tiene que analizarse primero en el contexto de la demanda ya universal para la educación. Tal demanda surgió como resultado de la crisis agraria y de la urbanización, no de la mala conducta estatal o sindical.

2. La destrucción del anterior sistema educativo público de alta calidad

De lo precedente vemos que la demanda educativa hubiera aumentado aún sin las dinámicas políticas y sindicales que invadieron las aulas públicas. Pero lo que los activistas políticos del Estado y los dirigentes sindicales sí hicieron fue desbaratar la viabilidad de la opción pública y crear un mercado para otra oferta. La demanda educativa aumentó; la oferta pública se dañó. De eso ya se habló. Trujillo oprimía. Pero sus escuelas educaban. Y que no quepa duda de que un maestro que no apareciera en sus aulas, o que terminara la tanda matutina a las 11:00, o que propusiera la huelga como rutinaria amenaza anual, como hoy en día, hubiera acabado en la cárcel. El sistema educativo público, sin embargo, se infectó con cuatro malestares paralizantes —dos durante la vida de Trujillo, dos después de su muerte.

a) *La centralización obsesiva.* No sólo cada nómina en Dajabón o Pedernales, sino cada caja de tiza destinada a Dajabón o Pedernales, tiene que ser autorizada en la sede central de la Secretaría de Estado de Educación, en la Avenida Máximo Gómez de la capital, y cuidado si no en el mismo despacho de la Secretaria. El director de una escuela pública no puede escoger a sus maestros en base a sus antecedentes o a su potencial. No puede despedirlos si no cumplen. Es un peón en un juego donde las decisiones se toman desde afuera y desde arriba. La descentralización, huelga decirlo, no constituye una panacea. Hay países, como Francia y Cuba, donde los mecanismos centralizados de educación parecen funcionar. Pero en la República Dominicana la centralización no funciona.

b) *La politización.* Aún en los tiempos de Trujillo las escuelas daban adoctrinamiento político. La politización actual, sin embargo, carece de contenido intelectual. Se ha vulgarizado. Ya consiste en la conversión del aparato educativo en una fuente opípara de puestos, "botellas" y sueldos para los activistas del partido de turno. Su función educativa ya se subordina a su función político-salarial.

c) *La sindicalización paralizante.* Durante más de 30 años de huelgas (que se han suavizado algo en años recientes, aunque las amenazas siguen de manera rutinaria) los niños más pobres de la nación han sido utilizados como rehenes en una lucha entre una burocracia estatal que no cumple y un aparato sindical que paraliza. ¿Quién tiene más culpa? ¿El Estado que incumple o el sindicato que paraliza? No importa; el niño dominicano queda perjudicado. La importancia de los sindicatos en otros renglones económicos ha disminuido. El sindicato educativo en cambio ha logrado mantener su potencia porque tiene a su disposición algo que los otros sindicatos no tienen: una población de más de un millón de niños que puede meter a la calle, convocando huelgas, cerrando las aulas, y creando grandes problemas a los padres de los estudiantes. Otros gremios magisteriales en otros países han logrado mejoramientos de sueldos y beneficios sin crear la paralizante cultura huelguista que prevalece en las escuelas públicas dominicanas.

d) *El incumplimiento profesional impune.* El hecho de que el director de escuela tiene las manos atadas desde arriba por una burocracia centralizada y desde abajo por un sindicato agresivo crea una situación donde los maestros que incumplen lo hacen de manera más o menos impune. Dicha observación no es una crítica en contra del magisterio, pues la mayoría de sus miembros cumplen bajo circunstancias muy difíciles. Es una crítica de un sistema, no del maestro típico. El mismo sistema permite el incumplimiento de parte de la minoría que no quiere cumplir.

Se trata, desafortunadamente, no sólo de una parálisis histórica que ya pasó, sino de infecciones que siguen hoy en día saboteando los intentos que han hecho distintas generaciones de bienintencionadas y muy capaces autoridades públicas para poner el sistema otra vez a caminar. El colegio privado es, hasta cierto punto, hijo de aquella crisis. Dominicanos de todas clases sociales decidieron rescatar a sus hijos de los centros públicos infectados, poniéndolos en el nicho protegido de un colegio privado.

Los colegios privados son de por sí mayormente libres de las cuatro susodichas infecciones sistémicas: (i) en el colegio, el director contrata y despide; (ii) los maestros no se quitan y se ponen con un cambio de gobierno, ni se crean puestos innecesarios para crear "botellas" para los activistas de un partido; (iii) no hay ni sindicato ni huelgas; y (iv) el maestro que no cumple se despide. No romanticemos: La ausencia de las cuatro infecciones no garantiza una educación de alta calidad. Hay colegios privados terribles. Pero los colegios son de por sí "inoculados" y protegidos en contra de las previamente aludidas infecciones sistémicas que han saboteado las aulas públicas. Esta inoculación no garantiza una educación de alta calidad. Pero por lo menos la posibilita. En cambio la presencia de las cuatro susodichas infecciones en las aulas públicas sí da garantías de una educación de mala calidad.

3. Fuertes tradiciones culturales de independencia microempresarial

Lo susodicho —las "infecciones" que han dañado la educación pública— constituye el segundo factor que ha conducido al brote de colegios privados. Pero queda aún otro factor causal criollo, un factor sumamente dinámico, que raramente se comenta —y que nunca se aprecia— en la literatura educativa. Las fuerzas destructivas produjeron la *demanda* para una alternativa educativa. ¿Pero qué condujo a la *oferta,* a ese brote de colegios laicos? Aquí se requiere de disciplina analítica. No existe ninguna vara mágica invisible que traduzca cada necesidad o cada demanda en una oferta. Hay países cuyos sistemas educativos públicos también adolecen de fallas serias pero no han gozado, como en la República Dominicana, de un brote tan prolífico de colegios privados a tantos niveles diferentes de la estructura socioeconómica. Escuelas privadas las hay por dondequiera. Pero dudo que se vean tantos colegios por kilómetro cuadrado en todas las "Guachupitas" de las Américas, ni en todos los "Arroyo Hondos".

Hay un factor antropológico —llamémoslo un factor antillano— que distingue a la región en general y a la República Dominicana en particular, y es el alto grado de comercialización de la vida, efecto de una historia regional en que las culturas autóctonas se eliminaron por completo y las islas fueron pobladas por advenedizos, para quienes la búsqueda del dinero constituía el único *summum bonum.* Tal orientación tiene fuertes impactos en la evolución de la cultura local. Si naces en tal ambiente selvático de sálvese-quien-pueda, te criarás con una marcada tendencia personal hacia la independencia económica, como único mecanismo de autoprotección, mediante el establecimiento de tu propio negocio. En tal mundo de chiripeo inestable, conceptúas el empleo asalariado como un simple paso interino, mientras acumulas el capital para poderte independizar. Y como veremos a continuación, tal hambre cultural de eventual independencia económica brota en el corazón del maestro criollo no menos que en el del empleado interino de una compañía de seguros.

Ese ímpetu microempresarial ha sido objeto de análisis cuantitativo y cualitativo por parte de FondoMicro. Cabe señalar aquí que las mismas inclinaciones populares hacia la independencia económica y los mismos talentos microempresariales que engendran tan dramática e impresionante explosión de colmados, pulperías, ventorrillos, salones de belleza, talleres mecánicos y centenares de otras microempresas en terreno dominicano, esos mismos impulsos y talentos se extendieron y se siguen extendiendo hacia el terreno educativo. A diferencia de sus colegas europeos o norteamericanos, un porcentaje aún no estudiado pero probablemente bastante nutrido de maestros dominicanos albergan la esperanza un día de dejar de ser empleado de otro y de poner su propio colegio. Eso no se le ocurriría a la típica maestra norteamericana o alemana, portadoras de otras orientaciones culturales, pero sí sería una alternativa muy atractiva para la maestra criolla.

Y cabe insistir en que el compromiso fundamental de tal maestro criollo es la vocación educativa. Con el mismo capital —o con menos capital— podría abrir un colmado y ganar más dinero vendiendo cerveza, ron y cigarrillos. Pero las decenas de dueños de colegio que entrevistamos en el curso del estudio son maestros o ex-maestros firmemente comprometidos con la vocación de la educación. Jamás dejarían la enseñanza para vender cerveza, por lucrativo que fuera. Por supuesto, se dan cuenta de que generan mayores ingresos personales siendo dueños de colegio que maestros. Pero en eso no difieren de otros profesionales que desean ejercer su profesión de la manera mejor remunerada posible.

Y ahí vemos la intervención de actitudes culturales insólitas. Ese afán de iniciativa propia que se ve como normal y admirable en otros renglones, se mira de reojo precisamente en el renglón educativo, donde más se necesita con urgencia nacional gente de alta energía, motivación y dedicación. El pueblo dominicano vería como exitoso al empleado joven de colmado que lograra poner su propio negocio de bebidas alcohólicas. Pero ese mismo pueblo, cuando se trata de la maestra que deja la escuela pública para poner su propio colegio, la mira de reojo como una codiciosa que quiere enriquecerse con un negociazo. La monja que ponga un colegio de barrio —se supone que actúa bajo puros motivos madreteresianos. Pero la entusiasta maestra laica que haga lo mismo al otro lado de la calle, se piensa que actúa por afán de lucro.

Es una peculiaridad antropológica exótica e interesante del mundo criollo. Pero es un rasgo sumamente dañino a la vez.

Injustamente desvaloriza e informalmente criminaliza, con el castigo de chismes y querellas, una actividad de muy alto valor humano y de muy alta prioridad nacional.

F. Cifras educativas deprimentes y vergüenzas nacionales

¿Por qué es de alta prioridad? ¿La educación no debería ser más bien un servicio gratuito, suministrado por el Estado? ¿Qué hay del ambicioso Plan Decenal que se diseñó para poner a caminar las escuelas públicas? Fue un esfuerzo colectivo nacional para rescatar el sistema educativo público. Se lanzó a principios de la década de 1990 con la participación entusiasta de varios sectores sociales, de centenares de profesionales criollos y extranjeros, y con aportes multimillonarios del Banco Mundial, del Banco Interamericano del Desarrollo y de la USAID. Aquellos dos canalizaron sus fondos, mayormente en forma de préstamos, a través del sector público. La USAID, en cambio, canalizó su apoyo, en forma de donación, mayormente a través de EDUCA, una institución educativa filantrópica de la sociedad civil dominicana.

En el contexto del Plan Decenal se implementan cambios curriculares, se preparan libros de texto mejorados, se capacitan miles de maestros y directores, se lanza un programa de desayuno escolar, y —de gran importancia para la dignidad y la viabilidad de la vocación de la educación pública— los sueldos de los maestros se incrementan, gracias a la presión continua del sindicato. Este sindicato evoluciona[9] un poco, deshaciéndose de (o quizás guardando en una gaveta) la retórica ideológica marxista-

[9]El nacimiento y la evolución del sindicato magisterial dominicano los describe en detalle Rafael Santos en su libro *Treinta Años de Gremialismo Magisterial en República Dominicana.* Santo Domingo: Editora de Colores, 1996.

leninista de los años 1960 y 1970. A base de una política despiadada de amenaza constante de huelga, el sindicato logra establecer para los maestros de la nación una cooperativa excelente, un programa importante de seguros médicos, centros de recreo y de vacaciones, y un sistema de escalafón, el cual —cuando el Estado cumple con el mismo— aumenta los sueldos de los maestros basándose en una titulación superior, en años de servicio y en otros factores.

Me disculpo por el tono de violín alabador que parece caracterizar el párrafo anterior. El dominicano cínico bien sabe que gran parte de la bulla educativa pública que se ha hecho bajo el Plan Decenal consiste de la retórica política y del figureo público más bien que de cambios positivos sustanciales. Pero hay que reconocer los esfuerzos colectivos gigantescos que se hicieron en el renglón educativo dominicano en la década de 1990 y que las autoridades públicas han seguido haciendo para mejorar la situación educativa del país. La Secretaría de Educación ha gozado, bajo tres partidos distintos, de líderes dotados de impecables credenciales profesionales. Los partidos, por supuesto, se especializan a veces en criticar lo que hicieron sus antecesores y en pregonar lo que hacen ellos mismos. Es su naturaleza. Sin embargo, un observador foráneo tiene que reconocer que el Estado dominicano, sea cual sea el partido de turno, viene desde hace una década haciendo esfuerzos reales por traer orden y sanación a un sistema de educación pública desfasado y caótico. A los gobiernos de los últimos diez años se les puede criticar por muchas cosas, pero a ninguno se le puede acusar honestamente de indiferencia hacia la educación.

¿Y los resultados de estos esfuerzos? Ahí vienen las malas noticias. A pesar de tales esfuerzos, la educación pública dominicana sigue siendo de las peores de las Américas. (Mis entrevistados usaban un lenguaje más colorido: "un tollo", "un rebú", "un desorden", "un desa'tre".) Sugeriré en otros párrafos que los resultados desalentadores derivan en parte de unas fallas en el diagnóstico del problema al lanzar el Plan Decenal. Se recetaron excelentes medicinas pedagógicas —mejoramiento de libros de texto, capacitación pedagógica de maestros, capacitación gerencial de directores de escuela, introducción de "ejes transversales" en el currículo—, pero como ya planteamos, los cuatro males letales que infectan el sistema no eran y no son de carácter pedagógico. Son de carácter sistémico. La medicina del Plan Decenal servía para enfermedades que no eran las que más incapacitaban e incapacitan el sistema. Son enfermedades no-pedagógicas, enfermedades más bien estructurales y sistémicas que poco tenían que ver con problemas pedagógicos.

Como resultado de la aplicación de remedios que dejaban intactos los verdaderos males sistémicos, el Plan Decenal ha carecido de eficacia. Examinemos el asunto en el marco comparativo. En Argentina, por ejemplo, el estudio de Morduchowizc (2002) documenta que entre el quintil de las familias más ricas, 64 por ciento manda sus hijos a escuelas privadas en vez de a escuelas públicas. Eso indica, sin embargo, que 36 por ciento de las familias argentinas más ricas mandan sus hijos a las escuelas públicas de su país. A falta de datos cuantitativos al respecto, he preguntado a docenas de dominicanos qué porcentaje de las familias dominicanas más pudientes mandan sus hijos a las escuelas públicas del país. La repuesta ya se comunicó en un párrafo anterior: cero por ciento. Ni se les ocurriría. A pesar de los esfuerzos realizados en el contexto de este Plan, el sistema educativo público de la República Dominicana sigue entre los dos o tres más mediocres y menos exitosos de las Américas.

Tal juicio severo se basa, no en opiniones subjetivas o medalaganarias, sino en cifras comparativas duras, frías y vergonzosas para la nación dominicana. El informe *Quedándonos Atrás: Un Informe del Progreso Educativo en América Latina*, publicado en 2001 por el PREALC (Programa de Promoción de la Reforma Educativa en América Latina y el Caribe), demuestra que los estudiantes latinoamericanos, aún los de los países que mejores desempeños académicos demuestran (como Cuba y Chile), caen muy por debajo de sus contrapartes en Asia, Europa y América del Norte. Pero aun dentro de este deprimente marco latinoamericano, que dio origen al título poco optimista de *Quedándonos Atrás*, los estudiantes dominicanos quedan en el sótano. De los trece países latinoamericanos cuyos niños de cuarto grado participaron en el Primer Estudio Internacional Comparativo, los dominicanos del cuarto grado sacaron las peores notas del continente en lenguaje. Y cayeron cerca del sótano en otras destrezas como las matemáticas.

Los datos se desglosaron por áreas: ciudad capital, otras ciudades y zonas rurales. Los niños de la "megaciudad" capital de todos los países tuvieron mejor desempeño en las pruebas que los niños de las zonas rurales. Aun así, los niños capitaleños de la República Dominicana salieron hasta peor en lenguaje castellano que los niños campesinos de las zonas rurales de Cuba, Chile, Argentina, Brasil y Colombia (PREALC, 2000, pp. 32-33). Es cierto que los niños campesinos dominicanos lograron notas unos puntitos más altos en lenguaje castellano que los niños campesinos de dos países: Perú y Bolivia. Pero que no se celebre esta victoria con champaña. En estos dos países los niños rurales hablan español como segundo idioma. (Los campesinos peruanos hablan quechua y los campesinos bolivianos aymará). Aun así, los niños peruanos y bolivianos que aprenden español en la escuela como segundo idioma casi alcanzaron el nivel de desempeño de los niños campesinos dominicanos que aprenden español como primer y único idioma en sus casas. Y cuando se trata de poblaciones de habla castellana, los niños dominicanos, en general, tanto los capitaleños como los campesinos, salen por debajo de sus contrapartes en el resto de las Américas. Son moradores del sótano. Es una vergüenza nacional. Pero es una vergüenza predecible y un pago muy merecido a la conducta presupuestaria del Estado dominicano.

Miremos otro juego de cifras. La seriedad educativa de cualquier gobierno se puede medir en términos del porcentaje del Producto Nacional Bruto que dedica a la educación. En el citado informe del PREALC aparece una lista de 26 países de las Américas, incluyendo los Estados Unidos y Canadá, con el porcentaje del PNB que se gasta en la educación. Los cinco países que encabezan la lista son Jamaica con más de 7 por ciento, Canadá con casi 7 por ciento, Cuba con 6.5 por ciento y los Estados Unidos y Costa Rica con más de 5 por ciento. De los 26 países citados[10], la República Dominicana comparte el sótano con Guatemala, con 2 por ciento o menos de su PNB dirigido a la educación. No es ni sorprendente ni una casualidad que el país cuyos alumnos ocupan el sótano en las pruebas estandarizadas internacionales sea precisamente aquel mismo país cuyo gobierno ocupa el sótano en términos del porcentaje tan bajo del presupuesto nacional asignado al renglón educativo. Lo barato se compra caro.

Un pueblo endeudado con préstamos multimillonarios a su gobierno dizque para mejorar la educación, y bombardeado durante más de quince años con rimbombante propaganda política de tres partidos sobre los milagrosos logros de sus funcionarios en el renglón educativo, tiene el derecho de preguntar por qué sus hijos siguen vergonzosamente en el sótano intelectual de las Américas. Los líderes sindicales se felicitan mutuamente por haber alcanzado mejoramientos de la condición económica de los maestros. ¿Pero y qué de la vergonzosa condición intelectual de los alumnos que éstos están supuestos a enseñar? O más bien que dejan de enseñar cuando cierran las aulas y los *envían a la calle*. Aquellas victorias económicas se han logrado por una política destructiva de 30 años de abuso sindical en contra de los niños de los sectores más pobres de una nación. Un pueblo harto de la amenaza sempiterna de la huelga escolar, y avergonzado de que sus hijos acaben siendo el hazmerreír intelectual del continente, tiene no sólo el derecho sino también la obligación moral de reaccionar.

---

[10]Haití no aparece en la lista.

Pues el pueblo ya reaccionó. Todo el que puede sale huyendo de las aulas públicas, invadidas por un sofocante aparato estatal desde arriba y por un paralizante aparato sindical desde abajo. No hay mal que por bien no venga. El resultado de esta tragedia educativa nacional ha sido el brote, el florecimiento y la proliferación —aun en los barrios más pobres de la nación— de un nuevo árbol criollo, un nuevo camino educativo para un creciente número de los niños de la nación: el colegio privado.

G. El tema candente de las tarifas de los colegios[11]

Los defensores de la justicia social podrían alegar que "El colegio privado es una ruta de escape sólo para los pudientes." Pero es una aseveración errónea que se basa en una falta de conocimiento empírico de los hechos. En el drama del colegio privado dominicano, de ninguna manera se trata de una simple distinción estereotipada entre "rico y pobre". Es cierto que todos los que están en escuela pública son pobres. Y es indiscutible que todos los que gozan de medios económicos van a escuelas privadas. Pero cuando examinemos los aranceles cobrados por la abrumadora mayoría de dueños de colegio dominicanos, veremos que menos del 20 por ciento de los niños que estudian en uno de los 2,000 y pico de colegios privados dominicanos podrían clasificarse, bajo cualquier criterio convencional, como clase media y un porcentaje mucho menor como clase alta. Es decir, el movimiento de escuelas privadas en la República Dominicana, en términos puramente estadísticos, es un movimiento que sirve mayormente a sectores pobres.

---

[11]La tarifa media nacional era de apenas RD$300 por mes en el año 2000. A diferencia de la media, el promedio era algo más alto debido a la presencia de un pequeño número de colegios que cobran caro.

Admito que me lancé a realizar el estudio con las mismas ideas y preocupaciones que critiqué arriba —ideas sobre el supuesto carácter élite del colegio privado. Asumí al principio que se trataba de una situación educativa de "sálvese quien pueda". Conceptué el brote de centros docentes privados como mecanismo que permite a las familias de mayores recursos rescatar sus hijos del impacto nocivo del sistema público, olvidándose de la problemática nacional. El aparato educativo público parecía seguir condenado a una trayectoria de humillante fracaso académico, de incesantes intervenciones políticas y de sempiternas amenazas sindicales de más huelgas escolares. Parecía ser un barco que se hundía con sus desafortunados pasajeros de las clases más pobres. Los colegios privados parecían como los barquitos de rescate para los niños de los pudientes.

Pero la información que iba surgiendo me impuso replantear la presuposición básica, por lo menos en la República Dominicana. Como señalé anteriormente, alrededor de un 80 por ciento de los 2,500 colegios privados dominicanos educan los hijos de los pobres, no de los pudientes. Como documenté en tabulaciones realizadas a partir de la Encuenta de la Secretaría de Educación en el año 2000, *la tarifa media de los 2,000 y pico de colegios privados dominicanos andaba por los RD$300 mensuales, como mucho; es decir, alrededor de unos $15 dólares en el momento en que los datos fueron recogidos*. Estas estadísticas hay que gritarlas en letra de molde. Y habrá que presentarlas, en otro capítulo, en tabulaciones más refinadas.

Mientras tanto, el lector criollo sabrá mejor que quien escribe que a ninguna familia de la clase media dominicana para arriba —repito, *ninguna*— se le ocurriría mandar a sus hijos a un colegio de barrio que cobre sólo $15 dólares mensuales. Quien paga un colegio, no sólo compra una educación, sino que también "compra" los compañeros sociales de sus hijos. Los que pagan US$15 mensuales por un colegio no son ni de la clase alta ni de la clase media. Son más bien de aquellas clases sociales que trabajan en el servicio doméstico (quehaceres del hogar, jardinería) de las casas de los más acomodados. Y puede aseverarse que son pocas las dueñas de casa que permitirían que su hija estudiara en la misma aula con la hija de la cocinera. El colegio dominicano típico sirve, no a la hija de la casa, sino a la de la cocinera. Los colegios privados élite constituyen una minoría pequeña del sector.

El colegio privado dominicano es más como la cerveza que como el coñac. Pese a las imágenes no es la bebida sólo de los pudientes sino de todos. Por cierto, el colegio raras veces junta en la misma aula niños de distintas clases sociales. Pero sí cruza las fronteras sociales en otro sentido: se encuentra tanto en el barrio de pobre como en el de los pudientes. Pero las cifras nos obligan a ir más lejos. El colegio no sólo cruza las fronteras sociales, sino que lo utilizan, en cifras crudas, *cuatro veces más los pobres que los ricos*. Como los colegios donde acuden los pudientes cobran más caro, si uno cuenta el dinero gastado por la minoría pudiente de los colegios, probablemente ese dinero sume más que el total del dinero gastado por los pobres. Pero si contamos a los estudiantes como unidad analítica, el colegio dominicano ya es asunto mayormente del pobre.

En este sentido, pido al lector leer con escepticismo cualquier análisis que equipare la dicotomía "educación pública vs. educación privada" con la dicotomía "rico vs. pobre."

En perspectiva antropológica el colegio privado se asemeja a una positiva mutación evolutiva. Una visión miope podría confundir esta nueva planta, sobretodo el colegio del barrio, con la mala hierba educativa. Una visión más acertada la vería como una mutación ventajosa que cobrará más auge. Y las autoridades públicas del país, si actúan con sabiduría, dejarán de tratar el colegio como mala hierba que hay que controlar. Es más bien una planta que merece ser enérgicamente propagada y replicada con el mismo apoyo financiero que le dan ciertos otros gobiernos de las Américas.

H. En busca de la élite moral

Lejos de pertenecer a una élite económica, los usuarios de colegio de barrio posiblemente pertenezcan a una élite moral. En cualquier clase social hay una distinción entre aquellos padres que se preocupan mucho por la educación de sus hijos y aquellos que se preocupan menos. Se trata, por tanto, no de una élite socioeconómica, sino más bien de una élite sociomoral que trasciende las fronteras de las convencionales clases socioeconómicas. Con eso de la "élite moral" entramos en un terreno antropológico muy delicado. Pero vamos adelante.

Clarifiquemos primero los conceptos. En toda clase social hay padres que se preocupan mucho por la educación de sus hijos y otros que se preocupan menos. No es *sensu strictu* una dicotomía sino un continuo, con altos niveles de preocupación por un lado e indiferencia total al otro extremo. El individuo típico o la familia típica caen en algún punto entre los dos polos. No importa el estrato social al que pertenecen.

El gastar dinero en un colegio privado, para la familia de clase media o alta dominicana, no constituye una prueba de ser miembro del grupo de alta preocupación educativa. Todo el mundo lo hace. Es inconcebible no hacerlo. Si mandas los hijos a una escuela pública, tus familiares y amistades te acusarán de abuso paternal. Constituiría una vergüenza social para los padres que lo hacen. Si dices a tus colegas o familiares: "Mis hijos están en la escuela pública X" te mirarían como loco, si no criminal. Es decir, cuando se trata de las esferas económicas medias y altas, aún el tipo más grosero y patán sacará la chequera para pagar un colegio. Socialmente, no tiene la opción real de la escuela pública. Mandar a su hijo a un colegio privado, por lo tanto, no constituye una prueba de su alta preocupación educativa.

Pero en el barrio sí. El morador de barrio tiene la socialmente aceptable opción de mandar a su hijo a recibir educación gratuita en la escuela pública. El apretar el cinturón para pagar un colegio privado constituye en aquellas condiciones económicas un indicio más probable de alta preocupación paternal por la educación. El no hacerlo —el no pagar los $200 mensuales que muchos colegios requieren— no necesariamente constituye un indicio de indiferencia. Pero tampoco indica necesariamente pobreza extrema. Se encuentran en el barrio niños de escuela pública del mismo nivel socioeconómico que los niños mandados a los colegios privados del barrio. En tales estratos marginados pagar un colegio indica una orientación cultural y moral más que un status socioeconómico elevado. Los del mismo nivel que no lo hacen, dan indicios de seguir otras prioridades económicas. No se han hecho estudios empíricos sobre las características socioeconómicas de los padres que pagan $200 ó $250 para mandar sus hijos a un colegio de barrio. ¿Son más ricos que los demás? ¿Constituyen una clandestina élite económica dentro de las clases marginadas? *¿O constituyen más bien una admirable élite moral, más dispuestos que los demás a sacrificarse por la educación de sus hijos?*

I. Macrodatos comparativos sobre patrones criollos de consumo

Como no tengo microdatos cuantitativos directos sobre el asunto, compartiré con el lector unos macrodatos sobre las prioridades económicas de la población dominicana como unidad. Para el año 2001, el Impuesto sobre la Transferencia de Bienes Industrializados y Servicios (ITBIS) de 8 por ciento, sobre cerveza, ron y otros productos alcohólicos, llegó a la suma de RD$2,849 millones.[12] Si dicha cifra realmente constituye el 8 por

[12]Agradezco al Lic. Alberto Cruz por haberme buscado estas cifras en fuentes oficiales públicas.

ciento de lo gastado, eso implica un gasto anual nacional de unos $36 mil millones en bebidas alcohólicas. Si utilizamos una cifra redondeada de 8 millones de habitantes y la dividimos entre 5 (el tamaño promedio del hogar), sacamos un total aproximado de 1,600,000 hogares dominicanos. Las cifras parecen indicar un gasto anual de más de $22,000 en cerveza y ron por hogar. Usando las mismas cifras para el ITBIS del tabaco, sacamos una cifra redonda de unos $8,000 por hogar por año en cigarrillos. *Estos cálculos nos dejan con un promedio de unos RD$30,000 ($1,500 dólares en la moneda del año 2001) por hogar gastado cada año en cerveza, ron y cigarrillos en la República Dominicana, o RD$2,500 por mes por familia dominicana.* La cifra media de las mensualidades de los colegios capitaleños es de RD$250. Es decir, la suma mensual por hogar gastada en alcohol y tabaco resulta justo 10 veces más alta que la mensualidad media de la educación de un hijo. ¿Cuál es el significado de tales cifras? Prefiero dejar que un competente economista dominicano explique el significado de estos números. De ninguna manera planteo que la familia típica de barrio de bajos ingresos gasta $2,500 pesos mensuales en ron, cerveza y cigarrillos. Es un macropromedio nacional aproximado derivado de cifras oficiales. No es un microestudio específico sobre los reales patrones de consumo de las familias de los barrios marginados.

Bajemos, pues, a un nivel antropológico más concreto para medir las prioridades de un pueblo reflejadas en sus patrones reales de gasto. En un estudio que realicé sobre *El Colmado* (Murray, 1996) para FondoMicro, hice inventarios de varios colmados y presenté datos sobre las ventas mensuales de cada género de producto. En cifras redondeadas, el colmado más cuidadosamente estudiado, ubicado en un barrio popular de la capital, vendía RD$39,000 mensuales de cerveza y RD$23,000 en ron y otras bebidas alcohólicas. Es decir, vendía $62,000 mensuales en cerveza y ron. ¿Y cuánto se vendía mensualmente en la leche para los niños? El colmado vendía unos RD$11,000 mensuales en bebidas lácteas. Si las cifras son generalizables, se trata de un pueblo cuyos moradores de barrio popular gastan 5 ó 6 veces más en alcohol para los adultos que en leche para los niños.

¿Se da lo mismo en otros países? ¿Hacen lo mismo los ciudadanos de las naciones del Norte? No sé. Y habría que averiguar con cifras comparativas antes de emitir juicios sobre la conducta socioalcohólica del pueblo dominicano. Lo que sí me atrevo a aseverar, en base a estos dos juegos de datos cuantitativos, es que se trata de una nación cuyos ciudadanos, a pesar de su pobreza generalizada, están dispuestos a gastar cantidades impresionantes por cabeza en cerveza, ron y (hoy por hoy) whisky. Pero las estadísticas indican sólidamente que este mismo pueblo no es tan espléndido cuando se trata de gastos en leche y educación para sus hijos.

Sigamos con los cálculos. Los colegios de barrio cobran alrededor de $400 mensuales. (Los colegios élites pueden cobrar 10 veces aquella suma). A nivel nacional, se gastan RD$4,000 millones en alcohol y tabaco por mes. Si la nación suspendiera estos gastos y reinvirtiera el dinero en una educación privada, *eso liberaría suficiente dinero para pagar un colegio privado de RD$400 mensuales para 10 millones de niños.* Como la matrícula actual de la República Dominicana entera anda por los 2 millones y pico de estudiantes, una reinversión del dinero gastado en alcohol y tabaco bastaría para brindar una educación privada no sólo a los niños de la República Dominicana sino a los de cuatro países más del mismo tamaño.

J. Forjando lazos dinámicos

Que se recuerde que aquí se trata exclusivamente del dinero del sector privado. Las compras de cerveza y cigarrillos son compras privadas. Y los datos sobre los colmados indican que los moradores de los barrios marginados participan entusiasta y opíparamente en dichos desembolsos sociogastronómicos. De ninguna manera es monopolio de las clases más pudientes. ¿Con esto mantengo que se debe suspender el consumo de alcohol y tabaco? No. En lo que sí insisto, sin el menor peligro de equivocarme, es que entre el presupuesto público y los gastos recreativos privados existen suficientes recursos financieros en la República Dominicana para brindar a todos los niños de la nación una educación de alta calidad. La crisis educativa se debe, no a falta de dinero. Se debe, en el sector público, a falta de voluntad o capacidad para canalizar bien los gastos públicos, y, en la población, a la relativamente baja prioridad asignada por muchas familias a la educación de sus hijos. Por supuesto, todos quieren que los hijos vayan a la escuela. Pero no todos pueden o quieren emprender la reorganización necesaria de sus finanzas personales para que estudien en un colegio de barrio.

Mi intención no es criticar los hogares urbanos que dejan a sus hijos en la escuela pública, sino de examinar la dinámica y el *modus operandi* de los que sí hacen el sacrificio. Mi intento más bien es recalcar que aquellos padres pobres que insisten en hacer el sacrificio de pagar una educación de colegio no constituyen una "élite económica". Constituyen más bien una "élite moral", una minoría inspiradora, que, a pesar de la situación económica difícil, ponen la educación de los hijos delante de la cerveza, el ron o cualquier otra prioridad. Y los fundadores y directores de colegios privados establecen las estructuras educativas que permiten a estos padres cumplir con sus hijos.

La opinión pública en la República Dominicana, tal como se ve en los órganos de prensa, y las opiniones oficiales, tal como se expresan en cuantiosas declaraciones poco amistosas que se oyen sobre los colegios privados, no comparten esta visión positiva de los dueños o los usuarios de colegios privados. Como veremos en numerosos párrafos, éstos últimos son más bien tildados de abusadores y comerciantes.

Tal enemistad entre sector educativo público y sector educativo privado podría ser reemplazada por aquellas alianzas dinámicas que, como ya se dijo, se han forjado en otros países. El caso más impresionante es el de Chile, donde el Estado no sólo descentralizó el sistema público entero, abandonando su control centralizado y —sin dejar de asumir responsabilidad financiera— poniendo la gestión en manos de cada municipio. También abrió la puerta para que cualquier educador privado que cumpliera con ciertos requisitos pedagógicos pudiera recibir financiamiento público para una escuela privada como si fuera una escuela municipal. La competencia saludable engendrada por tal política estatal ilustrada ha producido resultados educativos muy prometedores. El aparato educativo chileno se transformó interiormente y se reorganizó totalmente en cuanto a sus relaciones exteriores con el sector privado. No hay razón por la cual el Estado dominicano no pueda emprender innovaciones estructurales parecidas con los educadores del sector privado.

El hecho es que el Estado dominicano ya ha dado pasos enormes al respecto, poniendo la gestión de recursos públicos en manos de actores no públicos. Los resultados educativos han sido universalmente reconocidos como sobresalientes durante casi tres décadas. Se trata del arreglo mediante el cual a algunos colegios católicos el Estado les ha otorgado el abono de subsidios financieros, pagando los maestros, pero dejando el manejo de la escuela en manos de la congregación religiosa. Tales "escuelas semipúblicas" han logrado, mediante este convenio pragmático con el Estado, convertir fondos públicos en una educación de alta calidad para niños pobres. La idea de colaboración por parte del Estado con sectores educativos no públicos, en otras palabras, ya ha sido intentada con aparente éxito.

Desafortunadamente, este experimento, que constituye la intervención más exitosa del sector público en la educación de los pobres, no ha recibido el reconocimiento debido. Se instituyó bajo una de las presidencias de Joaquín Balaguer. Se tiene la impresión de que los funcionarios educativos de otros gobiernos que vinieron después, inspirados por cierta hostilidad hacia la intervención de cualquier actor religioso en la educación pública, lejos de apreciar el éxito del arreglo, hubieran preferido abolirlo. Por el poder de la Iglesia Católica no se ha podido abolir. Las poderosas implicaciones nacionales de este arreglo exitoso, que debe replicarse con otras iglesias y con otros actores educativos particulares y no religiosos, no se han percibido. Y las implicaciones analíticas aún no se han reconocido.

Y también desafortunada e innecesariamente, los colegios del sector privado no religioso continúan siendo blancos de crítica, sobre todo por el asunto de los aumentos anuales en las tarifas cobradas. Las autoridades no han tratado de eliminar el colegio privado. Al contrario. Como sus propios hijos ya estudian en las aulas de colegios privados, a tales autoridades, por supuesto, no les interesa eliminarlos. No eliminan, pero sí amenazan, critican y pasan leyes para implementar controles de precio sin brindar un mínimo apoyo financiero que justificara la intervención estatal en los aranceles cobrados. La opinión unánime de los entrevistados en el sector privado educativo es que la actitud del Estado dominicano hacia sus educadores privados ha sido tradicionalmente, y lo sigue siendo hoy, tensa y antagónica. Espero que el presente estudio contribuya a la desaparición de este antagonismo tan injustificado y tan improductivo.

K. Buscando lazos entre sector público y colegio privado: el caso chileno

Para resumir nuestro planteamiento, hemos identificado el voluminoso surgimiento del colegio privado en la República Dominicana como resultado de tres procesos simultáneos:

1) El aumento en la demanda educativa nacional como resultado del crecimiento demográfico y de la urbanización. El crecimiento demográfico hubiera de por sí aumentado

la demanda educativa. La urbanización simultánea agudizó aún más su impacto sobre la demanda.

2) El deterioro radical de la oferta pública y la disminución radical de la oferta católica tradicional, justo en el momento del aludido aumento en la demanda.

3) El brote en distintas clases sociales, después de la muerte de Trujillo, de una subcultura microempresarial popular, en la cual la aspiración económica dominante de gran parte de la población es la de independizarse. Dicho ímpetu se expandió al renglón educativo e impulsó a educadores de todas clases sociales a dejar de ser empleados y a tomar la iniciativa de establecer sus propios colegios.

Cabe repetir también que el colegio de ninguna manera es fenómeno elitista. Rechacé el modelo —desafortunadamente corriente en círculos educativos latinoamericanistas— del colegio privado como un mecanismo elitista de sálvese-quien-pueda disponible sólo a las capas más altas de la sociedad, como si fuera un vehículo de escape algo irresponsable y egoísta del problema nacional de educar a las masas. Un juego de datos cuantitativos bien confiables, recogidos a nivel nacional por autoridades educativas anteriores, indica que, por lo menos en la República Dominicana, el movimiento de colegios privados constituye mayormente un movimiento popular de barrio. El colegio privado dominicano es una respuesta totalmente popular, no un escape elitista, pese a los comentarios despectivos que aparecen aún en estudios académicos de la realidad educativa latinoamericana[13].

---

[13]El excelente informe del PREAL, "Quedándonos Atrás" (cf. PREAL 2002 en la bibliografía), intenta informarnos sobre el "progreso educativo en América Latina" con estadísticas comparativas utilísimas. Desafortunadamente, los autores de este importante documento aparentemente no consideran la educación privada

Quiero ir más lejos y proponer que el colegio privado puede ayudar con la resolución del dilema público. Sería desafortunado desligar artificialmente un estudio del colegio privado de su contexto socioecológico más amplio, un paisaje dominado por la sombra de escuelas públicas en crisis. Miremos el pasado, el presente, y el futuro. Pasado: La dominante causa histórica del colegio moderno fue el deterioro de la oferta educativa pública. Presente: En el presente los defectos tenaces de aquel mismo aparato público siguen nutriendo la demanda por aún más colegios privados. Y para el futuro, la educación de gestión privada entre los pobres representa no un fenómeno pasajero sino posiblemente un elemento permanente.

El proceso educativo chileno, en ese sentido, debe ser cuidadosamente estudiado[14]. En el año 1980 los gobernantes en Santiago, frustrados con los defectos de la centralizada educación

---

como algo digno de mención. La única mención aparece en la página 21, cuando se hace alusión a "...las escuelas privadas de alta calidad, que rara vez sirven a los pobres." ¿Pero y qué hay de las decenas de miles de escuelas privadas y religiosas en la Américas que sí sirven a los pobres? El susodicho comentario refleja aquella actitud menospreciante en el mundo de expertos educativos internacionales en cuanto a las escuelas de los sectores religioso y privado. Los consultantes de tales círculos —cuyos hijos por supuesto estudian en escuela privada— intentan, sin embargo, vender a los países una obsoleta visión Estado-céntrica que conceptúa el futuro educativo del mundo y del hemisferio sólo en cuanto a escuelas públicas manejadas y enseñadas por empleados públicos. En tal paradigma las otras escuelas, las religiosas y las laicas, se critican como *síntomas de un problema* más bien que elementos de una solución. Desafortunadamente, algunos consultantes extranjeros al igual que ciertos funcionarios altos dominicanos de los años 90, parecen haber sucumbido a las premisas equivocadas de tal estatismo educativo. Un objetivo central del presente tomo es contribuir al exorcismo de dicho íncubo para que no infecte y dañe también cualquier Segundo Plan Decenal.

[14]Un resumen excelente de la colaboración educativa pública/privada chilena se da en Vargas y Peirano (2002). Este artículo interesantísimo se encuentra en un libro (Wolff *et al*, 2002) que documenta empíricamente los diferentes modelos de colaboración educativa pública/privada que se han intentado en América Latina.

pública, traspasaron todos los fondos para las escuelas públicas del país a los municipios, quienes de ahí en adelante las manejaban. Como medida pionera, sin embargo, también hicieron disponible gran parte del financiamiento también a actores del sector privado, que podían establecer escuelas y recibir apoyo financiero igual que los municipios. Pero lo hicieron de una manera empresarial que provocó ataques de los partidarios del rumbo antiguo. El elemento más innovador del experimento es *fijar la suma que se le da a cualquier escuela según la cantidad de estudiantes que puede atraer.* Las escuelas públicas municipales tienen que competir de esta manera en calidad educativa con las particulares. Los niños no están asignados a una escuela. Los padres pueden escoger. Ya 45 por ciento de los niños chilenos, provenientes de todas las clases sociales, estudian en tales escuelas de gestión particular, la mayoría con apoyo estatal (Vargas y Peirano, 2002, p. 276). Si las autoridades chilenas, cuyos niños ya salen cerca de la cumbre en las pruebas comparativas internacionales, pudieron romper con los esquemas públicos centralizados, no hay ninguna razón porque las autoridades dominicanas, adaptando la solución a la realidad criolla local, no puedan lograr algo parecido. Es decir, el tópico de este libro, el colegio privado, alberga una posible solución al dilema educativo público de la República Dominicana.

L. El asunto de la centralización y la descentralización

Un partidario intelectualmente vivo del modelo Estado-céntrico podría señalar que los niños de Cuba, con su centralizado sistema socialista, salieron en la cumbre de las pruebas internacionales comparativas. ¿No debilita dicho dato el planteamiento sobre los beneficios de un modelo descentralizado basado, en parte, en una colaboración entre Estado y colegio privado? Pregunta interesante. Hay quienes dirán que las cifras cubanas son exageraciones, falsas creaciones de un gobierno deshonesto. Pero no estoy de acuerdo. Reconozco que un sistema dictatorial, sea el de Fidel o sea el de Trujillo —quien entró a su descanso un buen 30 de mayo—, puede imponer de manera centralizada una educación de alta calidad desde arriba mediante el puño férreo. Concedámoslo. Los niños saldrán obedientemente cantando las alabanzas de la Revolución o del Benefactor de la Patria Nueva, pero sabrán leer y sumar.

El modelo educativo de la mano férrea, sin embargo, no caminaría en el actual sistema político dominicano. Según lo que me han aseverado un sinnúmero de dominicanos, el rasgo dominante del funcionario de hoy en día no es la mano férrea, sino la mano pegajosa. Para que funcione bien, un sistema educativo tiene que encajar y sintonizar con el sistema socioeconómico imperante y circundante. La educación centralizada y monolíticamente controlada de una Cuba o una China, que prohíbe la intervención de actores privados o religiosos en la educación, hace sentido sistémico perfecto en una sociedad cuya economía y política también están centralizadas.

Pero lo que no camina es el modelo educativo dominicano, un atávico y autoritario aparato centralizado, producto de una dictadura ya desvanecida, colocado dentro de un sistema socioeconómico transformado que ya funciona a base de iniciativas descentralizadas.

Permítasenos una metáfora. Si amarramos las múltiples velas de una carabela colonial sobre las alas del vuelo 582 de American Airlines, las velas ejercerán el impacto justamente contrario a lo deseado. En la carabela las velas constituían un mecanismo formidable de propulsión. En el avión paralizan el movimiento. El avión ni despega. O si logra despegar acaba en el mar. Igual sucede con la centralización administrativa. En contexto X funciona. En contexto Y es un desastre.

El subyacente e imperante sistema económico de la República Dominicana es altamente descentralizado. Para propulsar dicha economía se necesita un componente educativo estructuralmente compatible con el resto del aparato. Un experto internacional que venga a venderle al país un atávico modelo Estado-céntrico de la educación pública es como un viajante que quiere venderte las velas de una carabela para tu avioneta. "Mira lo bien que funcionan estas velas en la carabela. Vamos a instarlas también en la avioneta..." Pues sí. "Mira lo bien que funciona una burocracia estatal centralizada en la educación cubana. Vamos a comprar un modelo parecido para la República Dominicana." Lo siento. Pero las velas que funcionan en la carabela de una economía centralizada provocan un desastre en el avión de una economía descentralizada en vías de modernizarse.

El aludido experimento educativo chileno, con su invitación amistosa a la gestión educativa particular y su apoyo financiero real a tales esfuerzos, constituye una onda más prometedora para el futuro de un país como la República Dominicana. Es un pragmático mecanismo evolutivo a la vez que una excelente mutación híbrida que ofendería a los extremistas de los dos lados. Por un lado, huele demasiado a "empresa libre" para la vanguardia del proletariado, y por el otro hiede demasiado a "subsidios estatales" para ciertos pensadores de la corriente sálvese-quien-pueda. Pero es un mecanismo educativo ingenioso que compatibiliza y encaja el principio de intervención y apoyo estatal en una economía y en una sociedad basadas en iniciativas particulares.

Pero no va a ser fácil. Las mismas debilidades que sabotean la educación pública dominicana pueden generar resistencia al cambio. He hablado ya de "infecciones" del sistema público. Pero no todos lo ven así. Para algunos, dichos defectos no son infecciones, sino bendiciones. El sistema está funcionando a las mil maravillas para ciertos grupos beneficiarios de las infecciones: los políticos que encuentran más botín salarial en el renglón educativo que en cualquier otro renglón, y los militantes sindicales que gozan de una población cautiva de más de un millón de rehenes juveniles. Ninguno soltará fácilmente las ventajas del defectuoso sistema actual. Los niños dominicanos no son beneficiarios de las aberraciones sistémicas, pero otros grupos poderosos, sí.

Sería desafortunado, sin embargo, caer en un modelo telenovelístico de una lucha entre "los buenos" y "los malos". Los defensores y beneficiarios de la situación actual creerán que están actuando bien perpetuando los arreglos actuales. Para entender la conducta humana de manera antropológicamente penetrante, se necesitan métodos y modelos teóricos. De estos métodos y modelos hablaremos en el capítulo que viene.

Capítulo II

Objetivos, modelos conceptuales y metodología

A. Antecedentes y objetivos del presente estudio

1. La microempresa, FondoMicro y el colegio

Los clientes entusiastas de los colegios privados aprecian la opción de una educación privada. Si no, no sacaran su cartera para pagarla. Pero gran parte del discurso público nacional sobre estos nuevos colegios tiende a tildarlos más bien de mala hierba —una infestación nociva en el sagrado renglón educativo por parte de comerciantes hambrientos de lucro, que se aprovechan de las necesidades educativas de un pueblo desamparado para enriquecerse con sus aranceles abusivamente elevados.

En vista de tales sospechas, chismes y controversias, el Fondo para el Financiamiento de la Microempresa (FondoMicro), con el apoyo financiero de la Agencia de los Estados Unidos para el Desarrollo Internacional (USAID), tomó la decisión de emprender un estudio empírico sobre este renglón cada vez más importante del panorama educativo actual. El presente libro fue comisionado precisamente a raíz de las controversias que rodean este renglón.

Este interés en el "sector empresarial" de los educadores proviene de la misión institucional de FondoMicro. Es una institución del sector privado dominicano con dos misiones: primero, la de brindar apoyo técnico y financiero a otras instituciones crediticias que facilitan crédito a pequeños empresarios y microempresarios; y segundo, la de realizar investigaciones empíricas sobre el renglón. Desde el año 1993, FondoMicro ha realizado encuestas anuales sobre el estatus de la microempresa y la pequeña empresa en la República Dominicana.

Además de dichos estudios mayormente cuantitativos, FondoMicro ha comisionado varios estudios especiales. Desde el año 1995 la metodología estrictamente cuantitativa que caracterizó la primera fase de las investigaciones de FondoMicro se complementó con el empleo de una metodología antropológica más cualitativa. Se estableció la meta de publicar una serie de estudios antropológicos sobre renglones microempresariales específicos. El primer libro en la serie fue *El Colmado* (Murray, 1996), la institución que suministra la mayoría de los alimentos y de las bebidas consumidos por la población dominicana urbana. El segundo tomo enfocó el taller de mecánica (Murray, 1997), donde mecánicos empíricos, muchas veces de poca formación técnica formal, arreglan los automóviles y los camiones que ya constituyen un elemento esencial en la vida dominicana actual.

Como la educación de los niños también constituye un renglón de alta preocupación, los individuos y las empresas que se dedican a esta tarea fueron considerados tan merecedores de atención analítica como los colmados y los talleres. El presente libro sobre los colegios privados constituye el tercer volumen de la serie.

Para agudizar aun más el enfoque, se le impuso al estudio la pauta limitante de hacer hincapié sobre la educación primaria. Era una pauta más que una regla estricta. Hay colegios que van desde maternal hasta bachillerato. Hay que estudiar tal colegio como unidad orgánica. Pero se excluyó del estudio lo relativo a la dinámica de la educación universitaria, la educación informal de adultos, la educación vocacional y otros renglones educativos ajenos a las aulas primarias.

2. Colegio 'San Guijuela' del Lucro: mitología y obsesión nacional

Este recién llegado suplidor educativo ya suministra y cobra un servicio esencial. El suministro es bien recibido. Pero no el cobro. Uno de los factores que motivó el enfoque microempresarial del presente estudio es la convicción popular de que por ahí andan unos vivos que han convertido sus colegios en "negociazos". Se esperaba que un estudio antropológico de las dimensiones microempresariales del renglón educativo podría reemplazar los estereotipos y los chismes con datos concretos. El autor había preparado ya estudios antropológicos sobre dos microempresas populares dominicanas: los colmados y los talleres.

Para captar un poco el sabor de las imágenes populares respecto al renglón educativo, el siguiente diálogo es una reconstrucción abreviada, pero no totalmente ficticia, de reacciones sorprendentes que he recibido al compartir con amigos y conocidos dominicanos el tópico de este tomo antropológico.

— Hola, Murray... Pero bueno. ¿Tú todavía estás en el país? Me dijeron que te habías ido.

— Me fui. Pero volví. Estoy haciendo otro estudio.

— ¿Sigues metiéndote en los colmados?

— No. Ahora estoy mirando otra clase de microempresa.

— ¿Cuál?

— Los colegios privados.

— ¡Uaaaaaay! Esa sí que es una papa caliente. Olvídalo. Esa gente no te va a hablar la verdad.

— ¿Cómo así?

— ¡Oh-oh! ¿Tú sabes la fortuna que esa gente se está ganando? Antes había escuelitas de patio que casi no cobraban.

Una señora a la que le encantaba enseñar se ponía a alfabetizar a los niños pequeños del vecindario por una suma mínima. Pero estos nuevos colegios están ganándose un dinerazo. ¿Tú crees que te van a decir la verdad? ¿Pa' que todo el mundo sepa el dinero que se están ganando?

— ¿Qué te hace pensar que ganan tanto?

— Bueno, imagínate. Tengo una prima que tiene su hija en uno de esos preescolares donde dizque ponen a los niños a hablar inglés. ¿Tú sabes lo que paga por año? Treinta mil pesos. ¿Oíste? Treinta.....mil.....pesos. Y no son doce meses. Son diez meses que está pagando. Imagínate. Gasta tres mil pesos al mes para que pongan a su hija a jugar con masilla o ensuciar hojas de papel con crayolas. Esa gente se está ganando una fortuna.

— No exageres, hombre. Esos nidos preescolares enseñan destrezas importantes. Y tienen sus gastos, que la gente a veces ni se da cuenta.

— ¿Qué gastos ni gastos! Visten a una sirvienta de blanco y la llaman profesora. Le enseñan a decir "gud mornin mai darlin jau ar yu" en inglés. La ponen a enseñar a los niños a jugar con masilla. Pongamos que cada "nido" tiene 30 niños. Se ganan una fortuna.

— No, hombre. Los preescolares serios nunca ponen tantos niños.

— Está bien. Pongamos la mitad. 15 niños por aula. A $3,000 la cabeza. Cada aula genera $45,000 pesos por mes a la doña. Si el preescolar tiene cuatro aulas, son $180,000 al mes que la dueña mete en su cuenta bancaria. Multiplícalo por diez meses. Eso genera $1.8 millones por año. Más la inscripción.

— Sí, hombre. Pero ¿y los gastos? ¿Los sueldos de las maestras?

— ¿Y cuánto tú crees que le pagan a cada maestra? ¿$7,000 como mucho? Esos son $70,000 por año por maestra. Multiplicado por cuatro maestras son $280,000 por año. Cobra $1.8 millones a los padres por año. Restemos los $280,000 de sueldo. Eso les deja $1.52 millones después de pagar los suelditos de las cuatro maestras.

— Si. Pero hay otros gastos también.

— Ah, sí. Por supuesto. ¿Cuánto paga de alquiler? ¿$25,000? Multiplícalo por doce meses... son $300,000 al año. Todavía le quedan $1.2 millones al año de ganancia. Tiene otros gastos. Guardián. Recepcionista. Teléfono. Rentas Internas. Ah, sí, y la masilla. Vamos a quitarle otros $200,000 por los otros gastos. Como mucho. Le quedan a la dueña un millón al año. $250,000 al año por aula. Y si tiene ocho aulas en vez de cuatro ¿cuánto gana? Son dos millones. Es un negociazo. Te digo, Murray, es un negociazo... Olvídalo. No te van a decir la verdad.

Recibí reacciones de esa índole con sorprendente frecuencia, quizás no con tantos detalles numéricos, y en lenguaje que varía en sus detalles, pero que repiten con regularidad dos nociones: (i) que hay centros docentes privados que están cobrando muy por encima de lo que gastan o de lo que realmente suministran a los niños, y (ii) que tales centros han comercializado una actividad que antes se hacía por amor a los niños.

Hay, de hecho, colegios que cobran aun más de $30,000 por año, mucho más.[15] Pero, sin embargo, en primer lugar, sus gastos reales, incluyendo sueldos de maestros e inversiones en planta física y materiales educativos, están muy por encima de los cálculos informales que hacía mi amigo. Segundo, sus maestros y maestras hoy en día tienen altas calificaciones profesionales; no son sirvientes vestidos de blanco. Tercero, los colegios más caros pagan sueldos muy por encima de los $7,000 sugeridos por mi amigo. Y cuarto, como se señaló arriba, de todas maneras, los

---

[15]El Colegio Carol Morgan, que tiene fama de ser el más caro del país. La mayoría de los extranjeros que mandan sus hijos allá no pagan la nutrida tarifa de su bolsillo. Como empleados de empresas internacionales o miembros de la comunidad diplomática reciben subsidios adicionales para la educación de sus hijos. Son mayormente los clientes dominicanos quienes pagan la suma completa de su bolsillo.

colegios privados que cobran caro constituyen excepciones a la regla. La gran mayoría de los niños dominicanos que estudian en colegios privados pagan matrículas relativamente bajas.

Este tema de las matrículas cobradas es al que se le da más importancia, por encima de la calidad de la educación del niño; es el que domina las discusiones públicas sobre los colegios en los periódicos y demás medios de comunicación. El tema de la comercialización de la educación ha conducido a una situación paradójica. Los dueños de escuelas privadas en la República Dominicana, quienes suministran uno de los servicios humanos más delicados e importantes, y sacan de un apuro tremendo a gran parte del pueblo urbano y hasta al mismo Estado dominicano, a veces son pintados globalmente como si fueran una pandilla de abusadores y de aprovechados.

En mis contactos con actores del sector, he constatado que el trato concreto y real entre el dueño o la dueña de una escuela específica y los padres que le encargan sus hijos es por lo general cordial, respetuoso y a veces hasta caluroso. Pero la imagen pública de los educadores privados, proyectada en los medios de comunicación, pinta un cuadro de un sector de comerciantes codiciosos que han convertido la educación en una fuente de lucro personal. Por supuesto, habrá individuos de tal índole, pero repito y recalco que los datos cuantitativos que serán ventilados en estas páginas indican que tal caricatura constituye una tergiversación del sector global.

3. "Empresa" sí. "Negocio" no

Una equivocación lingüística de mi parte complicó los inicios del estudio. Pedí a ciertos dueños de colegio que me permitieran estudiar su "negocio". Tal solicitud se interpretaba como un prejuicio poco amistoso, lo cual me chocó al principio. Los dueños de colmado me habían hablado con orgullo de su *negocio*. Pero no los dueños de colegio. En mi propio esquema analítico había descartado enérgicamente cualquier perspectiva peyorativa que tildara al colegio de "negocio sucio" o "negocio cuestionable" por el simple hecho de dejarle a sus fundadores o dueños una ganancia al final del año fiscal. Al contrario. El centro docente privado que no manejara bien sus entradas y salidas financieras quebraría y sus niños se encontrarían en la calle. Partí de la premisa de que la escuela privada no subsidiada no sólo está moralmente permitida, sino también moralmente obligada a comportarse como un negocio viable.

Pero tal lenguaje de "negocio" no encajó bien en el ambiente educativo dominicano. Fue una equivocada selección terminológica de mi parte. Una "private school" pequeña de los Estados Unidos se define, sin connotaciones de crítica, como un "small business". Pero el término "negocio" constituyó una traducción defectuosa de mi parte. Dicho vocablo tiene connotaciones de "afán de lucro" que se define como culturalmente inapropiado en un contexto educativo. El término *empresa* o *microempresa* pareció resultar más aceptable como equivalente del término en inglés *business.* Los dueños de colegio parecían reconocer sin recelos que su colegio debe manejarse como una *empresa,* pero no como un *negocio.*[16]

4. La calidad educativa como variable analítica crucial

Los objetivos del estudio fueron ensanchados para ir más allá de un simple análisis de los flujos financieros de los colegios.

---

[16]Hay un término en inglés para señalar un *business* que genera ganancias de manera sospechosa: *racket.* Pero el término racket tiene connotaciones de ilegalidad o de deshonestidad que faltan en el término negocio en español. Con sus implicaciones de afán de lucro, el término negocio cae a mitad de camino entre los términos del inglés *business* y *racket.* No encuentro un término en inglés que corresponda en un cien por ciento a las connotaciones de negocio tal como se usa en la República Dominicana. De todas maneras, dejé de preguntar a los dueños de colegio sobre su negocio y lo sustituí por el más neutral término de empresa.

El colmado se puede analizar como una microempresa cuya misión principal es la de generarle ganancias a su dueño. La misión de comprar y revender alimentos y bebidas, la calidad del servicio brindado, puede considerarse como una preocupación secundaria. Al antropólogo le es indiferente si el bacalao vendido al cliente huele bien o si la cerveza está tan fría como debe estar.

Es justo lo contrario con un colegio. La cuestión de los flujos financieros, de las ganancias microempresariales, es relevante pero secundaria. La preocupación principal del investigador debe ser la misión educativa del colegio, la calidad del servicio brindado. La cuestión de las ganancias del dueño es secundaria. Por supuesto, las ganancias importan, pero sobre todo en cuanto al impacto que tienen en la calidad de la educación. Si el colegio pierde dinero, tendrá que cerrar sus puertas. Pero aun así el enfoque analítico y el criterio principal de evaluación sigue siendo la calidad del servicio.

Un aumento medible en las ganancias de un colmado constituye de por sí un indicador de éxito. No es así en la educación, donde la calidad llega a ser la variable analítica clave. Una de las críticas más tajantes que se lanza en contra del sindicato de los maestros dominicanos es que lograron, sobre todo en el año 1990 cuando había buena voluntad estatal hacia la educación, aumentar los sueldos de los maestros. Pero esos aumentos no van acompañados de la mínima indicación de que la enseñanza ha mejorado. Los niños dominicanos, dotados de la misma inteligencia y talentos innatos que los niños de cualquier otra cultura humana, siguen haciendo el ridículo en pruebas internacionales por el carácter vergonzoso del "sistema educativo" que hace todo menos educar bien. En un sistema educativo no funcional, un aumento de sueldo magisterial no constituye de por sí un logro real a menos que vaya ligado con indicios de mejoría educativa. Es igual con un colegio privado. Un aumento medible en las ganancias de un colegio no da ninguna garantía de que se trata de un logro educativo, a menos que haya pruebas sólidas de que los aumentos en las ganancias están ligados a un aumento en la calidad de la educación.

Admito que es un juicio de valor —aquel planteamiento sobre la centralidad del asunto de la calidad en el mundo educativo— más que un hallazgo científico irrefutable. Pero es un valor compartido por la mayoría de mis colegas antropólogos y, sobre todo, por los centenares de dominicanos que entrevisté en el curso del estudio. En vista de la expansión de los objetivos analíticos, en este libro seguiré encajando la realidad del colegio privado en el contexto de la educación pública.

B. Modelos Conceptuales

La antropología tiene la virtud —o el vicio— de querer encajar lo local dentro de lo universal y lo contemporáneo dentro de lo histórico. Este libro partirá de la premisa de que hay tres gigantes históricos que han luchado, desde los inicios del mundo occidental, por el privilegio de forjar las mentes juveniles: los gobiernos, las religiones y los actores del sector privado. Los tres han echado raíces profundas en suelo dominicano, y los tres ya forman parte esencial de cualquier solución educativa nacional.

1. Cuestionables modelos Estado-céntricos de la educación

Nos apartamos del planteamiento, el cual consideramos equivocado e históricamente superficial, de que el Estado sea el educador primordial de la juventud. En tal modelo Estado-céntrico, el gobierno es quien tiene el derecho de forjar las mentes jóvenes de la sociedad. Y que no opinen mucho los padres. El deber de éstos es producir niños y entregarlos a los educadores del Estado. Cualquier otro educador, sea laico o sea religioso, actúa sólo bajo el beneplácito del Estado.

Los sistemas educativos de una Cuba o de una China son alta y explícitamente Estado-céntricos. Los padres están obligados a entregar sus niños a las aulas públicas. Y que no estén opinando mucho. Los padres no tienen ni derechos ni grandes obligaciones en cuanto al contenido de la educación Y, por supuesto, no hay ni escuelas privadas ni escuelas religiosas. El Estado ejerce un estricto monopolio sobre la educación.

Pero hay filosofías Estado-céntricas de la educación también en el mundo occidental. El economista que plantea la obligación del Estado de poner escuelas públicas para fomentar el desarrollo económico se va acercando a un modelo Estado-céntrico. En el modelo Estado-céntrico industrial, las escuelas existen para que el Estado forje productores y consumidores de todos los niveles.

Los modelos socialistas plantean un cañaveral educativo, con un sólo cultivo permitido, el de la escuela estatal. Los educadores de los otros sectores se eliminan como si fueran la mala hierba. Los modelos Estado-céntricos occidentales en cuanto a la educación también pueden ser monopolistas. El gobierno revolucionario francés echó a la Iglesia y a los educadores laicos fuera del renglón educativo. Pero, por lo general, tienden a ser más como el conuco que el cañaveral. Permiten la presencia de escuelas privadas laicas o religiosas, pero únicamente con permiso del Estado, y bajo control y supervisión estatal.

La aceptación o el rechazo del modelo Estado-céntrico de la educación se basan en orientaciones filosóficas o ideológicas. No se puede aseverar científicamente que está bien o que está equivocado, en principio. Se podría defender en el caso de un Estado hipotético dotado de sabiduría, buena voluntad y un alto nivel de organización ejecutiva. En el caso de la República Dominicana, sin embargo, donde la ciudadanía entera se da cuenta de que el Estado no es ni sabio, ni benévolo, ni bien organizado, un modelo Estado-céntrico de la educación choca con la realidad. Sin embargo, hay intelectuales y funcionarios educativos que siguen abogando por un modelo Estado-céntrico de la educación.

El cañaveral educativo hace sentido lógico dentro de una economía centralizada. Pero la economía dominicana está descentralizada y diversificada. Se parece más bien a un conuco que a un cañaveral. De igual manera, la educación en el mundo dominicano también tiene carácter de conuco más que de cañaveral. Hay una variedad rica y heterogénea de distintos cultivos educativos —públicos, semipúblicos, católicos, protestantes, laicos, bilingües y otros— todos intercalados en el mismo terreno nacional. ¿Cómo bregar analíticamente con tanta diversidad?

2. Un modelo niño-céntrico de la educación

Proponemos que el modelo Estado-céntrico se reemplace por un modelo antropocéntrico. Empezamos con el niño como centro de enfoque analítico y tratamos a la escuela como un invento cultural; un mecanismo especializado que surgió en un momento dado en la historia de la evolución cultural humana, cuya función es el desarrollo de aquellas destrezas latentes en el niño que difícilmente se desarrollan en el hogar.

3. La escuela y el colegio como microsistemas educativos

La tesis central del presente libro es que *cada colegio o cada escuela es un sistema educativo.* Es decir, es un conjunto de elementos materiales (planta física, aulas, libros, pizarras, etc.), actores humanos (maestros, alumnos, directores, etc.) y procesos pedagógicos. El sistema recibe a un niño y lo transforma, (o le ayuda a transformarse a sí mismo, en el caso de un paradigma niñocéntrico como el de Montessori). En este nivel conceptual la escuela pública no difiere del colegio privado en lo más mínimo. Los dos son sistemas educativos, a los cuales se entregan los niños para fines de desarrollo intelectual y personal. Hay países en donde las escuelas privadas brindan educación de más baja calidad que las escuelas públicas. Hay otros en donde las privadas son mejores que las públicas. Son variaciones que no afectan el paradigma central: cada escuela o colegio es un sistema educativo.

4. El colegio como microsistema empresarial

Donde difieren es en que el colegio privado, además de ser un sistema educativo, también tiene que ser un sistema empresarial –una micro o pequeña empresa. Como sistema educativo, tiene que tener maestros, currículo, procedimientos pedagógicos, etc., pero como sistema empresarial tiene que generar ingresos de una clientela, suministrar un servicio, manejar los fondos y asegurar que las entradas sobrepasen los gastos.

5. Abuso convencional del concepto "sistema educativo"

Admito que tal definición de "sistema educativo" choca. Cuando se habla, no sólo en lenguaje popular, sino también en las publicaciones de la Secretaría de Educación, del "sistema educativo dominicano", se hace alusión a cierta burocracia con sede en la Avenida Máximo Gómez y con oficinas regionales que coordinan las escuelas públicas locales. Tal uso de la palabra "sistema educativo" constituye un abuso semántico cargado de ideología y de premisas cuestionables. En primer lugar, deja fuera del "sistema educativo dominicano" a los colegios religiosos y laicos. ¿Es que sus alumnos no son dominicanos? ¿No son ya sus maestras, casi en su totalidad, dominicanas?

Pero tal definición de "sistema educativo" resulta equivocada por razones más profundas. La burocracia con sede en la Avenida Máximo Gómez y con oficinas regionales por todo el país *no es un sistema educativo*. La burocracia administrativa no educa. Es —o debe ser— una simple red de apoyo para los organismos que realmente educan, que son las escuelas con sus maestras y sus alumnos. Sabemos, por supuesto, que muchas veces las burocracias políticas y sindicales no apoyan a las escuelas, sino que las invaden y las dañan. Pero estamos hablando en términos ideales.

El sistema educativo real —el conjunto de actores, elementos materiales y procedimientos que producen la educación de un niño— es la escuela individual, no la red nueva que supuestamente la "apoya". Aun en países donde la burocracia educativa es pequeña, no inflada, y donde realmente apoya sin comillas, la burocracia no debe analizarse como centro, ni quizás aun como elemento, en el sistema educativo; es más bien una red externa de apoyo. El sistema educativo en sí sigue siendo el centro docente particular —sea escuela o colegio—, el cual, con sus maestros, currícula, materiales pedagógicos y procedimientos educativos, recibe y transforma niños. Pero como el concepto de "sistema educativo" se ha abusado, maltratado y distorsionado tanto, ya no hay quien introduzca una definición más lógica. Me conformaré con la terminología tradicional. En este libro, cuando me refiero al "sistema educativo dominicano", tendré en mente el aparato público entero, incluyendo la burocracia, pero no los colegios laicos o religiosos. Para mantener un enfoque sistémico diré que el colegio y la escuela son "microsistemas educativos".

6. Premisa teórica: causas sistémicas y no individualistas

Mi intento es el de aplicar este enfoque sistémico a los colegios y a las escuelas dominicanas tal como se observaron en el curso del estudio. Hay dos premisas centrales en el aludido marco analítico antropológico: una premisa toca las *causas* de un problema y la otra toca las *soluciones*.

Primero, *el mal funcionamiento de un sistema, sea cual sea, mejor se analiza, no como resultado de defectos personales de los actores individuales, sino de factores estructurales y sistémicos.* Segundo, cuando se trata de profundos males sistémicos, estructurales u organizativos, las soluciones no deben buscarse en soluciones individualistas.

Concreticemos. Si un sistema educativo institucionaliza como normal un sueldo de miseria por tanda, que obliga a la maestra a enseñar dos tandas con un total de 120 niños de 8 a 10 años de edad, para sobrevivir económicamente, no se logra nada mandándola a hacer un doctorado en pedagogía en Harvard o en la Sorbona. Se requieren más bien rediseños sistémicos y organizativos, no intervenciones individualistas. O mejor dicho, aquellos se requieren antes de que éstas puedan dar frutos. Como se dijo en el capítulo anterior, el Plan Decenal recetó remedios pedagógicos para un sistema cuyos problemas más fundamentales eran y son de carácter sistémico.

7. Diagnóstico de la crisis educativa: Rumbos analíticos cuestionables

Vamos al grano analítico. Cuando exploramos el porqué del lugar humillante que ocupa el niño dominicano en el panorama hemisférico, hay por lo menos cuatro explicaciones equivocadas que, en opinión de quien escribe, deben descartarse desde un principio.

a) *Variables raciales.* La antropología rechaza, en principio y con militancia, cualquier explicación racial a tales diferencias. Y no hay que entrar en discusiones académicas prolongadas sobre el tema. Una mirada breve a las estadísticas internacionales comprueba lo absurdo de tal hipótesis. Ya hemos visto como los niños cubanos, con antecedentes raciales y étnicos casi iguales a los de los dominicanos, encabezan la lista de los países latinoamericanos en cuanto a sus desempeños académicos en la mayoría de las pruebas estandarizadas internacionales. Al zafacón con planteamientos raciales. Nadie los publica en los periódicos. Pero andarán por ahí en ciertos círculos hispanófilos donde se lamentan, detrás de puertas cerradas, los impactos negativos de la penetración "africana" en la vida dominicana. Por supuesto, a través de Haití.

b) *Variables familiares.* Y que no eche nadie tampoco la culpa a los "padres dominicanos indiferentes." Un estudio reciente de los campesinos de la Cordillera Central documenta una pasión tan grande por la educación aun entre aquella población rural tan aislada que hasta mandan ya sus hijas a los pueblos, como patrón normal, para que vayan a la escuela secundaria.[17] Ya la nación dominicana entera está ansiosa por educarse. Muchos desembolsan dinero con renuencia. Pero eso es otra historia. Lo que se plantea aquí es que no hay familia dominicana en ninguna capa social que sea indiferente a la educación formal de sus hijos.

c) *Variables pedagógicas.* Ya llegamos a explicaciones más engañosas, cuyos errores lógicos más fácilmente evaden el escrutinio. Una acusación frecuente culpa a los maestros dominicanos, sobre todo a los del sector público. "No sólo les faltan conocimientos académicos y destrezas pedagógicas, peor todavía, son incumplidos en sus horarios laborales." Estas son acusaciones fáciles pero engañosas, porque, aunque es cierto que se necesitan maestros con conocimientos, destrezas y honra profesional, y es cierto que en cualquier país el magisterio corre el riesgo de fallar en uno que otro factor, éstas acusaciones acaban tapando un error fundamental en el análisis. Pero antes de cuestionar el error, vayamos primero a la cuarta explicación típica.

d) *"Funcionarios malos" y variables caracterológicas.* Frente a los fracasos del sistema educativo público, otro análisis popular

---

[17]Matthew McPherson, comunicación personal. Los hijos varones, imprescindibles todavía para ciertas labores agrícolas, estudian sólo hasta el nivel que imparten las escuelas locales.

toma la forma de acusaciones en contra de la honestidad, competencia y buena voluntad de los altos funcionarios dominicanos encargados del renglón. Tales factores se pueden llamar *rasgos caracterológicos individuales.* Dentro de este marco, el sistema no funciona porque los individuos encargados del sistema persiguen, no el cumplimiento de los formales objetivos institucionales (en este caso, una educación de alta calidad para los niños), sino otros fines ajenos: el autoenriquecimiento, la asignación de puestos —y hasta la creación de nuevas "botellas" para familiares, amistades o, sobre todo, miembros del partido de turno—, la consolidación de poder, la visibilidad pública y otros objetivos ajenos a la misión educativa de la institución.

8. Problemas estructurales requieren intervenciones estructurales

Los primeros dos grupos de variables —factores étnicos y raciales e indiferencia paterna hacia la educación— pueden ser fácilmente descartados. No es tan fácil, sin embargo, con las ya citadas explicaciones 3 y 4. Las explicaciones de debilidades pedagógicas por parte de los maestros y de conducta irresponsable por parte de los funcionarios son más equívocas. Pero planteo como tesis antropológica central del presente libro que, en última instancia, tales variables individuales no constituyen la causa antropológica fundamental del fracaso educativo nacional. Las deficiencias caracterológicas personales no se pueden invocar para explicar la conducta de sistemas y estructuras.

Esa cautela analítica interesará al lector académico. Pero la distinción resulta crucial también para el lector que busca soluciones prácticas. *En su actual estado sistémico, ni el aparato educativo público ni el niño dominicano se beneficiarían gran cosa con un profesorado mejor preparado.* Es un planteamiento atrevido, pero lo defiendo. La solución pragmática a la crisis actual no es por vía de una mejor capacitación de la maestra individual, de nuevos ejes transversales o de mejorados libros de texto. Pongámonos en el lugar de una maestra y miremos el sistema educativo en que funciona: aulas masificadas, una estructura salarial que la obliga a trabajar dos tandas breves en vez de una tanda más larga (y por lo tanto a ocuparse de 100 alumnos en vez de 50 —que ya de por sí sería mucho— en cada período lectivo), el desvío de un porcentaje absurdo de las ya de por sí míseras asignaciones presupuestarias hacia gastos administrativos y a otros desembolsos no educativos, así como incesantes y paralizantes intervenciones sindicales que le impiden cumplir hasta con su ya de por sí inadecuado horario docente actual. Ni una maestra con dos doctorados pedagógicos y con la santidad personal de una Madre Teresa podría ser buena maestra en el sistema educativo dominicano actual.

Voy más lejos. *En su actual estado sistémico, el aparato educativo no lograría cumplir su misión educativa aunque se multiplicara por cuatro o cinco la asignación presupuestaria.* En párrafos anteriores el Estado dominicano fue criticado por su defectuosa asignación presupuestaria. ¿Cómo es posible entonces aseverar que el dinero lograría poco? Me mantengo firme al punto, que no es nada contradictorio. El líquido redentor y saludable del financiamiento educativo generoso es imprescindible, siempre y cuando la tubería donde se echa no esté rota o, peor aun, diseñada de una manera en que gran parte del líquido se desvía a propósito hacia otros rumbos. En noviembre de 2002 se anunció en los titulares de los periódicos la buena nueva de otro nuevo préstamo multimillonario otorgado por el BID para el sector educativo. Muy bien. ¿Y qué porcentaje de esta nueva deuda nacional acabará expandiendo las oficinas de la Avenida Máximo Gómez? ¿Se utilizarán los fondos para la replicación y la proliferación de más centros docentes con profesores incumplidos, donde un alumnado expandido seguirá gozando del cuestionable privilegio anual de ser amenazado con las sempiternas huelgas promovidas por la élite sindical de siempre? En resumen, un mejoramiento del nivel pedagógico del maestro o un aumento en la asignación presupuestaria, sólo darán frutos educativos siempre y cuando se rediseñen la "tubería" y los procedimientos institucionales. Para tal fin conviene abandonar las explicaciones personalistas del mal funcionamiento del aparato educativo público y forjar más bien un marco analítico sistémico que llegue al verdadero meollo estructural del dilema

9. Semejanza sistémica entre escuela pública y colegio privado

Un marco analítico incisivo cubrirá los dos géneros de escuela, la pública y la privada. Para usar metáforas biológicas, son dos especies de un sólo género. Como ya se dijo, los colegios privados y las escuelas públicas tienen los mismos componentes sistémicos —directores, maestros, alumnos, aulas, pupitres, materiales didácticos, técnicas pedagógicas, etc.— y la misma misión sistémica, la transformación educativa de los niños. Los padres que entregan sus niños a la una o a la otra albergan los mismos sentimientos de cariño y amor para aquellos seres queridos que salen de la casa con sus uniformes limpios y sus mochilitas o bultos llenos de libros. El colegio y la escuela tienen la misma misión protectora y transformadora, las mismas obligaciones hacia esos párvulos.

Difieren —o deben diferir— sólo en su modo de financiamiento. El colegio privado que no recibe subsidio, además de ser un microsistema educativo, tiene que ser al mismo tiempo un microsistema empresarial. La escuela pública, con financiamiento estatal, tiene sus flujos financieros garantizados. No es un microsistema empresarial. Pero en tanto microsistema educativo no difiere —o más bien no debe diferir— del colegio privado más sobresaliente en cuanto a sus componentes sistémicos básicos y a la realización de su misión institucional fundamental. *Pueden y deben ser analizados, cual microsistemas educativos, en el mismo marco teórico.* Es más, un análisis sistémico amplio que abarque las dos especies podría contribuir a la identificación de las fuerzas exógenas invasoras que debilitan los centros docentes del sector público.

10. Conceptos genéricos: ¿Qué es un sistema?

Discutamos el concepto de *sistema* tal como se emplea en estas páginas. En su uso diario tiene significados diferentes, como "un sistema de pensamiento" o "el sistema pedagógico Montessori." En el presente estudio lo utilizamos en el sentido de que un sistema es una estructura compuesta de distintos componentes interrelacionados, los cuales se mueven pero se mantienen unidos. Examinemos algunas características abstractas.

a) Un sistema manifiesta algún movimiento repetido, por lo menos interno, de sus componentes constituyentes. El movimiento o cambio interno de uno de sus componentes ejerce a menudo un impacto sobre los otros componentes. El movimiento de las partes individuales internas del sistema está regulado por el sistema global pero no amenaza la integridad del sistema como unidad.
b) Hay sistemas donde, por añadidura, el sistema entero también se mueve como unidad (un cuerpo mamífero, un avión). Hay otros sistemas donde sus diversos componentes internos se mueven pero el sistema como un todo se mantiene relativamente estable sin locomoción. El ejército y la escuela constituyen ejemplos de sistemas que difieren en ese rasgo. En los dos hay "componentes humanos" —soldados, alumnos, participantes, miembros, etc.—, que en lenguaje académico se llaman *actores* del sistema, que se mueven y se desplazan en el curso de su funcionamiento sistémico. Pero el ejército por añadidura tiene como elemento esencial de su misión sistémica la obligación de desplazarse como sistema. La escuela no. La escuela es un sistema organizativo humano cuya misión sistémica, la capacitación del individuo

en alguna destreza específica (en el caso de una escuela de idiomas para adultos), o la transformación más profunda del individuo (en el caso de una escuela primara), se realiza sin locomoción por parte del sistema como un todo. Es un sistema cuyos movimientos sistémicos son mayormente internos.[18]

c) Todo sistema, por tener múltiples componentes interrelacionados, tiene una estructura —otros dirían que *es* una estructura. Pero no toda estructura constituiría necesariamente un sistema. El árbol y la casa a su lado son dos estructuras. El árbol es por añadidura un sistema biológico. La casa no, ya que sus esenciales componentes estructurales —techo, piso, columnas, etc.— no se mueven. Por lo menos esperamos que no se muevan. Una estructura como una casa puede, por supuesto, alojar sistemas en su interior (neveras, estufas y otros aparatos,) cada uno de los cuales constituye en última instancia un microsistema electrodoméstico.

11. Taxonomía provisional de sistemas

Quien se dedique a pensar sobre este asunto podría identificar centenares o hasta miles de sistemas distintos. De hecho, el universo consiste en sistemas organizados jerárquicamente —sistemas individuales que funcionan como componentes de otros sistemas más amplios. Distingamos cuatro: dos sistemas naturales y dos sistemas inventados por seres humanos. Un sistema solar y un cuerpo animal son sistemas naturales que surgen sin la intervención de la inteligencia

---

[18]Como la escuela se ubica en un planeta que se mueve, pues por supuesto la escuela entera se mueve también, pero no como parte de su funcionamiento como sistema. El movimiento de la escuela entera es un resultado accidentado y no esencial de su ubicación dentro de otro sistema, el sistema solar.

humana.[19] Pero hay sistemas diseñados por los seres humanos, entre los que se distinguen los sistemas mecánicos de origen reciente (las máquinas[20]), utilizados por los seres humanos, y los sistemas organizativos, mucho más antiguos, en los cuales *los mismos seres humanos funcionan como componentes.*

a) *Sistemas mecánicos.* Los humanos inventan y diseñan sistemas mecánicos, como el automóvil o la computadora u otras máquinas, estructuras internas y a veces externamente móviles que son diseñadas para perseguir metas específicas —la locomoción y la computación en los ejemplos aludidos. El lenguaje analítico acostumbra denominar tales metas sistémicas *funciones.* Se dice que la *función* del carro es la locomoción. Y en la vida humana hay que distinguir entre funciones centrales —la locomoción, en el caso del carro— y funciones secundarias y periféricas. Los individuos utilizan sus carros también con fines de prestigio social, para la maniobra romántica mediante "bolas" estratégicas, y para otros objetivos. Pero en el caso de los sistemas mecánicos queda claro que tales funciones son secundarias a la función principal para la cual el sistema fue diseñado.
b) *Sistemas organizativos.* Los sistemas humanos que más nos interesan son los sistemas organizativos humanos. Son agrupaciones de seres humanos que se organizan en un sistema para perseguir ciertas metas de manera que los *seres*

---

[19]Si su complejidad majestuosa vino como resultado de la intervención de una inteligencia sobrehumana, o si vino por procesos espontáneos, es una discusión metafísica interesante pero que cae fuera del presente libro.

[20]En el presente marco, el cuchillo y la lanza, inventados en la antigüedad, serían estructuras compuestas de un componente que corta un objeto y otro componente que permite al usuario emplearlo sin cortar su propia mano. El cohete militar, en cambio, no sólo es estructura sino también un sistema ya que tiene componentes internos que se mueven.

humanos mismos constituyen componentes centrales del sistema. Tales agrupaciones, que se llaman *organizaciones* en el lenguaje cotidiano, también son inventos humanos, en el sentido de que no se programaron en nuestros genes, sino que fueron diseñados para perseguir alguna meta o satisfacer alguna necesidad.[21] Ejemplos clásicos son familias, tribus, clubes, ejércitos, hospitales y, para nuestros fines, escuelas y empresas.

Los sistemas organizativos también tienen funciones centrales y funciones secundarias. Hay ciertos sistemas antiguos de cuya función original y central casi nadie se acuerda o por lo menos casi nadie está de acuerdo. Los sistemas religiosos constituyen un ejemplo. Unos dirán que su función principal es la de abrir las puertas del cielo al ser humano. Otros dirán que no, que su función real es la de tranquilizar a los oprimidos, o engordar al clero u otra función.

Pero hay otros sistemas organizativos con funciones centrales claras. Pocos disputarían el planteamiento de que la función principal de una clínica es curar enfermos. Una función secundaria es garantizar un flujo económico a sus médicos y a su dueño. Si genera riqueza para el dueño pero no cura, todos estarán de acuerdo en que hay una disfunción. Esta distinción entre la función técnica central y la función financiera secundaria se hace muy controversial en el caso del colegio privado dentro del contexto dominicano. Cuando los dueños de colmadones o de ventas de automóviles alcanzan ganancias millonarias, los ven como

[21]Las organizaciones complejas como las que se dan, por ejemplo, entre las hormigas y las abejas no son "inventos" de estos insectos. Su existencia general y su forma específica es producto de irresistible programación genética. El ser humano, en cambio, carece de predisposiciones genéticas para un modelo organizativo específico. Las formas organizativas que surgen son producto de la inteligencia y la creatividad humanas. Ni el ejército ni la escuela vienen en nuestros genes. Son inventos organizativos de la cultura humana.

hombres vivos que se saben defender. Si el dueño de colegio hace lo mismo, es un abusador sacrílego. Eso habrá que analizarlo.

Pero por el momento lo que se recalca es que cualquier sistema organizativo humano es un invento organizativo diseñado por una cultura humana para resolver uno o más problemas prácticos. Se acostumbra llamarlos *organizaciones* en vez de sistemas. Los componentes humanos de tales sistemas se llaman *actores* en lenguaje académico. Pero son esencialmente *sistemas* en los que figuran actores humanos entre los componentes móviles. En el caso de los sistemas humanos las funciones pueden llamarse *metas* u *objetivos*, ya que los sistemas aparecieron con algún propósito.

12. Funciones sistémicas: secuestros y disfraces

Sigamos analizando el dilema de las "funciones" de un sistema. Por un lado, los sistemas tienen una estructura constituida por componentes, y por otro lado (en el caso de los sistemas humanos metas, objetivos, propósitos, etc.), las *funciones* que persiguen. Para captar analíticamente los procesos que en un momento dado destruyeron la educación pública dominicana, tenemos que reconocer que las funciones originales de un sistema pueden disminuir o hasta desaparecer, reemplazadas por nuevas funciones. La estructura que en el pasado cumplía con cierta misión sistémica sobrevive, pero ya no persigue las mismas metas.

En la mayoría de los sistemas organizativos humanos los actores concientemente interiorizan las metas del sistema. Se supone, por ejemplo, que la maestra interiorice, como si fueran propias, las metas educativas del sistema docente para el que trabaja. Pero hay otros casos, muy frecuentes en la vida humana, donde los mismos actores tienen poca conciencia del porqué de su conducta. Los actores dentro de un sistema pueden actuar por una razón, pero sin darse cuenta ni preocuparse de las reales metas del sistema a cuyo funcionamiento contribuyen con su energía o sus recursos.

Un breve ejemplo navideño. La subyacente función sistémica del frenesí de los regalos navideños, por lo menos en Estados Unidos, es la protección de la economía industrial. Una función primordial de la fiesta navideña en sus *orígenes* era la exaltación espiritual. Uno se preparaba para esta experiencia espiritual culminante con ayunos, con períodos de reflexión y oración, y con otras prácticas durante las semanas preparatorias de Adviento. Tal función cedió hace tiempo en la mayoría de los hogares a la función menos espiritual y más social de simplemente fortalecer los lazos de familia y de amistad mediante el intercambio de regalos, sin tener necesariamente una función espiritual.

Pero si la sociedad norteamericana entera de repente empezara a expresar su calor humano y su solidaridad interpersonal mediante la composición e intercambio de poemas en vez de compras en el mercado industrial, la economía caería en depresión letal. Sin darse cuenta, el ciudadano que empieza ya en noviembre a oír cantos navideños, a ver a Santa Claus en las vitrinas y a ponerse en la onda con su lista de regalos actúa por un juego de subjetivos motivos sociales dentro de un sistema cuyas reales y objetivas metas sistémicas, la protección de las imperantes estructuras económicas, pueden pasarle desapercibidas. El que compra y regala toneladas de basura innecesaria está cumpliendo, sin darse cuenta o preocuparse del asunto, con su deber patriótico de apoyar la economía industrial.[22]

Punto analítico: los actores de sistemas organizativos humanos a veces son reclutados sin darse cuenta a invertir energía o dinero en sistemas de cuyas reales metas subyacentes no se dan cuenta.

Tales metas se llaman *funciones latentes* en la tradicional literatura académica. Propongo al lector más bien las frases

---

[22]El que se da cuenta no necesariamente puede zafarse del ciclo. Si a quién te regaló una cámara digital cara tú le regalas un poema, sufrirás consecuencias personales y sociales.

secuestro funcional y *funciones disfrazadas*. Hay un secuestro, porque actores que persiguen fines ajenos invaden el sistema y, sin destruirlo por completo, lo utilizan para sus propios fines. Hay un disfraz también, porque los invasores pueden mantener por lo menos una fachada de las funciones originales. Si aplicamos estos conceptos a las escuelas, el sistema educativo fue secuestrado por actores que utilizan el sistema no para educar, sino para perseguir otras metas. Pero lo hacen bajo el continuo disfraz de un "sistema educativo".

13. La escuela secuestrada: Planteamientos sistémicos

Dejemos a Santa Claus para volver a la cuestión de las aulas dominicanas. El *secuestro funcional* sucede cuando un grupo de actores se apodera de un sistema con función X para utilizarlo más bien para perseguir la función Y. La función X, la meta sistémica formal y original, o puede debilitarse radicalmente o puede hasta desaparecer. Pero la estructura, el aparato, la burocracia o lo que sea, sigue en pie, y los actores siguen cobrando sus sueldos, pero ya en el servicio de otras funciones que poco o nada tienen que ver con la misión sistémica original.

Ya en otros párrafos señalamos lo que sucedió en las escuelas públicas dominicanas durante los años 70 y 80. Reformulémoslo en lenguaje sistémico. Se trata de un *secuestro funcional* de una magnitud quizás sin comparación en las Américas. En un período turbulento, un enorme aparato educativo que cumplía otrora su misión formal, fue invadido desde arriba y desde abajo por actores políticos y sindicales que poco interés tenían en la misión educativa de la escuela.

Tomemos el caso de ciertos líderes gremiales de aquellos tiempos. Algunos eran maestros genuinos. Otros eran profesores encomillados que jamás se ensuciaban las manos con tiza y que si cruzaban el umbral de un aula era sólo para decirle a la maestra que entrara en huelga. Su autoimpuesta misión no era la de desarrollar, mediante persistentes actividades cotidianas de enseñanza, las mentes y los espíritus de los niños de una nación. La nueva meta —honesta y públicamente pregonada, dicho sea de paso— era más bien la de usar las escuelas, sus alumnos y sus maestros en la tarea mucho más gloriosa de combatir las fuerzas del imperialismo y sus lacayos locales.[23] Los opositores del otro lado, en cambio, cazaban comunistas como pasatiempo preferido.

La escuela dejó de funcionar como un centro educativo y se convirtió más bien en una arena de vulgar lucha libre entre dos grupos antagónicos, ninguno de los dos interesado en la educación. La vanguardia del proletariado cumplía su deber sagrado de combatir el capitalismo y el imperialismo, y de cantar las alabanzas de la gloriosa sociedad soviética (antes de que ésta colapsara). Los del otro lado aseguraban su puesto en el cielo lanzando fuerzas uniformadas en contra de las huestes diabólicas del comunismo. Ninguno de los dos educaba. Cada uno utilizaba las escuelas para cumplir funciones que nada tenían que ver con la enseñanza. En escueta terminología sistémica, todo esto constituye un ejemplo clásico y trágico del *secuestro funcional* de un sistema educativo para fines ajenos a su verdadera misión central. El aparato sigue; pero sus funciones originales se echan a un lado.

Tal conversión de la escuela en un campo de batalla duró relativamente poco. El secuestro del sistema educativo tomó otros rumbos. Con la eventual implantación de un sistema electoral democrático y relativamente estable, donde el presidente que perdía pasaba el bastón al ganador delante de una nación televidente, las balas y los gases lacrimógenos fueron depositados en el cuartel. Del país turbulento de la Revolución del 65, ya para 1985 la República Dominicana era de los países más tranquilos y políticamente estables de las Américas. Libre

---

[23]Hay expresiones elocuentes de dicha filosofía, con abundantes citaciones de Lenín y otros fundadores del socialismo, en el ya aludido libro de Rafael Santos sobre la evolución del gremialismo dominicano.

de la amenaza del golpe militar, constituía un destino atractivo para los turistas, un puesto de asignación preferido y codiciado por la comunidad diplomática.

Pero el renglón educativo no participó en tales mejoras. En los años 70 y 80 la otrora función educativa de las escuelas públicas no se restaura. Se consolida un sistema político democrático basado en modernos mecanismos electorales. Pero no se instala un moderno sistema educativo. La demanda educativa se levanta como un cohete con la cada vez mayor urbanización. Pero las escuelas públicas siguen con sus estructuras arcaicas.

14. Misterio del estancamiento del sector educativo público

Y ahí llegamos a una paradoja. Hay renglones del Estado dominicano que se han modernizado. Hay otros renglones que resisten más tenazmente la modernización. El aparato educativo se ha portado como uno de los dinosaurios más tenaces y recalcitrantes del sector público. Además de eso, aunque el movimiento sindical en la República Dominicana ha perdido auge y poder en las últimas décadas, el gremio magisterial sigue con fuerza única. Posiblemente represente el gremio más potente del país.

Vamos pregunta por pregunta ¿A qué se debe este atraso tenaz de la burocracia del sector público educativo? Es una paradoja en dos sentidos. Por varias razones se podría esperar lo contrario, que el renglón educativo pudiera ser de los más dinámicos y de los menos corruptos. En primer lugar, en ningún país del mundo los que se atraen a la vocación docente son gente inspirada mayormente por aspiraciones de gran lucro, sino más bien por una pasión de servicio a la juventud. Ni romantizo ni exagero con tal planteamiento. Con la excepción de algunos países asiáticos, donde los maestros no sólo son respetados socialmente sino también son compensados a un nivel relativamente mucho más alto aun que en los países del mundo industrial, el que escoge la profesión de maestro en nuestro mundo occidental escoge una ocupación donde sus ingresos serán mucho menores que si se hubiera lanzado a la mayoría de las otras profesiones. Y el maestro occidental de hoy en día sabe por añadidura que, a diferencia de su contraparte coreano o japonés, y a diferencia del maestro occidental del pasado no muy lejano, será condecorado también con cierto nivel de desprecio social. Porque en el mundo donde el criterio máximo de tu valor es tu cuenta bancaria, todos sabemos que "Los que pueden, hacen. Los que no pueden, enseñan". Este refrán insultante de la vocación magisterial refleja de manera fehaciente una actitud occidental popular sobre la vocación docente. El joven apasionado con el desafío de despertar mentes jóvenes, y que escoge la vocación que le permitirá vivir de esa pasión, caerá bajo sospecha en nuestro mundo de sufrir una falta de ambición económica y social. Si por lo menos se hubiera apasionado más bien por la curación de los enfermos o por la construcción de torres residenciales, dirá su familia, gozaría de mayores potencialidades económicas y de mayor respeto social. La docencia presupone, por lo menos en nuestro mundo occidental, aspiraciones de servicio y una disposición de vivir una vida económicamente modesta. ¿Por qué este renglón, donde debe prevalecer el idealismo y la intelectualidad, es de los renglones más estancados?

15. Causas sistémicas del estancamiento persistente

Parte de la respuesta se encuentra en el ya aludido fenómeno de secuestro sistémico y sabotaje funcional. La tenacidad del atraso y del estancamiento de la educación pública se debe más bien a ciertos rasgos estructurales insólitos que distinguen la cartera educativa de las otras carteras. Examinemos brevemente los factores causales.

a) Mayor número de empleos

El Primer Mandamiento Político y el deber más sagrado del nuevo mandatario, en el imperante sistema político, es el de agradecer a los militantes de su partido con un empleo público. Con un equipo nacional de maestros y directores, y con una burocracia hinchada de funcionarios y empleados —no sólo en la oficina central de la Avenida Máximo Gómez, en la capital, sino también en las oficinas regionales y en los despachos de los directores de escuela—, el encargado de la cartera educativa tiene a su disposición una riqueza de posibles empleos, disponibles a pocos o a ningún otro ministro. Supongamos que llega un nuevo ministro de corazón puro que quiere romper con tal patrón. Que Dios lo bendiga. Porque poco durará en su sede a menos que se ponga en la onda. Caerá bajo las presiones absolutamente irresistibles de los activistas políticos de su partido para asignar el número máximo de empleos, ya sea creando nuevos o desplazando a los de la oposición que actualmente ocupan esos puestos. Pero ¿y la cuestión de la competencia profesional? "Como aquellos pusieron a los incompetentes de ellos, nosotros pondremos a los incompetentes de nosotros." Es una lógica poderosa, un ciclo vicioso difícil de romper.

Son estas las "presiones sistémicas" a las cuales tanta alusión se hará en el presente libro. Las teóricas funciones formales de las instituciones públicas —salud, educación, etc.— constituyen a veces una mera fachada para el cumplimiento de la función disfrazada (y a veces no tan disfrazada) de asignar sueldos públicos a la gente de uno. En los tiempos coloniales la "gente de uno" eran mayormente familiares. En tiempos modernos, los criterios familiares, que siguen en plena vida, han llegado a jugar un papel secundario frente a la nueva dinámica de los partidos políticos. Si bien es cierto que la cartera educativa ofrece menos caminos informales a la riqueza instantánea que, por ejemplo, Aduanas u Obras Públicas, lo que sí ofrece, más que cualquier otra cartera, es un nutrido potrero potencial para cumplir con el aludido

Mandamiento Político de suministrar empleos al partido. Por eso, aunque un nuevo ministro o una nueva ministra entren con el idealismo social y la energía personal de un Padre Billini, los políticos de su partido se agarran ferozmente del aparato educativo como campo de acción partidista.

Ha habido cambios ligeros en la conducta de los partidos. La maestra común y corriente que goza de un nombramiento, probablemente ya no pierde su puesto cuando sube la oposición. Para conseguir un nuevo nombramiento, sin embargo, el activista político del partido de turno llevará las de ganar a otro candidato de iguales (o aun mejores) credenciales de la oposición. Y al nivel del actor más clave del sistema, el del director de la escuela, y al nivel de las oficinas del distrito, de las regionales y las nacionales, la función del potrero político para engordar la vaca otrora flaca sigue vigente hoy en día como siempre. Los despachos de la cartera educativa, incluyendo los despachos cruciales de los directores de escuela, se siguen vaciando y rellenando con cada cambio político como si fuera un órgano político del Palacio Nacional. Como veremos a continuación, ese secuestro político y transformación ilegítima de la función del aparato educativo trae consecuencias letales.

b) Un monopolio sindical y una población única de potenciales rehenes infantiles

Los políticos invaden desde arriba. Pero hay otros señores que invaden desde abajo. Hice alusión a otra paradoja, la supervivencia de una poderosa estructura sindical en un país donde la mayoría de los sindicatos han perdido su poder. ¿Por qué?

El gremio educativo goza de dos armas únicas. En primer lugar, en los años 1990 logró, mediante maniobras que desconocemos, convencer a un Secretario de turno de concederle un monopolio sindical sobre los maestros y de obligar a cada maestro del sector público a ser miembro del sindicato. Hasta logró que el Estado se sometiera al servicio del sindicato como cobrador, sacando las cuotas mensuales de los maestros y traspasándoselas al sindicato. Con la excepción quizás de las Fuerzas Armadas, no hay cartera con más empleados que la de Educación. Ello dota al sindicato de una base económica única.

Pero su fuerza principal reside no en su dinero, sino en su capacidad de amenazar a los niños de la nación. Goza de una población de más de un millón de rehenes infantiles que pueden ser amenazados y echados a la calle. El estrago a largo plazo que tales expulsiones rutinarias provocan es una educación malograda y defectuosa. Pero el poder del sindicato educativo estriba también en una crisis más inmediata que se provoca con cada huelga nacional. Centenares de miles de niños, cuyos padres y madres tienen que salir a trabajar, de repente se mandan a casa a las nueve de la mañana. Los más grandes se defienden. ¿Pero y los párvulos? ¿Quién se ocupa de ellos? Una huelga por parte de los agrónomos de la Secretaría de Agricultura probablemente ni llegue a la primera página de los periódicos. Los agricultores siguen como si nada hubiera pasado. Pero una huelga de maestros, por la población de seres vulnerables que controlan, provoca una crisis nacional inmediata y una ira colectiva que podría afectar el bienestar político del mismo gobierno. El poder del sindicato magisterial, por lo tanto, no constituye un gran misterio.

El estancamiento tenaz del aparato educativo tiene que interpretarse en el contexto de estos dos sistemas invasores. La disponibilidad de una cantidad insólita de puestos endurece la determinación de los políticos de mantener el status quo. Y la presencia de una vulnerable población juvenil aumenta y perpetúa el poder del gremio. Tales factores estructurales han engendrado en el aparato burocrático educativo una resistencia especial contra el cambio.

c) La normalización cultural de lo inaceptable

En este drama deprimente, entra en juego un tercer factor: el de la evolución de nuevas normas culturales. Formulado abstractamente, los sistemas organizativos humanos engendran no sólo patrones objetivos de conducta, sino también modos subjetivos de pensar e interpretar. La evolución y transformación de un sistema engendrará al mismo tiempo cambios en aquel modo de ver y pensar de los actores. Aplicando este planteamiento a la realidad educativa dominicana, vemos que durante los 40 años de crisis educativa y de ingerencias políticas y sindicales, han nacido dos generaciones de dominicanos que sencillamente no conocen otra situación en el renglón educativo público. La conducta de los políticos y los sindicalistas ha llegado a verse como normal. Problemático quizás, pero normal.

Hagamos un contraste. En el contexto educativo norteamericano, en que cada condado o municipio contrata sus propios maestros y directores basándose en criterios técnicos, el modo de ver y pensar sobre los puestos educativos es profundamente distinto. Resultaría simple y llanamente inconcebible y absurdo que cada cuatro años, con las elecciones, todos los directores de escuela fueran desplazados porque son republicanos si ganan los demócratas o porque son demócratas si ganan los republicanos. Las preferencias políticas de un profesional, aun de un profesional del sector público, simplemente no entran en juego, a menos que se trate de un número reducido de posiciones altas, casi a nivel de gabinete presidencial. En la República Dominicana, en cambio, sería si no inconcebible por lo menos sorprendente si estos cambios políticos no sucedieran. Se ha normalizado. Existe una subcultura en la cual cualquier puesto público se considera como potencial botín político.

De igual manera, se ha engendrado en estos últimos cuarenta años una subcultura de huelga y de incumplimiento educativo. Un 75 por ciento de la población dominicana quizás ni se dé cuenta de que hay otras opciones reales para la educación pública.

Saben que los colegios privados son diferentes. Pero algunos parecen asumir que lo que se ve en las escuelas públicas es de alguna manera normal e inevitable. Lo que hubiera sido inconcebible en vida de Trujillo ya se ve como normal. Para el dominicano de 40 años de edad para abajo, que no conoce otro sistema público, el maestro de escuela pública es alguien que llega tarde, se va temprano y siempre amenaza con irse a huelga. No es que la gente acepte tal conducta o la considere correcta. Lo que sucede es que *se ha llegado a considerar como normal y predecible la conducta inapropiada e inaceptable de los empleados públicos.* Pero peor aún: los mismos maestros del sistema, que nacieron y se criaron bajo tal sistema, ya asumen que su conducta al respecto es completamente normal. Es decir, las objetivas conductas sistémicas llegan a establecerse y a considerarse después de un tiempo como subjetivas normas culturales.

Es un fenómeno ideológico que no se da sólo en el renglón educativo. Varios entrevistados, hablando en términos más generales del sector público, lamentaron una transformación cultural que ha venido sucediendo en las últimas décadas. El funcionario de antes descubierto con las manos en la masa sentía vergüenza personal y social. Pero tal conducta se ha institucionalizado a tal punto, según varios entrevistados, que no sólo no choca. Se espera. Al alto funcionario que sale de su puesto tan pobre como cuando entró lo tildan de una palabra que empieza con "p". Y no es "pobrecito." Las objetivas conductas externas, después de un tiempo, llegan a codificarse como subjetivas normas culturales.

16. Fracaso del Plan Decenal: causas sistémicas

En resumen, hemos examinado las posibles causas detrás de la tenacidad del estancamiento del renglón educativo público. La resistencia especial de este sector a los cambios positivos se debe a dos rasgos sistémicos algo *sui géneris* del sector.

1. En primer lugar, dispone de una mayor cantidad de puestos disponibles a los políticos para los militantes del partido de turno.
2. En segundo lugar, los militantes sindicales de este sector gozan de un nutrido ingreso garantizado y de una cuantiosa e impotente población de potenciales rehenes: los niños de los sectores pobres de la nación entera. El sindicato de los médicos públicos quizás goce de un público parecido entre los enfermos de los hospitales, aunque no tan numeroso como el que abarca toda la población estudiantil del país.

Tal es, hoy por hoy, la situación de la educación pública en la República Dominicana. Con el lanzamiento del Plan Decenal al principio de los años 90 hubo un momento breve de entusiasmo y esperanza nacional. Pero la inspiradora esperanza del "borrón y cuenta nueva" cedió a la deprimente realidad del "borrón y nuevos cuentos".

Se recetaron las medicinas equivocadas. Si las mayores barreras a una educación decente hubieran sido variables pedagógicas —currículo, libros de texto, capacitación magisterial, sueldos magisteriales— el Plan Decenal hubiera podido dar mejores frutos. Pero no eran aquellas las verdaderas enfermedades. Fue más bien la invasión e infección del sistema educativo por parte de los dos aludidos sistemas, el político y el sindical, lo que destruyó y sigue destruyendo el sistema educativo.

Los dos sistemas —el político y el sindical— se mantuvieron tenaces en sus conductas de siempre *a pesar de esfuerzos sinceros por parte de algunos individuos dentro de los dos sistemas*. Hay líderes políticos que quisieran dejar tranquilo el sistema educativo. Hay líderes sindicales que quisieran que el sindicato se convirtiera en un verdadero gremio profesional. Pero los sistemas dentro de los cuales funcionan los individuos de buena voluntad pueden impedir que sus esperanzas se conviertan en actividad concreta. Los fuertes intereses creados los hacen ceder. La lógica sistémica de los aparatos de siempre ha resultado hasta ahora más poderosa que las buenas intenciones y los buenos esfuerzos individuales, aun los de las máximas autoridades educativas del país.

17. Presiones sobre el funcionario hipotético de buena voluntad

Que se ponga el lector, de manera hipotética, en el lugar de un nuevo Presidente o Secretaria(o) de Educación. Los de su partido fueron todos cancelados por el gobierno anterior (estamos hablando, por supuesto, de manera puramente teórica e hipotética). Quisiera despolitizar el sistema educativo. Pero dado el hecho de que todos los puestos educativos altos están ocupados por gente que ocuparon los puestos de los cuales los de su partido habían sido cancelados, no cabe dentro de lo posible dejarlos todos ahí y dejar que los de su partido queden sin trabajo. Si tratara de hacerlo, se armaría un rebú dentro de su mismo partido. El mismo sistema lo obliga a ceder, quiera lo que quiera. Un mandatario quizás quisiera dejar la cartera educativa fuera de lo político. Pero es el potrero mejor surtido de pasto salarial para los activistas del partido —los de antes y los de ahora. Por bueno e idealista que sea ¿va a dejar a los de la oposición en sus puestos y a los de su propio partido afuera?

Y el/la incumbente de la cartera tampoco goza de gran poder sistémico. El sistema educativo heredado por un(a) nuevo(a) Secretario(a) es un elefante pesado. Querría que fuera un águila que vuela. Pero el elefante no se convierte en águila sólo porque lo monte un jinete nuevo. Sigue siendo elefante. Un jinete nuevo goza de cierto poder. Pero no mucho. Hereda un sistema, un organismo ya formado. Sus dotes personales no pueden transformar a un elefante en águila.

Ni negamos el poder del individuo carismático, ni exculpamos a los ladrones y bandidos irresponsables. Los sistemas humanos en última instancia se componen de gente. Pero una perspectiva antropológica intenta encajar la conducta de los individuos, aun de los que ocupan los puestos más altos, en el contexto de los sistemas a cuya lógica se ven motivados u obligados a adaptarse. Sin negar el fenómeno de responsabilidad personal, haremos hincapié sobre las fuerzas sistémicas, los poderosos hábitos institucionales que tanto impacto ejercen sobre la conducta de los individuos.

En el análisis antropológico clásico no se trata de los buenos y los malos de la película. Se trata de sistemas eficientes y sanos, por un lado, y de sistemas infectados, malignos y maliciosos, por otro. Los individuos pueden luchar en contra de las dinámicas sistémicas. Pero a fin de cuentas los individuos se cansan, los sistemas nefastos no. El nadador cansado, que con tanta energía se lanzó en valiente rumbo contrario, acaba exhausto, cediendo y flotando con la corriente. No se trata siempre de irresponsabilidad personal. Se trata más bien de poderosos caudales sistémicos. Es a nivel sistémico que los problemas educativos se engendran. Es a nivel sistémico que se deben buscar las soluciones educativas.

C. MÉTODOLOGÍA Y DIVERSAS FUENTES DE DATOS

Las siguientes fuentes de información constituyen la base de datos sobre la cual descansan el estudio y sus conclusiones (conforme a la metodología antropológica, incluiré no sólo las tabulaciones cuantitativas, sino también las entrevistas, conversaciones y observaciones cualitativas.)

Empecé con una revisión bibliográfica de escritos sobre la educación en general y sobre la educación dominicana en particular. Esta lectura se prolongó a través del estudio. El que se dedica a un estudio de la realidad educativa de la República Dominicana entra en un campo que goza ya de una bibliografía nutrida de estudios realizados sobre el tema. En primer lugar, existe un sinnúmero de estudios e informes orientados específicamente a la problemática educativa. Entre ellos, como lista parcial, cuentan los estudios de Alvarez Santana (1997), Bernbaum y Locher (1997, 1998), Campos Farías (1997), Díaz Santana (1996), Fernández (1980), Mejía Ricart (1980, 1981), Melo de Cardona (1977), Morrison (1993), Nivar Ramírez (1952), Palacio (1944), Prats Ramírez de Pérez (1974), Rodríguez Demorizi (1970), Sanguinetty y Fernández (2000), Santos (1996), Ulloa Morel (1987) y Zoiter et al (2001).[24] Una bibliografía educativa especial se encuentra en los estudios llevados a cabo por EDUCA —organización de la sociedad civil que ha intervenido enérgicamente desde hace unos quince años en la problemática educativa local—, al igual que en los centenares de informes y documentos generados en el contexto del Plan Decenal, lanzado a principio de los años 1990.

Además de dichos estudios específicamente educativos, los historiadores de la realidad dominicana en general, como Frank Moya Pons, y de la historia de la Iglesia Católica en la colonia y en el país, como José Luis Sáez, aportan datos de mucha utilidad para un no-historiador que desea una visión desmitologizada de la historia de la educación en el país. Entre los autores específicos consultados en este género histórico figuran Bosch (1939), Calder (1984), Clausner (1973), Crassweller (1967), Galíndez (1956), Henríquez Ureña (1947), Moya Pons (1971, 1977, 1995), Nolasco (1982), Nouel (1911), Rodríguez Grullón (1991) y Sáez (1987, 1994, 1996a, 1996b). Lecturas sobre la evolución económica del país, como las que se encuentran en los dos tomos detallados de Boin y Serulle Ramia (1981), me ayudaron a colocar las transformaciones educativas en el contexto de las transformaciones infraestructurales que se daban simultáneamente.

[24]Véase la bibliografía, para información bibliográfica más completa sobre estas obras. En este tomo utilizaré el sistema de cita académica que prevalece en el mundo antropológico norteamericano. La cita se pone generalmente en el texto, más que en notas al pie de la página, con el apellido del autor, seguido por la fecha de publicación entre paréntesis. El lector consulta la bibliografía para información más detallada sobre la publicación.

En estas exploraciones bibliotecarias, sin embargo, he intentado "releer" la historia de la educación en el país a través de una lente analítica enfocada en un tema de importancia específica para el presente libro: la relación fluctuante a través de los siglos entre los tres gigantes de la educación: Iglesia, Estado y Sector Privado.

Las fuentes más inmediatas de información sobre las que se basa el estudio son las siguientes:

1. *Fuentes de historia oral.* Entrevisté a dominicanos nacidos en los años 20 ó 30 del siglo pasado, participantes en los múltiples dramas políticos y transformaciones educativas que el país ha atravesado en los últimos cien años.
2. *Entrevistas con el personal y la clientela de los colegios privados.* Llevé a cabo prolongadas entrevistas con directores de colegios, maestros, estudiantes y padres. Dichas entrevistas fueron en su mayoría grabadas y transcritas para mantener la fidelidad de las palabras de los entrevistados. Me senté también en las aulas para observar las actividades educativas (y a veces no educativas) que se desarrollan.
3. *Entrevistas con actores dentro del sector público.* Conversé con maestros y funcionarios que en el momento de la entrevista estaban trabajando, o que en el pasado habían trabajado, en el sector público educativo.
4. *Entrevistas con miembros de la sociedad civil involucrados en la educación.* Recibí gran apoyo durante cada fase del presente estudio de parte del Consejo y la Dirección de la organización Acción para la Educación Básica (EDUCA), así como de la directora de un programa de apadrinamiento escolar de la Falconbridge.
5. *Presupuestos de colegios.* En cuanto a datos financieros, algunos directores de colegio tuvieron la cortesía de compartir conmigo presupuestos exactos de gastos y entradas. Hablé, asimismo, con oficiales bancarios encargados de facilitar crédito a los colegios, quienes también compartieron

conmigo los presupuestos en base a los cuales les otorgaron préstamos.

6. *Datos cuantitativos.* Utilicé dos fuentes principales de datos cuantitativos: EDUCA, que había llevado a cabo encuestas de los colegios privados capitaleños, y la Secretaría de Estado de Educación, que ha publicado una serie de informes anuales sobre la situación educativa del país en general. Ambas fuentes constituyen la base de las tabulaciones cuantitativas que aparecen en el presente estudio.
7. *Entrevistas con ciudadanos de otros países residentes en la República Dominicana.* Me entrevisté no sólo con dominicanos, sino también con informantes oriundos de una variedad de países extranjeros —Argentina, Canadá, Cuba, España, Estados Unidos, Israel, México— que viven en la República Dominicana y que están involucrados como docentes o directores, o cuyos hijos están involucrados como alumnos en algún renglón del sistema educativo dominicano. Tales personas aportan una riqueza de perspectivas compa-rativas para ayudarnos a colocar el colegio dominicano y la situación educativa dominicana general en un contexto más amplio.

Capítulo III

El Colegio Profesor Mencía[25]

En el presente capítulo presentaremos un estudio de caso sobre la fundación de un colegio de barrio.

A. De Sabana Perdida rural a barrio capitaleño urbano

La zona rural con el nombre de Sabana Perdida en una época reflejaba su nombre. Era un campo algo alejado de la ciudad de Santo Domingo, de difícil acceso y de poca importancia. Pero los tiempos cambiaron al igual que la población dominicana. Dicha población no sólo ha crecido, sino que ya tiene unos 8.8 millones de habitantes, sin contar los dominicanos ausentes. También se ha reubicado. Ya el campesino dominicano, el morador de la zona rural que vive practicando una mezcla de agricultura y ganadería, constituye una minoría estadística. El y su esposa quizás se queden en su campo, sobre todo si son

[25]Para proteger la privacidad del dueño de este colegio y de otras personas que aparecen en este capítulo, he utilizado nombres ficticios.

ancianos. Pero difícilmente querrán que sus hijos se queden. Ni los hijos tampoco quieren. Casi siete de cada diez dominicanos ya viven en zonas urbanas. Ya la población capitaleña pasa de los 3 millones de habitantes. De ser cierta dicha cifra, uno de cada tres dominicanos ya vive en la capital de la República.

La desaparición cada vez más inminente del campesino, su conversión en emigrante a la capital, no ha conducido a la desaparición de comunidades como Sabana Perdida. Pero sí ha conducido a su absorción. Ya la expansión hacia el norte de Los Mina, al otro lado del Río Ozama, ha creado una conexión física entre la capital y Sabana Perdida. Esta última comunidad ya no es campo lejano, ahora es un barrio capitaleño. Sus moradores ya no crían ganado. Sobreviven buscándosela en la selva urbana mediante el sinfín de actividades realizadas por los dominicanos urbanos de las capas económicas menos favorecidas.

Desaparecieron también para siempre los días en que un padre de familia dominicano haría todo lo posible para sacar a sus hijos de la escuela lo antes posible, para emplearlos como mano de obra gratuita en su finca o su negocio[26]. Ya la educación formal de los hijos, por lo menos durante algunos años, forma parte central de las premisas alrededor de las cuales los dominicanos de todos los sectores organizan su estrategia de vida a largo plazo.

El gobierno dominicano ha estado —desde el siglo pasado— constitucionalmente obligado a proveer las aulas y los maestros que harían de esa premisa una realidad. Pero el ya bien conocido deterioro de las instituciones educativas públicas en ciertos períodos tristes de la economía y la sociedad dominicanas, sobre todo en el período post-trujillista, produjo el igualmente bien conocido brote de colegios privados.

---

[26]El hecho de que Trujillo tuviera que dictar leyes que criminalizaban dicha ausencia de las aulas indica que la práctica existía.

1. La llegada del Profesor Andrés Mencía

Los maestros de Sabana Perdida participaron con la misma energía que sus contrapartes en otras localidades, saliéndose de las humillantes y denigrantes condiciones del magisterio público como hicieron miles de maestros y maestras. Pero en vez de montarse en una yola y probar suerte en el extranjero, o en vez de lanzarse a otro renglón económico, los "emigrantes" que nos interesan aquí se quedaron obstinadamente en el renglón de la educación. Escogieron el camino del microempresario, fundando sus propios colegios, para responder a la demanda popular creada por la desintegración de la educación pública.

A algunos les ha ido bien. A otros les ha ido mal. La mala suerte —o mejor dicho la mala gestión— de una de aquellas figuras en Sabana Perdida condujo a un éxodo de su colegio por parte de padres disgustados, poco dispuestos a desembolsar dinero para una educación que consideraban tan defectuosa como la de las escuelas públicas que habían abandonado. Puede ser que los padres de sectores pobres no tengan impresionantes antecedentes educativos personales, pero no son brutos. Cuando se trata de la educación de sus hijos, saben cuándo se les está vendiendo gato por liebre. El director se interesaba poco en el colegio. Se ausentaba, se iba a Puerto Rico, dejando el colegio en manos de otros a quienes aparentemente les interesaba aún menos. Esto lo perciben los padres, y no lo toleran. El nombre del colegio bajo discusión, un nombre que no nos interesa publicar, cayó en desgracia, y sus aulas fueron desertadas.

Estuvieron así hasta la llegada del profesor Andrés Mencía, un maestro ya conocido en Sabana Perdida, quien alquiló el local para convertirse en "Director de Colegio", para rebautizarlo con su propio nombre (quitándole así la mancha social del antiguo letrero), y para llenar sus aulas de nuevo con los hijos de padres encantados con la nueva opción. Sabemos que los días de los "Maestros" con mayúscula, los educadores famosos del pasado dominicano, pasaron a la historia. Sabemos también que en las capas más altas de la sociedad, cuyos hijos se educan en aulas privadas dirigidas por maestros muchas veces provenientes de capas sociales inferiores a las de sus alumnos, el maestro en sí difícilmente goza de prestigio social. (¿Cómo puede una pareja pudiente realmente admirar como modelo al incumbente de una profesión que jamás en la vida quisieran que sus propios hijos escogieran?) Tales colegios se escogen más por la fama del director o de la directora que por la reputación de los maestros. Pero en los barrios más populares, un maestro fuerte de las mismas raíces sociales que uno sí puede gozar de prestigio, aun en estos tiempos donde el valor de uno parece ser medido por la marca y el año de la "jeepeta" o el carro en que anda, o por el sector de Casa de Campo donde tiene su casa de recreo.

Por lo menos así sucedió con el profesor Mencía. Los padres desilusionados con el colegio desaparecido reaccionaron con regocijo —un poco cautelosos, hay que admitirlo— al cambio de letrero. Y en pocos años, la matrícula del nuevo colegio subió a más de trescientos alumnos. Parecería que con eso uno viviría bien. Parecería... Pero la función, o por lo menos la esperanza, de la antropología es penetrar las apariencias e intentar ver lo que subyace. Las excavaciones arqueológicas no se llevan a cabo sólo con pico y pala. Las culturas también tienen niveles y capas que hay que penetrar.

2. Tres problemas inmediatos del director de colegio

Había tres problemas mayores en el activo cerebro del profesor Mencía la mañana en que por primera vez visité su escuela. No lo sabía hasta ese momento, pero salieron a la superficie después. Uno de los problemas le tenía la vida en zozobra permanente desde hacía unas semanas —aquel alumno agresivo que había peleado cuatro veces con distintos condiscípulos y que acababa de sacarle una "sevillana" a un quinto, dentro del mismo recinto escolar. Pero había ya procedimientos rutinarios para bregar con ese tipo de muchacho. Aquel problema se resolvería de inmediato.

El segundo era más serio. Y la misma cosa pasaba todos los meses. Ya estábamos a 7 del mes y los mismos padres de siempre demoraban en el pago de los $250 pesos de la mensualidad. A Andrés le faltaba dinero para cumplir con su nómina. Los maestros sabían del problema. Habían pospuesto el día de pago rutinario del día primero al quinto día del mes. Pero ya el quinto día había pasado, y algunos maestros habían demostrado su descontento. Uno de ellos llegaba tarde con cara insolente. Y, por supuesto, los padres morosos le habían mermado la autoridad a Andrés. ¿Cómo puede él insistir en que los maestros cumplan con su deber, cuando él mismo no cumple con su propio deber primordial de pagar la nómina a tiempo? Bueno. Se las buscaría de una forma u otra. Aunque tuviera que coger dinero prestado en la calle. Claro, los bancos no ayudan en emergencias así.

Pero el tercer problema era potencialmente grave. Había alquilado su local al antiguo dueño del colegio. Es una posición muy vulnerable para uno— eso de ser dueño de colegio sin ser dueño del local. A pesar del contrato podrías caer en problemas. Los dueños pueden hacer lo que les dé la gana. Y así había sucedido. Aquel señor había violado ya los términos del contrato en cuanto a las subidas anuales máximas en el precio mensual del alquiler. Andrés se lo había tragado. Es un hombre de mucha dignidad a quien no le gustan los pleitos. No se iba a rebajar a estar cheleando con un pillo. Pero ya había llegado a una encrucijada muy peligrosa. El alquiler era para cinco años. Y en dos meses vencían los cinco años. Y de buenas a primeras el tipo le anuncia que quiere que Andrés o le compre la propiedad o se la devuelva inmediatamente. En junio. Dentro de dos meses. Al finalizar este año lectivo. Se lo vendería en RD$300,000 si Andrés pagaba en efectivo. Le agregaría otros $50,000 si pagaba a plazos. Andrés no tenía dinero ni para la nómina. ¿Dónde conseguiría los 300,000 pesos para hacerse dueño del local? ¿Tendría que anunciarles a los alumnos y a sus padres la vergonzosa clausura del Colegio Andrés Mencía, que ya llevaba tantos años funcionando con orgullo?

3. Dilemas del investigador

Por supuesto, yo no tenía la menor idea de estos dramas cuando por fin di con la calle del colegio después de pasar media hora dando vueltas, perdido en Sabana Perdida. Por ser psicorrígido —y un poco tímido en territorio desconocido— no quise pararme a preguntar, sino que insistía en seguir mi mapa, con poco éxito en el laberinto de Sabana Perdida. Yo también tenía tres problemas en mi cabeza. Y estaba perfectamente consciente de ellos. En primer lugar, uno siente el temor natural que proviene de estar dando vueltas en calles estrechas de un barrio desconocido, donde te parece que todos los hombres tomando cervezas matutinas en la acera de éste o el otro colmado te están mirando de reojo —¿qué anda buscando este tipo? Finalmente me detuve. Pregunté. Y fui tratado con amabilidad. Los hombres conocían el Colegio Prof. Andrés Mencía.

A todo eso hay que agregarle el nerviosismo de estar —una vez más— a punto de molestar a un ser humano (también desconocido) con la solicitud exorbitante de ofrecerse a sí mismo y a su "negocio" como objeto de un "estudio antropológico". Tengo ya décadas practicando la antropología, pero siempre detesto este momento inicial donde pides permiso para invadir la vida privada de otra persona con mil preguntas impertinentes sobre asuntos que sencillamente no son de tu incumbencia. Y donde muchas veces (justificadamente) te cierran la puerta en la cara, como si fueras un vendedor de algo que a nadie le interesa. Eso me había pasado en docenas de colmados en un estudio anterior que había realizado. El trauma realmente nunca se me había quitado. El Profesor Mencía había sido muy amable en invitarme a su colegio cuando lo llamé por teléfono y le expliqué mi interés en saber más sobre la realidad de los colegios privados en Santo Domingo. Sumamente amable. Temía que su amabilidad se convirtiera en frialdad ofendida cuando empezara a indagar sobre ciertos temas.

Porque el tercer temor se enfocaba especialmente en el carácter supuestamente cerrado de los dueños de colegios. Varios amigos y conocidos dominicanos, al saber del tópico de mi próximo estudio, me advertían: "Uuuuuy. Ahí sí que te estás metiendo en un lío. Esas gentes de los colegios privados tienen un negociazo entre manos. No te van a decir naaaadaaaaa..." Aprendería rápidamente que las dos premisas eran débiles. Por un lado, el término "negociazo" difícilmente se aplica a un grupo de empresarios dueños de colegio de barrio a quienes de rutina les cuesta trabajo cumplir con su nómina por la morosidad en el pago por parte de su clientela. Y el Profesor Mencía de ninguna manera es excepcional en ese sentido. Y, por otro lado, iba a encontrar una transparencia absolutamente conmovedora entre varios dueños o dueñas de colegio —claro, no de todos— tanto de barrio pobre como de ensanche acomodado, que persiguen su misión educativa con pasión profesional y que no tienen absolutamente nada que esconder —digan lo que digan los chismosos. Claro, uno no abre ni el corazón ni los libros de contabilidad a todo el que entra de la calle. Y hay pillos dondequiera. Y ha habido escándalos de gran vergüenza nacional con ciertas escuelas de "medicina". Pero los dueños de colegio que yo tendría el privilegio de entrevistar acabarían siendo en su mayoría educadores profesionales dispuestos a compartir información razonable.

Después de la primera media hora de interacción con el profesor Mencía y con su esposa tendría el alivio de hallarme en un mundo antropológico mucho más transparente que el mundo más selvático de aquellos negocios que se encargan de la venta de cerveza.

Otro temor me había cruzado por la mente también. Estaba cruzando la frontera de un mundo con antecedentes científicos muy bien desarrollados. La ciencia de la educación se ha profesionalizado. Hay metodologías de medición, de evaluación sumatoria, de evaluación formativa, búsqueda y construcción de indicadores, etc. Existía una respetable literatura científica cuyos contenidos sencillamente desconocía. Me preguntaba si realmente se podía estudiar el funcionamiento de un colegio por métodos de observación y descripción cualitativa siguiendo los métodos de la antropología tradicional. La respuesta preliminar era: luz verde. Ninguna disciplina tiene un monopolio sobre el poder analítico. La observación cualitativa de un pequeño número de colegios dominicanos dejaría muchas respuestas sin contestar. Pero podría identificar la operación de otras dinámicas que pasarían desapercibidas bajo el escrutinio de metodologías más altamente estructuradas y formalizadas. Entré a las aulas con esta esperanza modesta.

4. Liderazgo cara a cara: la oficina abierta del director

Por fin encontré el colegio, con el nombre Colegio Andrés Mencía prominentemente desplegado. Las clases estaban en plena marcha. Había grupos de niños uniformados cruzando la calle, acompañados por adultos, hacia un lote vacío frente al colegio. Servía de cancha de recreo. Y la "cafetería" del colegio también se encontraba en aquella otra propiedad enfrente. Para no entorpecer el movimiento libre de los alumnos, tuve que estacionar el carro a una cuadra del colegio.

Andrés había visto el carro dando vueltas por la zona y me esperaba amablemente en la puerta del colegio. Me excusé por haber llegado tarde. "No se preocupe. Gracias por su visita. Pase adelante..." Entramos al colegio a un espacio con escritorios y sillas que asumo como área de recepción. Noto que el escritorio que da directamente a la puerta de entrada, y que debe ser de la recepcionista, está desocupado. Andrés se sienta detrás de aquel escritorio con toda naturalidad. Me equivoqué. No es el escritorio de la recepcionista, sino el del Director. Andrés no tiene oficina separada. Estábamos ya en su "oficina", ahí mismo en la entrada. Falta de espacio, asumí, indicio de la condición apretada de este colegio de barrio...

Conclusión muy prematura y precipitada por parte de un extranjero. La colocación de su escritorio puede reflejar, no falta de espacio, sino otra ideología, una filosofía tradicional de liderazgo. Cara a cara. Acceso inmediato. Los clientes que entran ven inmediatamente la presencia del director. Esto me recuerda una caricatura antigua de un banco norteamericano, donde todo se había modernizado menos la mente del dueño. Rodeado de equipos modernos, este dinosaurio de otra era colocó su antiguo escritorio en medio del espacio abierto frente a los clientes, para que éstos lo vieran y fueran recibidos por el mismo dueño. La caricatura enseña a los otros empleados, más jóvenes y más modernos, riéndose del viejo loco. Un anacronismo cómico. La ubicación del escritorio del director de colegio frente a la entrada principal me dio la misma impresión. Me precipité con una interpretación de penuria, asumiendo que el arreglo moderno, que aísla al director en una oficina cerrada detrás de una barrera protectora de secretarias y recepcionistas, es de alguna manera "normal", y que el arreglo del Colegio Andrés Mencía es una respuesta a la falta de espacio. En el mundo que mejor conozco, tu importancia sube si hay que pasar por una secretaria y hacer una cita para verte la cara.

En este colegio de barrio se trata más bien de otra filosofía, de contacto más directo con los clientes. Muchos padres escogieron el colegio porque conocen personalmente a Andrés. Había llegado al barrio hacía ya casi dos décadas, habiéndose mudado del interior. Pasó del status de joven quinielero y vendedor de ropa al status de profesor respetado. Los padres desconocen los maestros, muchos de los cuales vienen diariamente de otros barrios. Pero conocen a Andrés. Y en la subcultura del barrio, se espera contacto directo con él. La colocación de su escritorio refleja esta norma. No necesariamente es producto de falta de espacio. Si hubiera una oficina cerrada vacante, ¿se mudaría allá? Quizás. El poder de los modelos más burocratizados, con sus normas de prestigio, es fuerte. Pero no niega la existencia de otras normas.

En el mismo espacio, hay otro escritorio ocupado por una señora, quien se levanta, me extiende una mano de bienvenida y me dice su nombre completo, pero me aclara que la llaman Erika. Ella resulta ser no sólo la administradora del colegio, sino también la esposa de Andrés. Es, por lo tanto, una empresa familiar, con labor familiar gratuita a nivel de la dirección. Más tarde averiguaré que ninguno de los dos recibe un sueldo. Su "sueldo" consiste en lo que sobra cada mes, si es que sobra algo. Es un patrón de informalidad administrativa que se ve no sólo en muchos colegios, sino también en muchos otros negocios del mundo microempresarial dominicano.

5. Dilema metodológico: grabaciones en medio de la bulla

La organización del espacio resultó antropológicamente fascinante como primera impresión. Pero bien pronto me di cuenta de que Andrés y Erika pensaban conversar conmigo allá mismo, en su espacio oficial. Era normal. Pero saboteaba la metodología que pensaba utilizar. Esa metodología era grabar todo —entrevistas al igual que observaciones personales mías— y luego contratar a mecanógrafas para transcribir todo. Es una metodología que permite la captación más completa de todo lo que se dice, en el mismo lenguaje y fraseología de la gente. Protege al investigador de la tentación de estar filtrando las palabras de la gente por sus propios esquemas mentales y citándolos en palabras que no utilizaron. Con bolígrafo y cuaderno captas si acaso un 20 por ciento de lo que se te dice. Con la grabadora captas todo. Los periodistas profesionales emplean la grabadora ya de manera rutinaria. A los que no la emplean hay que tenerles un poco de cautela. Te citarán como a ellos les da la gana. Si tienen tus palabras textuales grabadas, tendrían que ser mentirosos para citarte incorrectamente. Si están escribiendo tus palabras con bolígrafo, te pueden citar mal por descuido o incompetencia. ¿No se intimida la gente por la presencia de una grabadora? Ya mucho menos, aunque se cuidarán de hacer comentarios negativos sobre autoridades que podrían vengarse de una u otra manera. Y el que se va a intimidar con una grabadora, se intimidará de igual manera o más con un bolígrafo y un cuaderno. La grabadora era un instrumento clave en la metodología que pensaba utilizar.

Pero la bulla proveniente de las aulas y del patio del colegio era abrumadora. El recreo era rotativo. Los diferentes grados se turnaban. Los gritos infantiles y juveniles eran constantes. Momentos de silencio académico no había. Dicho estruendo hubiera hecho imposible la grabación de nuestra conversación. Las transcriptoras o se hubieran vuelto locas o hubieran renunciado. Explico el dilema a Andrés y a Erika. No tienen ningún problema con la grabación de lo que íbamos a hablar. Yo les invité a que fuéramos a algún restaurante o comedor para conversar aparte, más silenciosamente —olvidándome, tontamente, de los ruidosos merengues y bachatas que inundan la atmósfera de los sitios públicos en los barrios.

Andrés y Erika tenían mejor sentido. Nos levantamos, salimos del colegio, cruzamos la calle y entramos en una modesta casa frente al colegio. Parece ser una casa de familia. ¿Vecinos del colegio? No pregunto. Simplemente sigo. Andrés y Erika me indican una silla y se sientan como Pedro en su casa. Aprendería más tarde que este lugar se llama la "cafetería" del colegio. Allá es que algunos niños, aquellos que vienen con un dinerito en vez de con "lonchera", compran su merienda. Algo tienen que comer los niños. Y como se trata de un colegio privado, no reciben el "desayuno escolar" otorgado por el Estado a muchas escuelas públicas. En el cuarto de atrás hay un señor y una señora cocinando algo. Todos nos saludamos. Hay un radio prendido, tocando merengue. Erika pide que se apague. Se apaga inmediatamente. El nivel de silencio aumenta. Pruebo la grabadora. Se oye aceptablemente.

6. Colegio como extensión de una biografía personal

En el mundo de las empresas dominicanas podemos distinguir someramente entre empresas institucionalizadas y empresas personalizadas. Price-Waterhouse o Barceló, por ejemplo, pertenecen a aquellas. Siguen con el nombre de sus fundadores. Pero siguen funcionando cuando éstos desaparecen. Es un sistema institucionalizado que ya no depende de una personalidad humana. Los actores llegan. Los actores se van y vienen nuevos. La empresa sigue.

La empresa (o microempresa) personalizada, en cambio, es una extensión y expresión de una personalidad. Aquella persona la crea. Cuando aquella persona se va o se muere, la empresa se va también.

Hay entidades que llamamos "colegios" que definitivamente pertenecen a la categoría de empresas institucionalizadas. La misionera Carol Morgan desapareció hace décadas. Pero el Colegio que fundó, que todavía lleva su nombre, y donde llegó a ser la educadora principal de la comunidad diplomática extranjera y, eventualmente, de cierta capa social dominicana, persiste. Los directores vienen, hacen algún impacto, o no, y luego se van. Pero el Carol Morgan continúa institucionalizado. Los famosos colegios católicos de la República Dominicana —el Colegio Loyola, el Colegio La Salle, el Colegio Santo Domingo, el Colegio Nuestra Señora de la Altagracia (CONSA) y muchos otros— también sobreviven (o mejor dicho sobrevivían en algunos casos) independientemente del retiro, el traslado o la desaparición de sus fundadores originales. Ya no son iguales que en aquellos tiempos "pre-conciliares" cuando algunos vieron la luz del día. Pero siguen siendo.

Por el contrario, la gran mayoría de los colegios dominicanos pertenecen a la categoría de empresa o microempresa "personalizada". Son una extensión de la personalidad y de la biografía del individuo o individuos que los fundaron. Cuando desaparezcan estos individuos, es bien probable que desaparezca el colegio. Otros colegios todavía los manejan sus fundadores originales, pero se manejan formalmente e institucionalmente con la expectativa de que dejarán de ser expresión personal de sus fundadores o de sus familiares, y se convertirán en instituciones permanentes.

Como ya vimos, el Colegio Profesor Mencía ocupa el local que era de otro colegio que cayó en tiempos malos. No es una continuación de aquel colegio. El cambio de nombre es una manifestación categórica de la ruptura institucional con el pasado. Si Andrés Mencía un día decide irse, el nuevo director posiblemente le ponga su propio nombre, o el nombre de algún santo o héroe dominicano. Será otro colegio, no una continuación del mismo[27]. Mucho más que las empresas institucionalizadas, las microempresas[28] del barrio constituyen una extensión de la biografía personal de sus dueños fundadores.

B. Antecedentes biográficos del Profesor Mencía

1. Médico frustrado

En el caso de Andrés Mencía, esa biografía empieza, no en Sabana Perdida, sino en otra parte de la República, en la provincia María Trinidad Sánchez. Más precisamente en Nagua, donde nació en el año 1954. El hecho de ser emigrante lo comparte con la mayoría de sus vecinos en Sabana Perdida.

---

[27]Si el nuevo dueño decidiera mantener el nombre de Colegio Profesor Mencía, ¿ya por eso constituye una continuación del mismo colegio? ¿Tienen las etiquetas tanta importancia sobre la ontología de los objetos a los cuales se aplican? Es un curioso problema epistemológico que afortunadamente no tenemos que resolver aquí.

[28]Por tener más de diez empleados pero menos de cien, el Colegio Profesor Mencía caería técnicamente en la categoría de "pequeña empresa", más que de "microempresa", según los criterios utilizados por FondoMicro en sus investigaciones.

Lo que quizás no comparte con todos es su amor, desde los inicios, hacia los estudios. Pasó los primeros 30 años de su vida en Nagua, cuando vendría a la capital para seguir sus estudios. Ya tenía más edad que los estudiantes de clase media o alta, que siguen un horario cronológico más estructurado. (Si no terminas tu bachillerato para cierta edad, te atrasaste. Y si no te casas para cierta edad —sobre todo siendo mujer en tiempos atrás— te quedaste "jamona".)

La trayectoria del dominicano menos pudiente no es así. La sincronización de los pasos profesionales se determina menos por la edad cronológica que por las fluctuantes circunstancias externas de tu vida. Es así con el muy comentado fenómeno de "sobreedad" en las escuelas estatales. Por lo general se deriva menos de defectos intelectuales por parte del joven de más edad que por factores exógenos sobre los cuales tiene poco control. Por ejemplo, le informan que "no hay cupo" cuando sus padres solicitaron su admisión.

De todas maneras, la biografía de Andrés encaja en este esquema de la "carrera postergada". En Nagua, Andrés eventualmente cursa secundaria y se hace bachiller. Pero quiere continuar estudiando. Afortunadamente, en Nagua hay una extensión de la Universidad Autónoma de Santo Domingo (UASD). Pero en aquellos tiempos el bachillerato no te garantizaba admisión a la universidad. Primero tenías que hacer lo que se llamaba el "colegio universitario". Ya se eliminó. Era un prerrequisito que se daba antes de entrar a la carrera universitaria, unas materias preparatorias que uno tenía que coger antes de ser admitido a la facultad. Si a uno le iba bien lo hacía en un año. Si le iba mal tomaba más de un año. Para la fecha que Andrés estaba en el colegio, había que aprobar un mínimo de 24 créditos.

Andrés me dijo modestamente: "Tuve la suerte de que en un año aprobé los 24 créditos." Tal logro no se consigue por suerte sino por trabajo. Aprobó varias materias: matemática 011, letras 011, biología, química, física, matemática 012, letra 012, sociología, historia... Todo eso lo hizo en un año. Era más maduro que la mayoría de sus condiscípulos. Ya andaba por los treinta años. Era un hombre adulto. Sabía lo que quería. Quería ser médico. Y lo iba a hacer rápidamente.

Andrés no tenía gran deseo de venir a la capital. Pero desgraciadamente la carrera que le interesaba, la medicina, no la daban allá en Nagua. Así que decidió irse a la capital. No para ganarse la vida, como hace la mayoría, sino para estudiar la carrera que le gustaba. Su papá seguía (y todavía sigue) en Nagua. Pero su mamá estaba (y todavía está) en la capital. Así es que en el año 1984, teniendo unos 30 años de edad, Andrés se matricula en la facultad de medicina de la UASD.

En esa época no sentía la menor inclinación hacia la educación. ¿Y quién podía sentirse inclinado a la educación en esos momentos difíciles de la historia dominicana? Cuando los maestros ganaban menos que los celadores. Y cuando el magisterio se había convertido en una rama de la vanguardia del proletariado, estando obligado —tanto por su sindicato como por las objetivas circunstancias denigrantes de su situación— a estar en una huelga constante, como si fueran obreros de una fábrica, y a ingerir ondas de gas lacrimógeno de las tropas mandadas por cierto ex-maestro que ocupaba el Palacio Nacional, pero que trataba a sus antiguos colegas, los maestros dominicanos, como si fueran sus enemigos personales.

Pues, que en paz descanse. Y que se reconozca también lo bueno que hizo para la educación. Como quien dice, casi sin querer. Se hizo adversario de los maestros y sobre todo de sus dirigentes sindicales. Pero aprobó en las tinieblas educativas más oscuras de los años 1970 aquel arreglo majestuoso de rescate parcial en el cual las congregaciones religiosas católicas podrían recibir subsidios estatales si convertían sus colegios en "escuelas semipúblicas". Querían buscar la manera de darles a los hijos de los pobres una educación de "calidad de colegio." Fue el Dr. Joaquín Balaguer quien aprobó el arreglo que lo permitió y que sigue exitosamente hasta hoy en día. (Los mandatarios que lo siguieron mantuvieron el arreglo, aunque se rumora que a veces con renuencia. A ciertas funcionarias educativas de los años 1990 aparentemente les ofendía ver a las portadoras de hábitos religiosos en su cómodo despacho capitaleño, insultándolas groseramente en voz alta como "símbolos del subdesarrollo".)

Y fue el mismo mandatario, no muy amigo de los maestros, quien paradójicamente aprobó y financió el lanzamiento, bajo el liderazgo de la dinámica educadora dominicana Jacqueline Malagón, del Plan Decenal; un plan que acabaría triplicando o cuadruplicando dentro de diez años los sueldos de los maestros dominicanos.

Es paradójica la política. Pero de todas maneras, cuando Andrés vino a la capital, prevalecían los líos educativos. No había dejado su pueblo natal, a edad ya madura, para meterse en aquel ambiente humillante. Iba a ser médico.

Hace el gran esfuerzo. Se instala con su madre en Sabana Perdida. Se matricula en la Facultad de Medicina. Cada mañana, a las 5:30 de la mañana, sale con 0.50 centavos en el bolsillo. 20 cheles para la guagua que le lleva a la UASD, 10 cheles para comprarse un paquete de galletas o algo así, y 20 cheles para montarse en la guagua otra vez, para llegar a Sabana Perdida a las 6:00 de la tarde. Un esfuerzo enorme. Un intento noble que dura un semestre.

Pero durante el segundo semestre Andrés se da cuenta de que el asunto no está funcionando. Como dice Andrés: "La realidad me demostró lo contrario." La carrera de medicina no sólo es costosa. También es "fuerte": necesita dedicación a tiempo completo. Pero Andrés se encuentra en una situación económica muy precaria. No tiene empleo. Y la medicina tampoco le deja tiempo para el empleo. Su mamá es una señora sumamente pobre. Casi no tienen qué comer. Andrés no tiene quien lo auxilie con nada. Al contrario. Es él quien tiene que ayudar a su mamá. Se da cuenta de que va a tener que adaptarse a la realidad y empezar a trabajar al mismo tiempo que estudia. Pero una persona en tal situación difícilmente puede triunfar en la Facultad de Medicina.

La adaptación de Andrés a su realidad económica sucederá en dos fases difíciles. Fase número uno: Toma la decisión difícil de cambiar de carrera. Hace indagaciones. Se busca una carrera "más floja", una carrera que le permita buscarse un trabajito y seguir estudiando al mismo tiempo. Escoge la psicología, en espera de que aquel campo le dejará tiempo para buscarse un pequeño trabajo al tiempo que sigue estudiando. Es un cálculo un poco equivocado, como sabrán los psicólogos. Pero esta decisión lanza a Andrés en una trayectoria profesional en la cual, sin darse cuenta, se va acercando poco a poco a la carrera que el destino le tenía preparada.

Tampoco funciona con la psicología. Aún con esta nueva carrera dizque más "floja", se le hace difícil combinar el estudio en la UASD con el trabajo. Llega el momento de la fase número dos de su adaptación. Está determinado a no dejar de estudiar por causa de sus necesidades económicas. Explora otras opciones. Ya existen otros centros de estudios universitarios. Encuentra uno que tiene un horario de estudio más flexible, más adaptado a estudiantes que se encuentran obligados a trabajar para costearse los estudios. Y ahí, en esa otra universidad privada, se matricula en la carrera de psicología.

Y se tira también a la calle a buscar de qué vivir. La Lotería Nacional, que fue establecida en el siglo 19 por un sacerdote católico para financiar actividades de bienestar social[29], se ha

---

[29]En esta nota diré algo que espero no ofenda a los dominicanos. En 1866 el Padre Billini fundó el Colegio San Luis Gonzaga con el apoyo del Estado. Durante los 24 años que duró bajo Billini, se introdujeron mejoras como laboratorios de física y química, un teatro y una biblioteca. Billini fundó también un hospital, un manicomio y una biblioteca. Era un sacerdote profundamente comprometido con la realidad cotidiana dominicana. Para financiar sus esfuerzos estableció una lotería que se convertiría en la Lotería Nacional. Uno de los mitos educativos más equivocados y tenaces que sigue circulando en la República Dominicana es la noción de que nadie

convertido en este siglo en un sistema con tres funciones: recaudar fondos para el Estado, crear el sueño de un camino acelerado a la riqueza y servir de fuente de empleo a los vendedores de billetes y quinielas[30]. En la República Dominicana la quiniela es una apuesta sobre las últimas dos cifras de los números premiados en la Lotería Nacional, mientras el billete es una apuesta sobre la serie entera de números. (La "rifa" es una quiniela informal sin apoyo estatal). El billetero o quinielero es una pintoresca figura callejera que vende tanto quinielas como billetes.

Andrés se lanza a la actividad de quinielero como su primer intento de ganarse la vida en el ambiente capitaleño. Vende cada semana un cuarto de quinielas. En la mañana va a la universidad. En la tarde sale a vender quinielas, al igual que los sábados y los domingos. Es un trabajo ambulante. Vende no sólo en Sabana Perdida, sino también en Los Mina. Y a veces llega caminando hasta Los Tres Brazos. Los sábados sale tempranito y no viene hasta la tardecita, siempre caminando. De eso se gana unos 25 ó 30 pesos semanales. Claro, no es una fortuna, pero por lo menos para ese entonces con $30.00 pesos Andrés compraba la comida

---

se preocupaba por la educación dominicana hasta la llegada de un extranjero (Eugenio María de Hostos). Es una tergiversación imperdonable. La Iglesia Católica, en la persona de dominicanos como Billini y Nouel y de varios clérigos extranjeros, ya llevaba décadas haciendo esfuerzos educativos y sociales. La ceguera hacia el papel de la Iglesia Católica en la educación dominicana del siglo pasado ha sido desafortunadamente nutrida por el gran pensador dominicano Juan Bosch en su libro *El Sembrador*. El Profesor Bosch compartía los sentimientos anticlericales de su ídolo, el Profesor Hostos. El Padre Billini y el Arzobispo Nouel tuvieron la honestidad de reconocer públicamente los reales aportes de Hostos. Que sepamos, este último nunca reciprocó con igual respeto el papel positivo de la Iglesia Católica en la educación dominicana.

[30]En su origen etimológico, la "quiniela" era un juego de fútbol entre cinco jugadores y, por lo tanto, posiblemente relacionada con la raíz "quint-", como en "quinto". Pasó a ser una apuesta sobre los resultados de dicho juego. De ahí pasó a ser una apuesta sobre cualquier evento de destreza o azar, incluyendo una lotería.

de varios días. Ya para el sábado y el domingo no les quedaba casi nada. Pero ya otra vez el domingo, cuando terminaba de vender y sacaba otra ganancia de 25 ó 30 pesos, volvía a hacer otra comprita. Así se van aguantando Andrés y su mamá. Es un escenario que miles de dominicanos conocen bien, por experiencia personal.

Algunos pasan gran parte de su vida así. Pero para Andrés es una fase efímera. Ve que, después de todo, la quiniela le rinde muy poco. No puede continuar. Simplemente no le alcanza. Ve que sus recursos se le están agotando. Deja la vida de quinielero. Pasa a ser vendedor ambulante de seguros para una tal Compañía Latinoamericana. Los seguros también los vende en la calle. Por la mañana sale tempranito de su casa. Se va primero a atender una materia de las 7 a las 8 en la universidad. De esa materia se va a vender seguros hasta las doce. Ya a las dos tiene clases otra vez en la universidad. Se queda en la universidad hasta la tarde. No regresa a su casa hasta la noche.

Se gana su por ciento de los seguros que logra vender. Con empleítos así va sobreviviendo y estudiando al mismo tiempo. Logra finalmente terminar su licenciatura en sicología. De ahí tomó el próximo paso lógico: con su nueva licenciatura entra al magisterio. ¿Cómo sucede una cosa así? Había venido de Nagua para ser médico. Luego cambia la carrera a sicología. ¿Por qué acaba metiéndose en una carrera tan desprestigiada en aquel momento? Fueron las realidades económicas de su vida que lo colocaron en encrucijadas no anticipadas. Ya con el nuevo título se encontraba en otra encrucijada: ¿Qué hacer con él?

2. Entrando al magisterio

Se le presenta la invitación repentina de ser maestro en un colegio privado de Sabana Perdida. Hasta le quedaba cerca de donde vivía. Le ofrecían $87 por mes, el doble de lo que ganaba vendiendo seguros, sin tener que matarse caminando para arriba y para abajo, y con un sueldo fijo que no dependía de si vendía o no.

Siendo ya "licenciado"[31] no va a seguir vendiendo seguros por un sueldo de miseria. Pero abrir un despacho de sicología con la licenciatura sería meterse en un mundo totalmente desconocido y fuera de su alcance monetario actual. A fin de cuentas, la invitación a ser maestro, en esta encrucijada muy real, no sonaba tan mal después de todo. No fue para eso que había dejado a Nagua hace cuatro años. Pero el camino se hace al andar. Los $87 pesos, es cierto, eran un sueldo de miseria, aun en el año 88, el año en que sacó su licenciatura. Pero ya el período más bajo había pasado. Había indicios de que la situación educativa podía cambiar. Agarra la oferta y se mete por primera vez en la educación.

Ahí florece. No entra a su profesión nueva con el disgusto o la rabia resentida que muchos maestros veteranos ya sentían por el trato que se les daba. Entró con título nuevo, con energía y con entusiasmo a su nueva vida, con la misma energía (y humildad) que lo había empujado, sin complejo ninguno, a caminar las calles vendiendo quinielas y seguros.

Sube rápido en el mundo educativo local. Consigue otro puesto de docente en lo que en ese entonces es el colegio más grande y mejor conocido de Sabana Perdida. Los dueños son dos personas evangélicas de nacionalidad argentina. Andrés se destaca por sus cualidades personales, y de repente lo designan como director del colegio. Su suerte está echada ya en el campo educativo.

Sin embargo, para comprender las biografías individuales, el desarrollo de las trayectorias de los individuos, hay que encajarlas en el contexto estructural del medioambiente económico y sociopolítico en que viven. Es la interacción de lo

---

[31]En el mundo angloparlante, la licenciatura confiere un diploma, pero no un título para preceder el apellido. Tampoco la maestría. Para que no te digan simplemente señor o señora, tienes que tener un doctorado (o ser cura, monja, pastor o rabino). En la República Dominicana y en muchos otros países hispanohablantes, en cambio, la licenciatura confiere un título, que muchos insisten que se les llame. Paradójicamente, sin embargo, la maestría no te sube de categoría titular.

personal con lo estructural que producen las historias —las colectivas y las privadas. Lo estructural encauza, pero no predetermina mecánicamente la historia de ningún ser humano. El resultado final de una vida humana en última instancia emana de lo personal, del ejercicio de la voluntad libre por parte del individuo que vive aquella vida.

Ya vimos la manera en que el destino de Andrés Mencía había sido "desviado" de su meta original, la medicina, por un poderoso factor estructural —la pobreza del sector social en que le tocó nacer. Pero vimos también cómo sus características personales —su energía, su determinación, su disposición a adaptarse— le permitieron seguir escalando la montaña. Los factores estructurales lo obligaron a cambiar de pista. Pero sus rasgos personales lo empujaron a seguir subiendo. Por otra ruta. Pero siguió subiendo.

Los macrofactores continuarían operando. Mientras dirige el Colegio Villa Jerusalén, la oscuridad que empañaba el panorama educativo en la República Dominicana fue de repente reemplazada por un optimismo nacional que surgió con el lanzamiento del Plan Decenal. El Estado dominicano se comprometió dramática y públicamente a una serie de cambios profundos en el renglón educativo. La Secretaria de Estado de Educación asignada a esa nueva misión por el Presidente Balaguer despertó la confianza viva del mundo educativo dominicano. Claro, el asunto de inmediata importancia pragmática para los maestros y directores giraba en torno a la cuestión de los sueldos inaceptables. Pero la reforma no se limitaría a los aumentos de sueldo. Se trataría también de cambios ambiciosos en el currículo educativo —cambios que afectarían no sólo las escuelas públicas, sino también los centros privados— y la gestión escolar.

Al mismo tiempo que se movilizan nuevas energías públicas, otros factores estructurales obrarían sobre el sector privado. La sociedad civil dominicana ya se había organizado con la fundación de Asociación Pro-Educación y Cultura (la APEC). Un grupo de empresarios dominicanos se había comprometido a luchar contra el vergonzoso "tollo" en que la educación nacional había caído. De APEC, que se convierte en una institución educativa diversificada, se forma una institución privada más pequeña y más enfocada en sus metas, EDUCA.

Dicha bifurcación nacional —lo público y lo privado— en la promoción de cambios educativos tuvo su contraparte en la formación de una implícita bifurcación internacional en las fuentes de apoyo económico. Varios organismos multilaterales —el Banco Mundial, el Banco Interamericano de Desarrollo y la UNESCO— se habían comprometido a apoyar al Estado dominicano. El gobierno de los Estados Unidos, a través de la USAID, había escogido una trayectoria privatizada para canalizar su apoyo educativo. EDUCA llega a ser el mayor catalizador local de los fondos de la USAID en el renglón educativo.

Y EDUCA toma una decisión estratégica, también de profunda importancia estructural. Difícilmente se cambian las estructuras de una escuela o colegio si no hay un cambio preliminar en la competencia, el actuar y el pensar de la persona que lo dirige. EDUCA resiste la reacción de "sentido común" convencional que empezaría con el maestro. Llegará al maestro. Pero primero trabaja con las personas en posiciones estructurales más estratégicas y poderosas que los maestros en sus aulas. Como actividad inmediata, abre un programa pragmático de becas para que directores de colegio (o de escuela pública) consigan una maestría en educación al mismo tiempo que seguían funcionando como directores.

3. El Plan Decenal y su ascenso profesional

Todos estos macroprocesos acabarán ejerciendo un impacto sobre el micro-proceso de la vida de Andrés Mencía, un hombre que sabe percibir lo que pasa a su alrededor y responder. Mientras dirige el colegio, su vida personal se transforma con su matrimonio. Y a la vez sale de su cubículo y percibe lo que está pasando a su alrededor, las transformaciones profundas (y positivas) que parecían ser apuntadas hacia la educación dominicana. La medicina y la sicología como disciplinas profesionales ya forman parte de su pasado. Su nicho está en la educación.

Su vida profesional coge nuevas alas adicionales —no dos alas, sino tres. Primero: Vuelve a estudiar a nivel de postgrado, aprovechándose de una de las becas de EDUCA, y —sin tener que ausentarse de su papel de director de colegio— sacó una maestría en educación. Sigue subiendo la montaña de la competencia profesional, con la misma energía y optimismo de siempre.

Segundo: Se involucra activamente en los cambios educativos que están lloviendo sobre el sector educativo. Con sus nuevas credenciales recibe invitaciones y solicitudes locales para hacer consultorías educativas en varios colegios. Da cursos de actualización a maestros, y otros cursos de actualización a directores —cómo implementar la "transformación curricular" de manera que cumpla con los nuevos requisitos estatales. La Secretaría había emitido un montón de instrucciones intimidantes sobre lo que hay que hacer de aquí en adelante. En muchos países los directores de colegio privado pueden tirar al zafacón los anuncios de tal y tal cambio curricular, o tal y tal cambio en sistemas de prueba en las escuelas del sector público. El colegio privado es autónomo. Cumple con la cantidad de días escolares requeridos, con ciertos requisitos de planta física y ya. De ahí en adelante hacen su propio horario. El Estado no tiene ningún poder de regular sus fechas de docencia, de sus exámenes, de sus fechas de vacaciones, etc.

Pero no en la República Dominicana. Como observaremos en otras partes de este libro, el Estado dominicano es un aparato obsesivamente centralizado que ejerce —o intenta ejercer— un poder casi monstruoso sobre asuntos educativos que en otros países se dejan a la voluntad de los centros privados. Se dicta tal decreto de la Secretaría con equis nuevo requisito, y el director de colegio, en vez de tirarlo al zafacón como un disparate que no le afecta, tiene que ponerse en actividad. El nuevo requisito quizás no se cumpla en la escuela pública de aquí a cinco cuadras. Pero puedes estar seguro que llegarán inspectores públicos para asegurarse de que se cumpla aquí, en tu colegio privado.

Así fue con las majestuosas "transformaciones curriculares" que se pregonaron en los periódicos, con sus "ejes transversales" y no sé qué. Realmente gozaban de justificación pedagógica como alternativas educativas que había que probar. Pero hay cierto género de alto funcionario que no hace pruebas. Es decir, no experimenta a pequeña escala para ver qué funciona, qué no funciona, qué modificaciones hay que hacer antes de implementarlo a gran escala. No, señor. Tales experimentos implican cierto nivel de modestia intelectual y personal. "—Que puedo equivocarme, que voy a tratar para ver cómo camina."

Tal nivel de cautela aparentemente sería incompatible con la autoridad y la dignidad de nuestro funcionario hipotético. Aquel señor no experimenta. Impone. Emite decretos, anuncia cambios, y 40,000 ó 50,000 empleados del sector público tienen que saltar y cumplir. No mañana. Hoy. Y no sólo los del sector público. El Estado como entidad sufre de una tendencia peligrosa de querer extender su poder al máximo. Y el Estado dominicano ha extendido su control al máximo sobre el funcionamiento del colegio privado, no sólo sobre los libros de texto que "se autorizan", sino hasta sobre la marca de los registros que hay que usar para los estudiantes. Hay constituciones nacionales que fueron explícitamente diseñadas para proteger los ciudadanos de dicho malsano ímpetu estatal de controlar. El dominicano no goza de ninguna protección de esa índole. La centralización obsesiva del aparato estatal dominicano dota a sus funcionarios de la autoridad de dar rienda libre a la tendencia malsana de imponer.

Y así se impusieron las transformaciones curriculares. En la fase embrionaria hubo consultas participativas a nivel nacional con profesionales, ciudadanos, padres y madres de familia. Pero tal apertura era atípica para el Estado, producto quizás de la presencia de una secretaria con una orientación poco usual. Pero ya para cuando los cambios se diseñaron, los funcionarios del Estado habían logrado reclamar su sagrado derecho tradicional de dictar órdenes. Las transformaciones curriculares se impusieron unilateralmente, sin haberlas probado a nivel piloto, sin haber consultado con directores y maestros si funcionaban, si podían bregar con los nuevos reglamentos, que qué era lo que había que modificar, que qué piensan ustedes realmente de todo esto... Nada por el estilo. "Aquí mando yo. Se va a hacer esto, esto y esto." Muy bien, licenciada. Enseguida. Si a un ejecutivo de una industria del sector privado se le antoja imponer un cambio aún no probado sobre la maquinaria de la industria entera, lo ponen en la calle. Pero los funcionarios públicos pueden imponer impunemente.

Y lograron imponer no sólo sobre las escuelas estatales sino también sobre los colegios privados. Los directores y maestros de ese sector se encontraron repentinamente inundados por nuevos requisitos de la Secretaría, algunos escritos en un lenguaje tal que quién sabía qué era lo que había que hacer para cumplir con ellos. Estaban hambrientos de asesoría. Casi en pánico. En Sabana Perdida, Andrés llega a ser la figura principal que se la suministra. En breve tiempo, Andrés ya tenía unos diez o doce colegios que buscaban su asesoría urgentemente sobre cómo cumplir con éste o el otro requisito. Este nuevo papel de consultor en materia de transformación curricular, pruebas nacionales y cosas por el estilo fue la segunda nueva ala que brotó en la vida profesional de Andrés. El nombre Prof. Andrés Mencía llega a ser un nombre bien conocido en Sabana Perdida.

La tercera ala nueva vino cuando los colegios privados de Sabana Perdida decidieron organizarse para protegerse en contra de ciertas iniciativas arbitrarias por parte del Estado. No romanticemos. Había optimismo nacional con el Plan Decenal. Pero todos seguían con una desconfianza realista de sus gobernantes. Sabían que el Estado dominicano seguía siendo el Estado dominicano. El optimismo con respecto a las venideras mejoras en la situación del magisterio no debe engendrar ni la fe ciega ni la estupidez. A finales del año 1990, antes de que el Plan Decenal empezara realmente a funcionar, la Secretaría tomó una decisión repentina que parecía tener poca importancia —adelantar las fechas de los exámenes finales— pero que podría repercutir negativamente sobre los colegios privados.

"Claro, siempre las cosas se hacen por alguna circunstancia. Porque en ese momento teníamos precisamente problemas con la Secretaría. Querían imponer alguna cosa que nosotros no estábamos de acuerdo. Y nos reunimos un grupito de directores. Y creamos la Asociación de Colegios. Realmente enfrentamos la situación y logramos inclusive el objetivo. En ese entonces querían dar los exámenes en una fecha que nosotros no estábamos de acuerdo. También querían hacer otras cosas que nosotros no estuvimos de acuerdo. Pero el problema principal era dar los exámenes en una fecha en que nosotros no estuvimos de acuerdo. Entonces, esa inquietud hizo que un grupo de directores comenzáramos a incursionar en la formación de la Asociación de los Colegios Privados."

Un asunto aparentemente tan pequeño y rutinario como las fechas de exámenes ¿qué importancia podría tener para que catalizara la formación de una organización de resistencia?

Los exámenes tendrían lugar con varias semanas de anticipación. Se acabaría el año lectivo antes de lo previsto. ¿Y qué? ¿Los directores se preocupaban por la pérdida educativa? ¿Por los conocimientos que los alumnos dejarían de interiorizar por ser vueltos a la calle prematuramente? No precisamente. Tolerarían la desventaja intelectual de la decisión burocrática. Fueron más bien sus posibles efectos económicos los que catalizaron la formación de la organización.

El asunto fue que tal decisión amenazaba con infligir serios daños económicos —desapercibidos, claro, por los funcionarios que impunemente dictan tales medidas desde sus despachos en la Secretaría— sobre los directores de colegio privado. Y los niños, por supuesto, encantados. Sus vacaciones empezarán antes de lo anticipado. Los padres, desafortunadamente, tendrán a los niños encima antes de lo esperado. Pero se ahorrarán casi un mes de matrícula. En el barrio se paga mes por mes, descontando las semanas que faltan del mes a principio y a final del año. Los profesores del sector público también encantados, en principio. Tienen sus sueldos garantizados para el año lectivo completo.

Pero ¿y de dónde vendrá el dinero para pagar los profesores de colegio privado durante las semanas que de repente se cortan del año lectivo por decreto de la Secretaría? Que no cuente nadie con los padres. Los padres del barrio no pagarán a los maestros por semanas que no se enseña. Estos profesores o quedarán rabiosos sin sueldo o los directores de colegio tendrán que buscar dinero prestado para pagarles. En otras palabras, este nuevo decreto puso a los directores de colegio en una situación vulnerable.

Hay funcionarios educativos que ni se dan cuenta de los efectos negativos de los decretos que emiten con tanta fluidez y facilidad. Y si se dieran cuenta de los problemas que crean para los colegios, algunos funcionarios, desafortunadamente, se frotarían las manos con alegría, al haber podido usar su poder estatal para poner a aquellos insolentes una vez más en su puesto. Para que sepan quién manda aquí.

El colegio individual es impotente frente a tal poder estatal. Pero los colegios privados organizados tienen mayor esperanza —ninguna garantía, claro, pero por lo menos un poco más de esperanza— de que sus querellas se oigan. La conducta inexcusable de gobiernos anteriores había conducido a la formación del sindicato de maestros, la ADP. Aquí vemos que también fueron ciertas decisiones arbitrarias del Estado que provocaron la organización de los directores de colegio con fines militantes. Formada la organización —sea como sindicato sea como asociación— puede adquirir funciones adicionales, como la de la actualización profesional de la membresía, la creación de fondos de emergencia o de programas de seguros, etc. Pero que no se pierda de vista que la función primordial de tales organizaciones es —o por lo menos era en sus días embrionarios— la protección de la membresía en contra de la conducta inaceptable del Estado.

En tal contexto casi bélico, las decenas de colegios de Sabana Perdida se organizan a finales del año 1990. El Profesor Andrés Mencía, mientras todavía dirigía el Colegio Villa Jerusalén, es elegido como su presidente, un puesto que ocupa hasta hoy en día, cuando ya dirige su propio colegio. Las dificultades creadas por la imposición de un nuevo currículo paradójicamente acabaron siendo ventajosas para Andrés. Sus servicios de consultor se necesitaban con urgencia, sus charlas, cursos, talleres a otros directores y maestros del vecindario, sus consejos sobre gestión, docencia, evaluación, etc.

Con estos aportes Andrés adquiere fama local fuera del recinto del Colegio Villa Jerusalén. Ya llevaba 8 años como director del Colegio Villa Jerusalén. Tales actividades aumentan muy poco su ingreso. Pero después de todo no había sido con miras al ingreso que se involucró en tales actividades. Y lo que no ganó en dinero, ganó en renombre local. El nombre de Prof. Andrés Mencía, director del Colegio Villa Jerusalén, ya era conocido localmente. Estaba contento. Gozaba de prestigio y de un sueldo aumentado. Ya se había casado y había empezado a levantar su familia.

4. Fundando el colegio

Solo le faltaba independizarse en su propia empresa. En el mundo dominicano tal ímpetu microempresarial, tal pasión por la autoindependencia, es fuerte. ¿A qué porcentaje de los maestros públicos norteamericanos se le ocurriría fundar su propia escuela? Decir un por ciento sería correr el riesgo de exagerar. No es cuestión mayormente de falta de dinero. Al microempresario callejero dominicano también le falta dinero. Pero busca la manera. En los países industrializados, que se llaman también desarrollados, ni el ejemplo de sus familiares ni la realidad económica circundante forja en los individuos hambre de independencia, o la necesidad interna de ser su propio jefe. El hombre y la mujer del mundo industrial, criados en un ambiente de mayores sueldos y de diferentes orientaciones económicas, se crían bajo la premisa de que ganarán sueldo trabajando para otro hasta el día en que se jubilen. En cambio el dominicano típico, ciertamente en los estratos económicos menos pudientes, pero aun entre grupos económicos más acomodados, es diferente. No se han elaborado estudios cuantitativos con los maestros dominicanos sobre el asunto, ni me voy a inventar cifras a falta de datos, pero planteo que es nutrido el porcentaje de maestros —a diferencia de sus contrapartes norteamericanos, franceses, alemanes—, que albergan la esperanza de salir un día del aula donde se encuentran, para fundar su propio colegio. Es aquel mismo ímpetu microempresarial que impulsa a otros dominicanos a llenar las calles con sus colmados, ventorrillos y salones de belleza. Ese mismo afán, en el corazón del educador, hace brotar el sueño de llegar a ser un día dueño de su propio colegio.

"¡Dios nos libre de mal!" gritará el funcionario criollo o el consultor extranjero. "Ya tenemos una plaga demasiado grande de aquellos paupérrimos "colegios" de barrio entrecomillados. El funcionario criollo va más lejos. "Es más. Aquellos vivos no sólo abusan de nuestros niños con una educación pésima. En su afán de lucro también abusan de los padres cobrándoles tarifas exageradas. El gobierno tiene que ponerle coto a esa gente."

Pues perdóneme Don Funcionario. Se equivocó en varios puntos. En primer lugar, el dueño de colegio privado tendría que ser un genio y hacer esfuerzos sobrehumanos para brindar una educación peor de la que se imparte en la escuela pública típica. En segundo lugar, si se molesta en seguir leyendo, verá que aquellas tarifas dizque abusadoras de las cuales ustedes tanto lloriquean son una ficción. El colegio del barrio cobra poco. En tercer lugar, ese afán de lucro de que con tanta indignación usted se queja, ¿me está diciendo que no existe ningún afán de lucro informal en los corazones puros de usted y de los demás funcionarios públicos? ¿A los funcionarios de la República Dominicana se les ha otorgado algún premio internacional por su honestidad y su dedicación colectiva al servicio del pueblo? ¿En qué planeta vive usted? Y, finalmente, en cuanto a lo que al Estado le incumbe hacer, uno diría que su deber primordial es el de arreglar las aulas caóticas, los baños rotos y las fallas cotidianas en el cumplimiento laboral que existe en sus propias escuelas. Por supuesto, las autoridades deben monitorear y combatir abusos. Pero que empiecen combatiendo los abusos que suceden diariamente en sus propias aulas, y que establezcan para los colegios estándares razonables, con una actitud de humildad y modestia, compatibles con el nivel de cumplimiento bastante modesto que se da en sus propias aulas.

Andrés no me dijo esto. Es cierto que ya pasaron los tiempos de Trujillo y de los "cepillos" nocturnos ambulantes con sus antenas elevadas. Aún así en las horas de la mañana o la tarde, cuando los flujos de cerveza o ron todavía no han alcanzado su volumen máximo, la grabadora con su micrófono sigue inspirando, en la República Dominicana, cierta reticencia, sobre todo cuando se trata de decir lo que hay que decir sobre funcionarios que podrían reaccionar con intervenciones vengativas en la empresa de uno. Estos comentarios se oyeron, no de boca de Andrés, sino más bien "por ahí".

Pero da pena este desafortunado, innecesario y nocivo antagonismo que ha surgido entre el Estado y los colegios privados en la República Dominicana. Si el Estado dominicano y sus funcionarios, en vez de estar lanzando insinuaciones y acusaciones, y tirando a todos los dueños de colegio en una misma canasta de careros abusadores, se comportaran más como, por ejemplo, sus contrapartes chilenos, cantarían un Te Deum de que el país goza de este recurso natural tan precioso, una población de maestros dispuestos, con apoyo moral y material, a abrir sus propios centros docentes y a sacar al Estado de un apuro muy grande. Es una mata criolla preciosa y valiosa, esta disposición nacional de lanzarse a su propia empresa, un verdadero recurso natural. Y, sin embargo, hay quienes los tratan más bien como la mala hierba en el renglón educativo.

Pues de todas maneras, Andrés, quieran o no los funcionarios o los consultores educativos extranjeros, acaba tomando, como muchos otros maestros dominicanos, la decisión de dejar de ser empleado de otro e independizarse. Realmente no pensaba al principio en abrir un colegio. Como había ganado fama local, no sólo de maestro y de director de colegio de otro, sino también de asesor educativo con los requisitos del nuevo Plan Decenal, había pensado más bien en abrir una oficina de asesoría técnica y pedagógica. Fue como quien dice un accidente que lo colocó en el colegio que ya dirige.

Fue que se le presentó el susodicho caso de un colegio cuyo dueño se iba. Había en Sabana Perdida un colegio evangélico, cuyo nombre no hay que mencionar, que por la mala gestión de su director había "sufrido algunos desprestigios" (en el lenguaje discreto de Andrés) y había perdido gran parte de su clientela. Eso también hay que decirlo en voz alta. Había *perdido su clientela.* Una escuela pública mala, con director incompetente y maestros incumplidos, sigue año tras año. No cierra sus puertas por la mediocridad de su personal. No hay cómo sacarlos. Y tampoco los niños pobres tienen otra opción.

No es así en el mundo del colegio privado. Si eres un maestro incumplido, acabas en la calle. No hay gremio que luche por tu derecho sagrado de incumplir. Si eres un director que incumples pierdes tu clientela, o si eres un director que no sabe manejar una empresa, acabas en la bancarrota.

Pues eso, precisamente, le había pasado al dueño del colegio. Andrés inmediatamente decide con su esposa, "Bueno, vamos a emprender esta empresa." Son palabras textuales de Andrés. Y son palabras importantes y reveladoras. Palabras que deben ser gritadas en las orejas de aquellos padres dominicanos que quieren a todo costo una educación privada para sus hijos, que se sienten de categoría demasiado alta para las escuelas públicas, pero que se sienten también con derecho de pagar al colegio lo que a ellos les da la gana y a reclamar la intervención estatal si el dueño de colegio sube sus aranceles. Andrés usó vocabulario bien correcto. Fundar un colegio para él era "emprender una empresa". Que se fije bien: lo llama una "empresa". Es una "empresa" porque no se trata de una obra caritativa. Es una "empresa" porque a diferencia del director de escuela pública Andrés tendría que establecer, mediante cobros a sus clientes, un flujo financiero en que las entradas serían mayores que las salidas. Un colegio es una empresa. Una empresa educativa, por cierto. Pero una empresa.

Pero a diferencia del dueño de colmado o de taller, Andrés raras veces me habló de su "negocio". Me hablaba más bien de su "empresa". El término "negocio" en español, sobre todo en el español dominicano, tiene connotaciones de "afán de lucro." Tal afán se considera apropiado en un colmado, taller o salón de belleza. Pero no en un colegio. Me tomó mucho tiempo captar la sutil diferencia semántica que hay entre "empresa" y "negocio" en el lenguaje dominicano. En mi lengua los dos se definen con un mismo término: *business*. No hay realmente un término que capte esa connotación algo negativa de "afán de lucro" que penetra el vocablo *negocio*. Andrés sí capta la diferencia y comparte el sentimiento dominicano de que un colegio debe ser una "empresa" pero no un "negocio". Y, sobre todo, jamás un "negociazo."

Y, realmente, Andrés escogió el renglón educativo, no porque dejaría una avalancha de dinero, sino porque él había llegado a ser un educador profesional, orgulloso de sus logros profesionales y del respeto social que esos logros le habían ganado. Pese lo que insinúan los funcionarios públicos, los periódicos y hasta algunas monjas de colegio católico, Andrés no fundó su colegio por amor al lucro. Que quede bien claro. Tendría que haber sido un loco. El que quiere enriquecerse, que no abra colegio de barrio. ¿Quieres enriquecerte en el barrio? Mejor abres un colmadón. La cerveza, el ron y los cigarrillos dejan mucho más dinero. Y por añadidura nadie te llama abusador sinvergüenza cuando sube el precio de la cerveza. Y cuando vas a un banco para un préstamo, te atienden enseguida. Olvídalo. El que quiere hacerse rico, que no entre en el renglón de la educación de barrio. Por supuesto, Andrés quería mejorar su propia situación económica al dejar de ser empleado de otro y al llegar a ser dueño de su propia empresa educativa ¿Es pecado por parte del docente querer vivir decentemente, tener casa y carro propios? ¿Se llama "afán de lucro" el querer dejar de vivir "comiéndose un cable"?

Pues el antiguo dueño evangélico de aquel colegio se va al extranjero y Andrés se hace cargo del colegio. Pero hay que precisar. Como pasa en la mayoría de los colegios pequeños, el dueño del colegio no es necesariamente el dueño del local. El director que se fue era más bien inquilino de la casa convertida en colegio, y Andrés, con el beneplácito del dueño del local, se hace cargo del alquiler y abre su nuevo colegio. Eso del alquiler es un arma de doble filo. Justo en el momento que lo conocí, había recibido notificación del dueño del local de que tenía o que comprar la casa o desocuparla. Pero me estoy adelantando.

El primer acto de Andrés como nuevo dueño de colegio fue el de cambiarle el nombre. Le quita el nombre religioso que tenía y le planta un letrero prominente con su propio nombre. Esto lo hizo no sólo porque el antiguo colegio ya tenía una fama digamos algo tachada, sino que más bien Andrés quiso seguir la práctica de algunos dueños de colegio. La mayoría escogen algún nombre neutral, sea religioso, o de un héroe nacional, o algo alegórico. Sin embargo, hay una pequeña minoría que, como Andrés, ponen su propio nombre al colegio.

¿Es una manifestación de megalomanía? No. En el caso de Andrés constituyó una buena decisión empresarial. El explica, con cierto orgullo, que quería "reivindicar" el colegio con su nombre. "Yo era una persona muy conocida en la educación en Sabana Perdida." Tenía ya alrededor de 10 ó 12 años trabajando en educación en el barrio y ya había dado cursos de asesoría de maestros. Lo habían empleado para dirigir el colegio más grande que existía en Sabana Perdida. Y, además de eso, era presidente de la Asociación de Colegios. Sabía que ponerle el nombre de Profesor Mencía a su colegio constituiría una forma de garantía, a los ojos de los vecinos, de que se trataba de un colegio de alta calidad. Los clientes educativos del barrio que van en busca de colegio no andan con una lista bien informada de preguntas técnicas, pero tampoco se dejan vender gato por liebre. El nombre Andrés Mencía valía algo.

Y que nadie mire de reojo a ese orgullo del Profesor Andrés Mencía. Tal satisfacción de ser un profesor conocido y de gozar del respeto de la población local constituye la *resurrección moderna de un antiguo patrón dominicano* por el cual un profesor gozaba de dignidad y recibía el respeto público. En las entrevistas con dominicanos de clase media y alta, muchos me hablaban con nostalgia de los grandes profesores del pasado dominicano, cuyos nombres aún se pronuncian con reverencia. "Qué triste, se lamentan, que haya desaparecido del escenario educativo dominicano ese respeto profundo hacia el profesor. Qué tragedia, me dicen, que el profesorado dominicano haya sido invadido y acaparado por aquella gente, ya tú sabes, esteee....de otra clase social."

Pues les tengo muy buenas noticias, señores. El honor y el respeto al profesor dominicano serio sigue bien vivo en la República Dominicana, aunque sea entre "...aquella gente, ya tú sabes, de otra clase social." Quizás no en los colegios de las clases sociales más pudientes, cuyos niños mayormente son enseñados o por maestros extranjeros o por maestros dominicanos de nivel social y económico por debajo del de sus alumnos. Pero el respeto del profesor dominicano serio, como Andrés Mencía, sigue en plena vida en los barrios. Y en este caso los respetados no son los antiguos gigantes del sector educativo público, como en los tiempos de antaño. Ya son los directores y profesores de los colegios privados de barrio. Y Andrés lo sabía. Y con todo derecho y lógica le pone al colegio un letrero grande con su propio nombre.

Capítulo IV

Panorama estadístico de la educación en la República Dominicana

En el capítulo anterior utilizamos la técnica del Estudio de Caso. En este capítulo empezaremos a analizar datos cuantitativos sobre la educación en la República Dominicana. El propósito será el de encajar el fenómeno del colegio privado en el contexto nacional más amplio.

A. Observaciones preliminares al análisis de datos

1. En sentido antropológico, cien por ciento de los dominicanos han sido educados

En este capítulo analizaremos las estadísticas educativas disponibles de dos fuentes importantes de información sobre las escuelas y los colegios de la República Dominicana: las estadísticas del sector público, recopiladas en documentos de la Secretaría de Estado de Educación, y las estadísticas recopiladas por un organismo del sector privado dominicano, EDUCA. Pero primero hay que advertir sobre las limitaciones de cualquier perfil estadístico. Visto en fría perspectiva antropológica, el término "educación", al igual que la palabra hermana "cultura", tal como se usan en el lenguaje común y corriente, son distorsionadas por cierto grado de prejuicio social.

Empecemos brevemente con el término "cultura", sólo como ilustración. Tal como se usa inclusive en círculos de gente con cierto nivel de escolarización, se define como si fuera una positiva característica cuantificable. Fulano puede tener más cultura que Mengano. Pasa sus ratos libres oyendo conciertos o visitando librerías. Mengano prefiere pasársela gritando en la gallera. "Tiene menos cultura."

Los antropólogos se distancian de tal empleo del término. Todo ser humano tiene cultura. La cultura del cliente habitual de un museo difiere de la cultura de un fanático de la gallera. Pero como seres humanos los dos tienen cultura. Es una característica que está repartida entre todos y tal planteamiento no constituye indiferencia ética o moral. Hay orientaciones culturales positivas (como la cultura de compasión que se institucionaliza en la congregación de una Madre Teresa), y hay orientaciones culturales nefastas (como la cultura de violencia de los que dependen de fomentar la drogadicción de otros para establecer su propio flujo de ingresos). Pero sea positiva o sea nefasta, todos tenemos cultura.

Algo semejante pasa con la palabra "educación". Todo ser humano ha sido "educado". La educación de una persona, nacida de padres profesionales y egresada de la Sorbona, puede diferir mucho de la de un hijo de un campesino que se crió chapeando conucos y monteando cerdos sueltos "en el sitio". Pero, ciertamente, los dos han recibido una educación, en un profundo sentido antropológico.

En español, la palabra "educación" se utiliza muchas veces como si fuera sinónimo de "escolarización"; es decir, la instrucción formal e institucional. Pero antes de entrar a analizar los detalles de los "datos educativos" oficiales —que se refieren exclusivamente a los datos institucionales formales— examinemos brevemente la educación en una perspectiva antropológica más amplia.

La educación principal que recibe el ser humano, o por lo menos que reciben muchos seres humanos, viene de la casa y de la calle —de la familia y de los compañeros. En tiempos modernos hay que agregar la televisión, el cine y otras fuentes visibles. Para otras sociedades, o por lo menos para otros tiempos, habría que agregar también "la Iglesia", como expresión genérica a las institucionalizadas fuerzas religiosas. Es cierto que la escuela también educa, pero es simplemente una fuerza educadora entre muchas. Y su fuerza penetrante es hoy en día bastante limitada en comparación con la de ciertos otros gigantes educadores —como la televisión— cuyo poderoso papel adoctrinador se desencadena sin ser formalmente reconocido.

Es decir, las estadísticas educativas que discutiremos aquí cubren la "escolarización" en particular, más que la educación en un sentido más general. La escolarización de una población constituye un indicador importante de su nivel general de bienestar socioeconómico. Aunque un alto nivel de escolarización no implica, necesariamente, un alto grado de desarrollo de las capacidades humanas esenciales.

2. Medidas de cobertura vs. medidas de calidad

Pero dicha observación lleva a un dilema con las estadísticas educativas. Estas estadísticas miden el nivel de cobertura de los sistemas educativos, pero no necesariamente su nivel de calidad. Tomemos el caso de una sociedad hipotética que reconoce sus recursos limitados, escoge alumnos basados en sus capacidades intelectuales y en su nivel comprobado de dedicación al trabajo, y escolariza el 15 por ciento de la población. Tomemos otra sociedad que construye escuelas a izquierda y derecha, que incluye el 85 por ciento de los niños, pero que les suministra una educación terriblemente deficiente. ¿Cuál sistema es mejor? No hay una respuesta científica. Depende de los valores de cada uno. Lo que sí debemos recordar es que no hay ninguna garantía de que las tasas altas de cobertura estadística constituyan una garantía de alta calidad educativa. Las variables de cobertura y de calidad son "ortogonales", independientes unas de otras. En este capítulo nos limitaremos a explorar la variable de cobertura. En capítulos subsiguientes tocaremos el tema, de igual o mayor importancia, de la calidad.

a) Datos cuantitativos

El Estado dominicano ha aceptado en principio la obligación de suministrar educación universal y gratuita a la ciudadanía. La aceptó en la constitución, siguiendo los modelos estatales europeos prevalecientes en los años 40 del siglo diecinueve. Pero ha quedado a nivel de palabras. Nunca en su historia el Estado dominicano ha asignado los recursos presupuestarios que le hubieran permitido cumplir totalmente con este compromiso. A partir de los años 1990, desde que se forjó el Plan Decenal, los gobiernos han hecho esfuerzos reales para que el Estado cumpla con su compromiso constitucional. En términos concretos, el porcentaje del presupuesto asignado a la Educación ha aumentado, al igual que los sueldos de los maestros. Hay programas de construcción de aulas nuevas y de reparación de escuelas viejas. Sin embargo, continúa habiendo problemas serios en la educación pública. En este capítulo analizaremos los datos disponibles sobre el estado actual de la educación en la República Dominicana.

El significado de las estadísticas educativas podrá entenderse mejor si las examinamos dentro de un marco teórico. Lo que "es" siempre se capta mejor a la luz de lo que "era" y de lo que "podría ser". Crearemos cuatro sociedades hipotéticas que difieren unas de otras en términos de dos variables: la situación demográfica y el nivel de cobertura educativa. Y a cada variable le daremos dos opciones: la situación demográfica podrá ser estable o creciente. La cobertura educativa podrá ser perfecta o defectuosa. El cuadro 1 presenta cuatro situaciones hipotéticas generadas por la interacción de estas dos variables.

Cuadro 1
Cuatro sociedades hipotéticas
con distintos niveles de presiones educativas

SOCIEDAD A:

Situación: Población estable y cobertura perfecta.

Recursos: El sector público está cumpliendo y no tendrá presión en el futuro. Ya hay suficientes aulas y maestros. Cada niño que se gradúa se reemplaza por un niño nuevo. Se mantendrá la misma cantidad de aulas y maestros de un año a otro. No se necesitan recursos adicionales.

SOCIEDAD B:

Situación: Población creciente y cobertura perfecta.

Recursos: El sector público está cumpliendo. Hay suficiente aulas y maestros para este año. Pero el próximo año entrarán más niños de los que se gradúan. Se necesitarán más aulas y maestros para cumplir con el incremento de la población estudiantil. Como el sector público está cumpliendo ahora, probablemente seguirá cumpliendo en el futuro. La situación está bajo control.

SOCIEDAD C:

Situación: Población estable y cobertura educativa defectuosa.

Recursos: El sector público está fallando. Faltan maestros y aulas para este año. Hay que hacer un esfuerzo para aumentar el nivel de cobertura. Pero una vez que la falta se remedie ya no se necesitarán aumentos anuales de recursos educativos, ya que la población está estable. La situación es prometedora.

SOCIEDAD D:

Situación: Población creciente y cobertura educativa defectuosa.

Recursos: El sector público está fallando. Faltan maestros y aulas para este año. Pero aun cuando la laguna actual se haya llenado con más recursos, se necesitarán aún más recursos para el año que viene debido al aumento en la población estudiantil. Como el sector público no puede cumplir con la población actual, difícilmente podrá cumplir con la población aumentada del futuro.

Si examinamos las opciones hipotéticas del cuadro 1, vemos que la Sociedad A no tiene problemas. Ya sus necesidades educativas están cubiertas. Y como la población está estable, las necesidades del año que viene serán iguales que las de este año. Varios países europeos, con poblaciones estables (o en vías de disminución) y cobertura educativa avanzada, se encuentran en esta situación favorable. La Sociedad B se parece a la Sociedad A en cuanto al perfecto cumplimiento educativo por parte del sector público. Como la población va en aumento, sin embargo, el sector público necesitará más recursos. Pero como está cumpliendo este año, con alta probabilidad podrá cumplir el año que viene también.

A diferencia de la Sociedad B, donde todos los niños ya están cubiertos, la Sociedad C tiene niños que no se pueden matricular. Necesita más aulas y más maestros para este año. Pero como la población está estable, de ser asignados los recursos necesarios, bastarán para el futuro también. El sector público tiene un problema momentáneo, pero no de gran magnitud, por estar estable la población.

En la Sociedad D es donde existe un verdadero reto educativo: cobertura defectuosa actual, combinada con crecimiento demográfico. El sector público no puede cumplir ahora; por lo tanto, mucho más difícil le será cumplir con la población estudiantil aumentada del futuro. Huelga decir al lector que éste es precisamente el dilema que caracteriza la actual situación educativa en la República Dominicana.

B. Aumentos paulatinos en el tamaño de la matrícula

Armados con estos cuatro modelos hipotéticos, ya estamos en mejor condición de comprender y de apreciar las estadísticas reales sobre la educación dominicana. El cuadro 2 nos da las cantidades crudas de estudiantes matriculados durante tres años lectivos consecutivos. Vemos que cada año hay más niños (y

Cuadro 2
Cambios en cantidades de alumnos matriculados durante tres años escolares en todas las escuelas de la República Dominicana

	Año lectivo				
Nivel o tipo de centro	*1994-1995*	*1995-1996*	*(% aumento)*	*1996-1997*	*(% aumento)*
Inicial formal	143,475	179,391	(+25%)	189,085	(+5%)
Básico general	1,312,325	1,369,456	(+ 4%)	1,360,044	(-1%)
Medio general	258,100	268,294	(+ 4%)	313,840	(+17%)
Normal	1,984	2,611	(+32%)	2,647	(+0%)
Otros	77,770	106,754	(+37%)	161,847	(52%)
TOTAL	1,793,654	1,926,466	(+7%)	2,027,463	(+5%)

Fuente: Retabulación con cálculos basados en el cuadro 1 de *Estadísticas e Indicadores de Educación, 1996-1997*, SEE.

adultos) dominicanos ingresando a los centros docentes, sean privados o públicos. Los datos provienen de los años 1990. Las tendencias que revelan siguen vigentes hoy en día, aunque las cifras precisas ya diferirían.

Si miramos la línea del TOTAL notamos que en los últimos dos años lectivos para los que existen datos hubo un aumento total del 13 por ciento (el total matriculado en 1996-1997 dividido por el total matriculado del año 1994-1995) en la cantidad de estudiantes matriculados. Este porcentaje atractivo ha sido desafortunadamente inflado por la presencia de la categoría "otros", que parece incluir diferentes géneros de educación adulta[32]. Si eliminamos aquella línea y nos enfocamos exclusivamente en la juventud, el porcentaje de aumento de la matrícula durante dos años ha sido 8.8 por ciento, o sea, un promedio de 4.4 por ciento por año.

Pero aún esta cifra puede considerarse como inflada en cuanto a la educación tradicional, que empieza con primer grado y termina con el bachillerato después del cuarto año de educación secundaria. Si miramos sólo aquellas dos categorías, primaria y secundaria, vemos que la matrícula de estos dos sectores estratégicamente importantes aumentó en sólo 6.6 por ciento en dos años; es decir, un promedio de 3.3 por ciento por año.

1. Estudiantes de preescolar: demanda aumentada

Examinemos cada grupo de estudiantes. La categoría "inicial formal" se refiere a los niños pequeños, generalmente de 3 a 6 años de edad, que estudian en centros preescolares. Se llaman centros "formales" para distinguirlos de guarderías infantiles que

[32]Desafortunadamente, la Secretaría utiliza varios términos en su informe, como "otros" o "sector semioficial" que no define para el lector.

no suministran reales servicios educativos. Entre septiembre de 1994 y mayo de 1997 la matrícula de este sector preescolar aumentó un 31.8 por ciento. Interpretamos que hay una tendencia mayor por parte de los padres a matricular sus niños en escuelas preescolares. Hay tres posibles factores que pueden producir ese movimiento:

1) Mayor disponibilidad de centros educativos preescolares.
2) Mayor interés por parte de los padres en la educación preescolar de los niños.
3) Mayores presiones económicas que obligan a los dos miembros de la pareja a trabajar y a buscar arreglos de cuidado infantil.

Definitivamente hay mayor disponibilidad de centros educativos en este sector. El sector público ha aumentado su cobertura en el sector. Pero el grueso del crecimiento en ese sector fue producto de una expansión de los servicios del sector privado más bien que del sector público. Los estudios de FondoMicro indican fuertemente el impulso microempresarial que rige en la cultura dominicana. Este impulso se manifiesta también en el renglón educativo. La recién graduada maestra en la República Dominicana se sentirá inclinada a abrir su propio colegio. Las que se lanzan en este rumbo de independencia económica se sienten mucho más inclinadas a abrir un centro preescolar que un centro primario, ni hablar de un colegio secundario. La demanda aumentada en este sector preescolar es enérgica, y las exigencias financieras y logísticas para suministrar la oferta son mucho más suaves. No nos sorprende, en otras palabras, ver las cifras sobre el aumento de la oferta y de la demanda en este sector.

2. Educación primaria: crecimiento letárgico

No es así con la segunda categoría, la de la tradicional escuela primaria del primer grado al octavo grado. Este renglón está creciendo con mucho menos rapidez. En el mismo período en el cual la matrícula preescolar aumentó en un 31.8 por ciento, la matrícula primaria aumentó sólo en un 3.6 por ciento ¿Qué pasa? Tal estancamiento no se debe a falta de crecimiento demográfico. La población sigue aumentando. Tampoco se debe a la falta de interés educativo por parte de los padres. La gente se pone furiosa cuando se les avisa que "no hay cupo" en la escuela pública.

Por un lado, se trata del sector mayoritario. Sobre un 73 por ciento de los niños matriculados caen dentro del sector primario. Es más difícil realizar un aumento porcentual. En números crudos, el aumento que experimentó el sector primario en dos años superó el aumento del sector preescolar. Pero éste aumentó más de 30 por ciento y aquel sólo un 3 por ciento.

Por otro lado, posiblemente se trata de inercia pública en el sector primario. El sector público, basándose en buenos pero incorrectamente interpretados datos, está subestimando la magnitud del problema real en este sector. La Secretaría de Educación, refiriéndose a su propio banco de datos, proclama con toda seriedad que más del 90 por ciento de los niños entre 7 y 14 años de edad están matriculados en escuelas o en colegios.[33] De ser así, la República Dominicana estaría acercándose al nivel de las islas de Taiwán o Hong Kong. Sólo uno de cada diez niños queda sin cobertura. No es tan malo, ¿verdad? En este capítulo, sin embargo, presentaremos evidencia de que no es uno de cada diez, sino uno de cada cuatro niños dominicanos de 7 a 14 años que queda sin cobertura educativa (25 por ciento). Por un simple error de computación, el sector público ha sido incorrectamente informado sobre la magnitud del problema en ese sector. El "estancamiento" de la matrícula de este sector puede provenir por lo menos en parte de dicha equivocación, la cual será analizada a continuación.

[33]Capítulo introductorio de *Estadísticas e Indicadores de Educación, 1996-1997*, SEEC.

3. Educación secundaria: crecimiento relativo modesto

Los datos, tal como los presentamos, parecen indicar un aumento acelerado del nivel secundario ("media general"): un aumento de 23 por ciento en dos años. ¿A qué se debe tal aumento? ¿Existe una disposición mayor entre la población de continuar los estudios hasta el bachillerato? ¿El Estado habrá invertido más en nuevos liceos secundarios que en nuevas escuelas primarias? Es decir, ¿es la aumentada matrícula secundaria producto de inversiones orientadas más hacia ese sector? Carecemos de evidencia al respecto, pero lo dudamos. Sospechamos más bien que los liceos no habían tenido la demanda feroz de las escuelas primarias. Con el aumento demográfico normal, los liceos secundarios existentes han podido absorber una mayor población estudiantil que los ya agotados centros primarios.

¿Hay más jóvenes dominicanos realmente interesados en continuar hasta el bachillerato? Esperamos que sí. Pero no se puede comprobar por el cuadro 2, que hasta cierto punto crea una ilusión óptica con respecto a los aumentos en la matrícula secundaria, por la manera diacrónica en que calculamos los porcentajes (es decir, comparando un año con otro año). Hemos retabulado los datos en el cuadro 3, incluyendo sólo los alumnos de primaria y secundaria, y cambiando el rumbo de los porcentajes para que den una visión sincrónica, es decir, para saber cuál porcentaje de los alumnos en cada año están en la secundaria.

Vemos que hay un aumento en la importancia porcentual de estudiantes secundarios, pero que es un aumento modesto. Podemos decir que hay una tendencia ligera a prolongar la educación hasta nivel secundario. Como vemos en otra parte, esta tendencia se registra más fuertemente entre las hembras que entre los varones. Exploraremos en otros párrafos las posibles causas de esa discrepancia por género.

Cuadro 3
Balance entre alumnos primarios y secundarios
a través del tiempo

Nivel	*Año lectivo*		
	1994-1995 (%)	*1995-1996 (%)*	*1996-1997 (%)*
Básico general	1,312,325 (83.5)	1,369,456 (83.6)	1,360,044 (81.3)
Medio general	258,100 (16.5)	268,294 (16.4)	313,840 (18.7)
TOTAL	1,568,425 (100.0)	1,637,750 (100.0)	1,673,884 (100.0)

Fuente: Retabulación con cálculos basados en el cuadro 1 de *Estadísticas e Indicadores de Educación, 1996-1997*, SEEC.

4. Escuela normal: aumentos prometedores

En el cuadro 2 hay un rango sumamente prometedor, el de la matrícula de las escuelas normales. En dos años *se experimentó un aumento de 33 por ciento en la cantidad de estudiantes preparándose para ser maestros.* Hay indicaciones también de que a nivel universitario la carrera del magisterio ha vuelto a surgir en popularidad a nivel de licenciatura. Estos datos tienen que suavizarse con estudios más recientes, realizados por la PUCMM, que demuestran un nivel bajo de interés en el magisterio por estudiantes entrevistados. Si nos basamos en las cifras de la Secretaría, tales cifras nos dan la esperanza de que los momentos más oscuros, la medianoche de la educación dominicana, ya pasó a la historia, y que el proceso de sanación nacional en este renglón por lo menos ha comenzado. Los aumentos de los sueldos, empezados por gobiernos anteriores, y fielmente incrementados por gobiernos recientes, habrán sido el factor contundente. Pero el interés renovado en el magisterio deriva también de otros factores, incluyendo una profesiona-lización de las carreras de maestros y de directores mediante programas de becas como el que manejó EDUCA en su pro-grama PIPE,[34] y el que manejó la Secretaría de Educación con la ayuda del Banco Mundial y del BID, y mediante conferencias profesionales como la que organizó APEC en 1998.[35] Nos encontramos, en otras palabras, frente a información contra-dictoria. Optaremos por una interpretación más optimista. La carrera magisterial es más atractiva hoy que en los años donde "los serenos de las escuelas ganaban más que los maestros."

Resumimos nuestro análisis de los datos crudos de las matrículas aumentadas. No deseamos empañar la alegría que produce el cuadro 2, pero los aumentos que registra no bastan siquiera para lograr una cobertura de la población actual. Menos podrán cubrir los aumentos en la población estudiantil como resultado del crecimiento demográfico.[36] Dan indicios solamente de que hay movimiento. Algo comenzó con el Plan Decenal, y los gobernantes subsiguientes han logrado mantener el movimiento.

---

[34]Dicho programa fue financiado por la USAID. A diferencia del Banco Mundial y del Banco Interamericano de Desarrollo, los cuales dirigen el grueso de su apoyo hacia el Estado, la USAID optó por la canalización de su ayuda al sector educativo principalmente a través del canal no gubernamental de EDUCA. Los dos canales son, por supuesto, necesarios. Pero la subcultura institucional y la orientación ideológica de los organismos multilaterales y bilaterales crean el riesgo de que el "bizcocho" de apoyo internacional quede todo y entero en las manos y bajo el control de funcionarios del Estado. La decisión afortunada de la USAID de apoyar a EDUCA evitó este peligroso monopolio estatal, abrió una corriente no gubernamental de apoyo, y condujo a resultados educativos concretos y positivos. El informe de Bernbaum y Locher de 1997 y el estudio de caso más breve producido por los mismos autores en 1998 presentan un analisis detallado.

[35]Las siglas APEC representan la institución Acción Pro Educación y Cultura. El Primer Congreso Internacional de Innovaciones Educativas tuvo lugar entre el 12 y el 14 de junio de 1998 bajo los auspicios del Instituto APEC de Innovaciones Educativas.

[36]Presentaremos proyecciones más específicas al final del capítulo.

5. Demanda universal para la educación: campo igual que ciudad

Ya se sabe que hay una concentración urbana de la población dominicana. Menos de cuatro de cada 10 dominicanos viven en zonas rurales. Tres de cada diez probablemente viven en el Distrito Nacional, en o cerca de la ciudad capital. Nos toca explorar si hay un favoritismo urbano en cuanto a la educación. Definimos favoritismo aquí en términos puramente de cobertura formal. El favoritismo urbano existe donde el porcentaje de niños urbanos en las escuelas y los colegios es más alto que su porcentaje en la población censal general. Tal desequilibrio podría provenir teóricamente de dos fuentes: (1) la población rural siente menos interés en mandar sus hijos a la escuela —en cuyo caso hay una demanda reducida en las zonas rurales; o (2) el Estado, la Iglesia y el Sector Privado (los tres suministradores tradicionales de la educación) sienten menos interés en brindar servicios educativos en las zonas rurales —en cuyo caso, hay una oferta reducida en las zonas rurales.

El cuadro 4 indica que no se da ninguno de estos dos fenómenos en la República Dominicana. La distribución de los estudiantes en términos rural/urbanos parece reflejar la realidad demográfica del país más que un favoritismo urbano.

Vemo en dicho cuadro, asimismo, que ha habido un paulatino incremento en el porcentaje de niños matriculados que vienen de zonas urbanas. Pero tal incremento puede estar a la par con la realidad demográfica del país. Más o menos el mismo porcentaje de niños matriculados en zonas rurales corresponde a su porcentaje en la población censal entera. Claro, hay más niños urbanos matriculados. Pero también hay más niños urbanos de edad escolar en la población censada entera.

Podemos interpretar tal patrón de dos maneras: como indicio de progreso y como indicio de problema serio. El lado positivo consiste en que, según los datos de la Secretaría de Educación, la población rural tiene, en términos porcentuales, no sólo el mismo interés, sino también más o menos el mismo acceso a la escolarización que la población urbana.

Cuadro 4
Distribución rural/urbana de los niños dominicanos matriculados en escuelas y colegios durante dos años escolares[37]

	Año escolar	
	1993-1994	*1996-1997*
Urbana	945,554 (58%)	1,132,157 (65%)
Rural	673,982 (42%)	609,307 (35%)
TOTAL	1,619,536 (100%)	1,741,464 (100%)

Fuente: Cómputos basados en los cuadros 18, 19 y 20 de *Estadísticas e Indicadores de Educación, 1996-1997*, SEEC

Pero también hay un lado negativo en este patrón. Sabemos bien que los padres rurales mandan sus niños a la escuela, no para que aprendan materias útiles a su futuro como agricultores, sino para que logren salir del campo. Ya no los usan, o los usan muy poco, como mano de obra gratuita como en los tiempos de la vida rural de antaño. Contratan más bien mano de obra haitiana. El grueso de la mano de obra agrícola hoy en día la llevan a cabo los inmigrantes haitianos, aún en zonas de la República Dominicana donde hace dos décadas la presencia haitiana era casi nula. La reciente repatriación de miles de haitianos de las zonas rurales dejó al sector cafetalero dominicano sin mano de obra para

[37]Se notará que en esta tabulación se usa el año 1993-1994, que no aparece en las otras tabulaciones del informe estadístico, y no se usan los años 1994-1995 y 1995-1996. Desconocemos la razón. Quizás las cifras por aquellos dos años no se desglosaron según la variable urbano/rural. También parece que las cifras para 1996-1997 sólo incluyen niños de 3 a 18 años, menos unos 50,000 cuyos datos no se codificaron por la variable urbano/rural. Pero el relativamente gran número de estudiantes para el año 1993-1994 sugiere que aquella cifra incluye también estudiantes adultos y otras categorías de estudiantes.

la cosecha de café, causando grandes problemas y fuertes querellas. Y sabemos también que cuando un renglón económico se "haitianiza" —como los renglones del corte de caña y de la construcción urbana— ya por poderosas razones históricas, aquel renglón se ve de ahí en adelante, a los ojos populares, como un renglón indigno para un dominicano. La mano de obra agrícola cae actualmente en esa categoría. El proceso de "descampesinización" está muy avanzado en la República Dominicana.

En un sentido paradójico, en otras palabras, las cifras aparentemente positivas sobre la educación rural, por lo menos en cobertura formal aunque no en calidad, son al mismo tiempo una indicación tanto de la haitianización del campo dominicano como del éxodo del campo de la presencia dominicana. Pero a pesar de lo dicho, la educación dominicana está distribuida, por lo menos en cobertura formal, repito, equitativamente entre zonas urbanas y rurales. Lo de la calidad es otra cuestión que los datos del cuadro no ilustran.

6. Demanda más fuerte entre niñas que entre varones

Otra forma de favoritismo educativo que se ve en muchas sociedades tradicionales se percibe en el renglón del sexo. Cuando existe tal favoritismo, generalmente son los varones los beneficiarios educativos. En las estadísticas dominicanas, sin embargo, no detectamos tal prejuicio por sexo. No parece haber ninguna preferencia cultural para la educación de uno de los géneros más que del otro, por lo menos hasta la edad de 14 años.

Para sacar el porcentaje de cada género, dividimos la cantidad de varones o niñas matriculados y dividimos esas cifras por la cantidad de varones o niñas en la población censal entera. Los desglosaremos en los tres grupos de edad que se ven en el cuadro 5. Vemos claramente que en las edades entre 3 y 14 años, el porcentaje de matriculados es igual para niños y niñas. Es decir, entre los varones de 3 a 6 años, el 22 por ciento está matriculado en un colegio o una escuela y exactamente el mismo porcentaje de niñas está matriculado. La misma igualdad se da entre niños y niñas de escuela primaria.[38]

Cuadro 5
Porcentajes de niños dominicanos de distintas edades matriculados en escuelas y colegios en el año1996-1997 desglosados por sexo

	Población total		*Población matriculada*		*Porcentaje matriculado*	
Edad	*Masc.*	*Fem.*	*Masc.*	*Fem.*	*Masc.*	*Fem.*
3 - 6 años	405,016	393,014	89,967	88,357	22.%	22%
7 - 14 años	762,178	737,413	553,069	541,997	73%	73%
15 - 18 años	334,296	322,548	85,764	108,351	26%	34%

Fuente: Cómputos basados en el cuadro 30 de *Estadísticas e Indicadores de Educación, 1996-1997*, SEEC

Cuando subimos a la edad de la educación secundaria, sin embargo, notamos un aparente "favoritismo" inesperado por género. Pero va en el rumbo contrario al que normalmente se espera. Quienes más siguen en la educación secundaria son las niñas. El 34 por ciento de las niñas de entre 15 y 18 años están matriculadas, mientras que sólo el 26 por ciento de los varones lo está.[39] ¿Tienen los varones menos interés en estudiar? ¿Tendrán que ingresar más temprano al mercado laboral? No deseamos confeccionar una "respuesta instantánea" a esta interesante

[38]En la última parte de este capítulo haremos correcciones sobre los datos de la Secretaría, las cuales generarán porcentajes de matrícula por grupos de edad que difieren de los porcentajes preliminares dados aquí. Lo que nos interesa es el balance entre niños y niñas, lo cual no cambia en los datos corregidos.

[39]Estas cifras no incluyen muchos alumnos de sobreedad que tendremos que trasladar de otras tablas en otra parte de este capítulo. La cobertura global es más amplia que las estadísticas presentadas en este cuadro.

pregunta. Presentamos los datos y las preguntas, sin poder resolver la cuestión del porqué. Lo que podemos aseverar es que la igualdad de sexo que se manifiesta a nivel preescolar y primario se debilita en el nivel secundario. Pero según los datos de la Secretaría, no son los varones, sino las hembras, quienes parecen adelantarse en el nivel secundario.

7. Sobreedad a través del tiempo

Las dos tasas anteriores —de porcentajes rural/urbano y porcentajes desglosados por género— se utilizan en análisis internacionales de la situación educativa de distintos países. Hay una tercera cifra que se considera también de importancia: la tasa de sobreedad. En un hipotético país moderno donde el sistema educativo está funcionando óptimamente, la edad de los niños dentro de un mismo grado varía poco. Hay una edad mínima requerida para el ingreso al sistema escolar, calculada en términos del cumpleaños más reciente del niño al inicio del año escolar. Todos los niños, en nuestro país hipotético, ingresan a esa edad. La diferencia entre la edad de un niño y todos sus compañeros será de menos de doce meses. Todos entran a la misma edad cronológica, en dicha situación hipotética, todos aprueban y todos pasan de grado.

La situación real de países como la República Dominicana es muy distinta en este sentido. Hay grandes demoras en el progreso académico de parte de altos porcentajes de niños. Y dentro de una misma aula habrá una cantidad impresionante (o deprimente) de niños muy por encima de la edad estándar de aquel grado. Las aulas de un mismo grado son más bien heterogéneas en cuanto a la edad de los niños.

El cuadro 6 revela los patrones de sobreedad a través del tiempo en las escuelas públicas dominicanas (cubre sólo las escuelas públicas y sólo los grados primarios). Debe notarse también que la Secretaría de Educación no tenía datos compilados para los años lectivos 1994-1995 y 1995-1996.

Cuadro 6
Tasas de sobreedad en las escuelas primarias del sector público

Grado	*1990-1991*	*1991-1992*	*1992-1993*	*1996-1997*
Primero	71.3	73.4	70.8	44.4
Segundo	70.9	69.5	71.3	55.6
Tercero	70.7	67.4	69.2	59.6
Cuarto	68.2	63.5	68.6	60.5
Quinto	62.5	59.2	61.3	59.6
Sexto	55.5	51.1	52.5	57.3
Séptimo	46.1	41.9	43.9	54.1
Octavo	31.8	23.5	29.0	48.8
TOTAL	65.0	63.2	63.6	54.0

Fuente: Cuadro 26 de *Estadísticas e Indicadores de Educación, 1996-1997*, SEEC.

Vemos varios patrones chocantes en los datos.

1) En primer lugar, el fenómeno de la sobreedad es muy prominente en las escuelas públicas primarias de la República Dominicana. Aun en el año lectivo más reciente para el que existen datos, 1996-1997, la mayoría de los niños (54 por ciento) están atrasados en términos de las normas internacionales de edad para cada grado.
2) En segundo lugar, en la mayoría de los años lectivos ha habido una tendencia por parte de la tasa a bajar en los grados más altos. La sobreedad afecta más seriamente los niños más jóvenes. Dicho patrón se ve consistentemente entre los años 1990 y 1993. Ya para el octavo grado, en aquellos años el fenómeno de la sobreedad afectaba sólo una pequeña minoría de los niños de ambos sexos. ¿Se habrán ido los menos capaces? ¿Quedan mayormente los mejores estudiantes? Planteamos la pregunta, sin pretender tener la respuesta.
3) En tercer lugar, el problema parece —o parecía— estar globalmente en vías de una resolución paulatina. Si miramos las cifras globales para todos los cursos combinados, vemos

que la tasa de sobreedad parece estar en vías de disminución por lo menos lenta. La tasa del 65 por ciento para el año lectivo 1990-1991 bajó a 54 por ciento para el año 1996-1997.

4) Pero si examinamos los datos desglosados por grado vemos que el problema parece estarse agudizando seriamente en los años recientes. En el año 1996-1997 es sólo en los primeros tres grados donde la tasa de sobreedad se ha moderado. En los cursos más altos —desde el sexto grado en adelante— las tasas repentinamente suben a niveles más altos y preocupantes que en tiempos pasados. En estos grados la situación de sobreedad se está empeorando, no mejorando, a través del tiempo.

¿Cómo podemos explicar el fenómeno? Hay dos preguntas independientes la una de la otra. Primero ¿cuáles son las causas del fenómeno de sobreedad en general? Y segundo, ¿cuáles son los factores que explican las fluctuaciones en los datos dominicanos?

Empecemos con la segunda pregunta. No sabemos exactamente a qué atribuir el repentino aumento de los estudiantes con sobreedad en el sexto, séptimo y octavo cursos. ¿Habrán reprobado las nuevas Pruebas Nacionales? No sabemos. La Secretaría de Educación hizo bien en compartir con el público los datos sobre este fenómeno inquietante, que amerita ser explorado.

En términos del fenómeno de sobreedad en general, hay dos maneras de ver las demoras. Una estrategia es la de achacar la demora colectiva a la población cliente. "Los niños ingresan tarde por las presiones económicas o por la irresponsabilidad de sus padres." Y la tasa alta de repitencia de igual manera se achacaría a la falta de dedicación o hasta de destrezas académicas por parte del alumnado de dicho país o de dicha región del país.

Otros tenderían más bien a atribuir la morosidad académica a variables institucionales. "O no hay escuelas disponibles o no hay cupo en las que existen. Los niños tienen que esperar para ingresar. Y una vez ingresados, reciben docencia de tan mediocre calidad que se queman en los exámenes más elementales y tienen que repetir los años escolares con gran frecuencia." La conceptuación anterior echaba la culpa a la población clientela. Esta se la achaca a las instituciones suplidoras del servicio educativo.

A falta de información sobre casos específicos, no estamos en posición de escoger entre las dos orientaciones teóricas para explicar los patrones de morosidad académica. Se necesitaría un estudio de varios centenares de niños en sobreedad para saber cuáles son los factores que han conducido a su demora académica. No deseamos estar lanzando acusaciones sin datos. Pero como no tenemos absolutamente ninguna razón teórica o empírica para acusar a la población estudiantil dominicana de indiferencia o de colectiva incompetencia intelectual, entonces nos sentimos lógicamente obligados a plantear la hipótesis de que el fenómeno de sobreedad proviene más bien por causa del malfuncionamiento de las instituciones educativas públicas.

Enfatizamos por el momento la palabra "pública". A falta de datos cuantitativos sobre las edades de los niños en colegios privados, nos valdremos más bien de impresiones. Sospechamos que el problema de sobreedad es mucho más alto y serio en los centros educativos públicos que en los colegios del sector religioso o privado. Pero no tenemos datos cuantitativos al respecto.

¿Es realmente problemático el fenómeno de la sobreedad? ¿Por qué la República Dominicana tiene que regirse por normas internacionales arbitrarias, provenientes de países industrializados, en cuanto a las edades en que los estudiantes deben alcanzar tal y tal grado? Si se hubiera tomado una decisión nacional, por ejemplo, de empezar la escuela primaria a los ocho años de edad en vez de a los seis años, y los niños se mantuvieran en ese horario, entonces el fenómeno de sobreedad no sería problemático. Sería una ilusión óptica producida por una decisión educativa nacional.

Pero no es así. El país se ha comprometido en principio a seguir el internacionalmente establecido ritmo de edades escolares y, obviamente, no lo está logrando. El resultado es un sistema donde hay niños de diferentes edades dentro del mismo curso. Tal heterogeneidad de edades dentro de una misma aula dificulta la tarea de docencia.[40] Y crea un ambiente social muy nefasto en que los naturales "líderes sociales" del aula, que serán los niños más grandes y maduros, serán precisamente niños con atraso académico. Los niños dedicados, de alta seriedad y de alto rendimiento académico, que tendrán la edad y tamaño físico normal para el curso, pueden encontrarse socialmente marginados en un ambiente de "tigueraje" dominado por niños más viejos que ellos, por niños con problemas académicos. Es decir, la sobreedad endémica que infecta las aulas públicas dominicanas tiene que verse como un verdadero problema.

8. Patrones diacrónicos de promoción y retención

La tasa de sobreedad está dinámicamente ligada a los fenómenos de promoción, repitencia y deserción escolar. Una alta tasa de promoción generalmente se interpreta, en círculos educativos, como indicador del buen funcionamiento de una escuela o de un sistema escolar. En cambio, una tasa alta de repitencia se interpreta como indicador de que algo anda mal en la escuela o en el sistema.

---

[40]Locher, citado en Bernbaum y Locher, 1977. Hay que ser cuidadoso con tales formulaciones. El sistema Montessori en su forma ortodoxa hace obligatoria la mezcla de niños de diferentes edades en la misma aula (que se denomina "taller" más que aula). Es una poderosa metodología pedagógica que —cuando funciona— permite a los alumnos más avanzados servir de tutores y guías a los más jóvenes. Pero en tal contexto, los niños más viejos estarán en su curso apropiado. Es decir, cuando los niños de tercer grado ayudan a los de segundo en el mismo taller, no hay sobreedad. Los niños están en el curso que les corresponde por su edad. El problema dominicano colectivo, en cambio, es que en un séptimo grado puede haber una cantidad de niños que deberían estar, por su edad, en el liceo estudiando bachillerato.

Si aceptamos dichos criterios, el cuadro 7 da señales de optimismo. La Secretaría de Educación dividió los niños en tres grupos: los que se promueven, los que repiten el año y los que se van prematuramente de la escuela. Hemos combinado los datos de tres cuadros distintos del informe estadístico de la Secretaría de Educación para componer un cuadro diacrónico del fenómeno de promoción y repitencia en el país durante tres años lectivos consecutivos.[41]

Cuadro 7
Patrones de promoción, repitencia y deserción escolar
(Distribución Porcentual)

Estatus	*1994-1995*	*1995-1996*	*1996-1997*
Promoción	66.8	70.6	81.9
Repitencia	15.5	11.9	6.5
Deserción	17.7	17.5	11.6
TOTAL	100.0	100.0	100.0

Fuente: Cómputos basados en los Cuadros 23, 24 y 25 del estudio *Estadísticas e Indicadores de Educación, 1996-1997*, SEEC

Si la tasa de promoción realmente puede interpretarse como medida de la calidad educativa de un sistema, entonces algo se está mejorando en las escuelas y colegios del país. Mientras en el año lectivo 1994-1995 sólo se promovieron dos de cada tres niños, en el año 1996-1997 se promovieron cuatro de cada cinco. Y en el mismo período la tasa de repitencia bajó del 16 por ciento a un 7 por ciento.

Preguntémonos honesta y fríamente, sin embargo: ¿Hasta qué punto un aumento en la tasa de promoción, o una disminución

[41]Dicho cuadro incluye los colegios privados igual que las escuelas públicas. Desglosaremos los datos para comparar los dos sectores en el próximo capítulo, donde analizaremos en más detalles los datos sobre los colegios privados.

en la tasa de repitencia, puede interpretarse como un cambio real en la calidad de la educación? Albergamos varias inquietudes al respecto.

1) En el próximo capítulo veremos que la tasa de promoción entre los colegios privados es mucho más alta que entre las escuelas públicas. Hemos oído comentarios escépticos, algunos por parte de representantes del sector público, de que los colegios están bajo presión económica y social para promover a sus alumnos, sea como sea. Y cuanto más caro el colegio, tanto menos dispuestos estarán los padres a pagar otra vez para que el niño repita el mismo grado. El colegio que se ponga muy exigente con respecto a la promoción puede perder su clientela a otros colegios "más razonables." Bajo esta luz escéptica, una tasa sectorial sospechosamente alta de promoción se interpretaría como indicador no de la alta calidad educativa de un sector, sino de la flojedad de sus estándares. Bajo dicho criterio una tasa alta de repitencia sería una medida de la seriedad académica de una institución o de un sistema.
2) Hemos oído comentarios parecidos sobre la imagen de los colegios privados en España y en Argentina. A diferencia de lo que ocurre en la República Dominicana, en aquellos dos países prevalece la imagen de que las escuelas estatales proveen una educación superior en calidad a la educación brindada en el típico colegio privado. Estos últimos se nos han descrito como refugios adonde familias pudientes mandan sus hijos con problemas académicos, con la probabilidad de que recibirán notas más altas y se promoverán más fácilmente que si se hubieran matriculado en las más exigentes escuelas públicas.[42]

---

[42]Agradecemos a los señores Jorge y Leni Wasserman, y al Prof. José Vicente Díaz por sus comentarios sobre los colegios de sus respectivos países. Sabemos,

3) Si los aumentos en la tasa de promoción se definen oficialmente como indicadores de mejoramiento del sistema educativo en la República Dominicana, la "calidad educativa" puede mejorarse repentina y mágicamente mediante un decreto de la Secretaría de Educación a los directores y a los maestros para que dejen de fastidiar tanto a los pobres muchachos. Es una situación puramente hipotética. La real situación actual en la República Dominicana, con las Pruebas Nacionales, se caracteriza por la creación de estándares más exigentes, al punto de haber creado un pánico nacional al respecto. Sólo queremos comunicar nuestra inquietud por la costumbre de ciertos educadores internacionales de interpretar los cambios en las tasas de promoción y repitencia como indicadores de mejoramiento en la calidad del sistema educativo.

Hay demasiadas otras variables en juego. Bombardeados por tal escepticismo ¿qué podemos concluir? Dos cosas. Primero, admitimos que un sistema cuyos alumnos repiten y repiten, y salen en grandes cantidades antes de graduarse, es un sistema ineficiente que tiene serios problemas. En otras palabras, tasas altas de repitencia y de deserción son probables indicadores de un sistema con graves ineficiencias. Y segundo, que repentinos aumentos en la tasa de promoción no pueden interpretarse automáticamente como aumentos en la calidad del sistema. Los aumentos que se registraron en el cuadro 7 no pueden interpretarse de manera fehaciente como indicadores de mejoramiento en la calidad de la educación pública.

---

igual que ellos, que se trata más bien de imágenes públicas que de hechos estadísticamente comprobados. Pero son comentaros útiles para protegernos de la tentación de asumir que una alta tasa de promoción necesariamente indique una calidad educativa superior.

Parece un poco injusto y duro aceptar sólo las malas noticias y cuestionar la validez de las buenas noticias. Pero estamos siguiendo una venerable costumbre académica. Cuando los estudiantes solicitan ingreso a un programa de post-grado, tienen que pedir cartas de recomendación de tres o cuatro antiguos profesores. Un porcentaje inquietante de las cartas que recibimos tratan a los candidatos como genios bajados de regiones celestiales, con caracteres impecables, cuya mera presencia en nuestro programa aumentaría el nivel intelectual y moral de nuestra institución. Pocos profesores querrán dañar las posibilidades de un ex-alumno (y al mismo tiempo exponerse a una demanda si una carta negativa de alguna manera cae en manos del ex-alumno). Tales cartas positivas se leen con rapidez y con sonrisas. Ahora, las pocas cartas con comentarios negativos se leen como indicadores de problemas reales. El profesor típico busca cosas buenas qué decir sobre sus ex-alumnos. Y hasta las inventa si no encuentra. Pero raras veces se inventan comentarios negativos.

Recomendamos que se mantenga una reserva en cuanto a la interpretación de tasas de promoción y de repitencia. Por un lado, una tasa alta de promoción puede indicar la eficiencia de un sistema escolar. Por otro lado puede indicar la mediocridad de un sistema que promueve a cualquier estudiante. Las tasas de promoción y de repitencia, en fin, deben interpretarse en el contexto de la calidad de la enseñanza y la rigurosidad con la cual se aplican los criterios de evaluación.

9. El sexo como vaticinio débil del éxito académico

A la luz de lo anterior, queremos introducir aquí una distinción analítica que consideramos esencial: (1) una cifra como indicador de la calidad de un sistema, y (2) una cifra como medida del logro de un individuo. Albergamos dudas en cuanto a la validez de las cifras de promoción y repitencia para medir la calidad, sobre todo la buena calidad, de un sistema. Pero sí tienen una validez para comparar empíricamente las destrezas académicas de los individuos. Es decir, no sé a ciencia cierta que un sistema escolar donde se gradúa el 98 por ciento de los estudiantes es mejor que uno donde se gradúa el 85 por ciento. Puede tener criterios más flojos. Pero dentro del mismo sistema sí puedo asumir que los estudiantes que tienen que repetir están menos preparados que los que se promueven y se gradúan. Para comparar sistemas, las cifras claudican. Para comparar individuos dentro del mismo sistema, son útiles.

Sería interesante comparar estudiantes de diferentes clases económicas y sociales a este respecto. Los datos nacionales, sin embargo, no se desglosan así. Las distinciones principales que se hacen en la presentación de los datos son por región y por género. Hablaremos de distintas regiones del país en el capítulo siguiente. Por el momento, examinaremos la variable de género para ver si los varones difieren de las niñas en términos de su movimiento hacia el diploma. (Ver el cuadro 8.)

Mientras las niñas constituyen el 49.5 por ciento de la población matriculada, constituyen el 51.0 por ciento de los que se gradúan. Si eliminamos a los desertores y contamos sólo los que se quedan en la escuela, vemos que 14 por ciento de los varones y 10.8 por ciento de las muchachas son reprobados.

Cuadro 8
El sexo como vaticinio débil de éxito académico

	Masculino		*Femenino*		*Total*	
Alumnos	*Número*	%	*Número*	%	*Número*	%
Aprobados	516,558	(79%)	536,757	(83%)	1,053,315	(81%)
Reprobados	88,521	(13%)	64,801	(10%)	153,322	(12%)
Desertores	52,931	(8%)	44,177	(7%)	97,108	(7%)
TOTAL	658,010	(100.0)	645,735	(100.0)	1,303,745	(100.0)

Fuente: Recomputación de datos en *Estadísticas e Indicadores de Educación, 1996-1997*, SEEC.

Las diferencias porcentuales entre los sexos son tan mínimas que bajo circunstancias normales se tildarían de insignificantes. Si se tratara de una muestra de la población escolar, habría que hacer una prueba de significancia estadística para ver si dicha diferencia realmente refleja diferencias en la población, o es únicamente un producto de fluctuaciones aleatorias en el muestreo. Pero aquí no hubo muestreo. Se trata de una población entera. Podemos afirmar, por lo tanto, que las muchachas dominicanas, como grupo, tienen un poco más de éxito académico que sus contrapartes masculinas, por lo menos según la medida de aprobación y promoción al próximo curso.[43] Recordamos al lector que son también las niñas las que parecen estarse inclinando a continuar en el nivel secundario, un poco más que sus hermanos y compañeros de clase masculinos.

Podemos sacar tres conclusiones importantes de todo esto sobre el género:

1) En la República Dominicana la demanda por educación es tan fuerte entre las muchachas como entre los varones.
2) Los múltiples sistemas educativos que existen —estatal, religioso y sector privado— no hacen ninguna discriminación por género en términos de su cobertura.
3) Las niñas en su colectividad demuestran una tendencia ligeramente más fuerte que los varones a tener un poco más de éxito en su tasa de promoción en escuela primaria y de continuar hacia el bachillerato en escuela secundaria.

[43]Hay otro punto de vista estadístico. Quizás el año lectivo bajo escrutinio debe tomarse como una "muestra" de todos los años lectivos. Es decir, puede haber años en que los varones salen mejor que las muchachas. En dicho caso, una prueba de significancia estadística, aun sobre una población entera, indicaría la probabilidad de que la modesta diferencia entre estudiantes varones y hembras durante un año dado sea una fluctuación estadística o una diferencia real.

10. Recalculando los datos de la Secretaría de Educación

a) Interés de los gobernantes en cifras educativas positivas

Calificaríamos el deseo de la educación de los hijos, por lo menos de la educación básica, casi como parte de la cultura nacional dominicana. Pero es el Estado que supuestamente tiene la obligación de suministrar dicha educación. Es una obligación que tiene frente a sus propios ciudadanos. Pero también constituye una obligación frente al mundo exterior. Ya los países están involucrados en redes internacionales, donde se recogen estadísticas. El país de uno queda mal —y, por lo tanto, también yo como su gobernante quedo avergonzado— si se trata de un país de analfabetos. No constituye cinismo excesivo de nuestra parte sospechar que la pasión de Trujillo por la educación dominicana estaba íntimamente ligada con su propio sentido del honor. Y en la era post-Trujillo las estadísticas educativas también tienen importancia política, tanto interna como externa.

Tienen tanta importancia que los gobernantes hasta están dispuestos o a esconderlas o a falsificarlas. Varios países latinoamericanos consintieron en someter sus niños a pruebas internacionales de matemática y de otras materias. A los niños mexicanos no les iría bien, porque el gobierno mexicano rehusó publicar los resultados nacionales. Las estadísticas educativas reflejan sobre el país y sus gobernantes.

¿Pasa lo mismo en la República Dominicana? ¿Los datos educativos se inventan para crear imágenes positivas? Planteamos la pregunta porque tenemos una base sólida para creer que en este momento se están recogiendo datos educativos serios y honestos. La base de datos detallados publicada por la Secretaría de Educación puede no estar al día. Como señalamos arriba, el último año lectivo a que tuvimos acceso normal fue el 1996-1997. Y hay lagunas de por lo menos dos géneros en los datos.

1) En los cuadros de datos educativos por municipios, algunos no tenían datos. No sabemos si se incluyeron en tabulaciones nacionales o si faltaron también de esas.
2) En el Distrito Nacional las encuestas de EDUCA descubrieron casi mil colegios privados. Los datos de la Secretaría de Educación reportan menos de 700.

Pero a pesar de tales lagunas, los datos parecen ser serios.

11. Recalculando los datos de cobertura educativa

¿Qué nos dicen los datos sobre el nivel de cobertura educativa de la población? Nos sorprendió mucho ver en la introducción del Informe de la Secretaría (1996-1997)que ellos habían constatado una cobertura *de más de 90 por ciento* de los niños dominicanos entre las edades de 7 a 14 años. Es decir, según la Secretaría de Educación, nueve de cada diez niños dominicanos de edad escolar primaria están asistiendo a una escuela pública o a un colegio privado.

Nos pareció inconsistente con lo que habíamos visto y oído en nuestras visitas a los barrios, y en nuestras conversaciones con padres que lamentaban la frase "no hay cupo" de boca del director de la escuela pública local. Pero así insistió la Secretaría de Educación, basada en datos que parecían haber sido recogidos con seriedad.

En el cuadro 9 presentamos los datos de cobertura dados por la Secretaría de Educación para tres años consecutivos, desglosados por la edad de los estudiantes.

Para interpretar el cuadro 9, léase: "En el año 1994-1995 un 18 por ciento de los niños de 3 a 6 años en la población estaban ya matriculados en un centro docente formal. En aquel mismo año, 90 por ciento de los niños de 7 a 14 años en la población estaban ya matriculados en un centro docente formal, etc." El cuadro nos dice que la cobertura de niños de 3 a 6 años ha estado subiendo, al igual que la de los niños de 15 a 18 años, mientras la cobertura de los niños de 7 a 14 años se ha mantenido más o menos estable.

Cuadro 9
Porcentajes de niños dominicanos de distintas edades matriculados en escuelas y colegios en tres años escolares

Edades	*1994-1995*	*1995-1996*	*1996-1997*
3 - 6 años	18%	22%	23%
7 - 14 años	90%	93%	91%
15 - 18 años	40%	41%	48%
Edades combinadas	59%	62%	63%

Fuente: Cómputos basados en los cuadros 3, 4 y 5 de *Estadísticas e Indicadores de Educación, 1996-1997*, SEEC

Es decir que según este cuadro, desde hace varios años más de 9 de cada 10 niños dominicanos entre las edades de 7 y 14 años asisten a una escuela o a un colegio. Es una cifra francamente astronómica que ha provocado el escepticismo de varios profesionales dominicanos con quienes compartimos la cifra. "Ni que fuera en Costa Rica..." "Ni ellos mismos creen los datos que publican..."

La Secretaría sí cree en sus datos, y nosotros también. Los datos parecen ser el cuerpo más fehaciente de datos educativos que jamás se ha recogido en la historia de la República Dominicana. El problema no está en los datos, sino en las operaciones matemáticas que se hacen con los datos. Como se postulará a continuación, lo que pasó fue un error matemático en el cálculo de los porcentajes por edad. Es decir, los datos son fidedignos. Fue el cálculo el que se hizo mal.

La Secretaría de Educación computa dichas tasas usando dos fuentes: sus propios datos educativos y los datos del censo nacional. Primero se suman todos los niños de una edad —por

Cuadro 10
Datos crudos sobre niños escolarizados y no escolarizados desglosados por edad para el año lectivo 1996-1997[44]

Edad	*Población dominicana de esa edad*	*Número matriculado de esa edad*	*Por ciento matriculado de esa edad*
3	209,030	23,532	11%
4	195,432	41,504	21%
5	197,289	87,705	44%
6	196,279	25,583	13%
Subtotal	**798,030**	**178,324**	**22.3%**
7	195,035	146,277	75%
8	193,528	151,905	78%
9	191,727	147,697	77%
10	189,789	150,406	79%
11	187,868	141,289	75%
12	185,010	138,169	74%
13	180,818	123,730	68%
14	175,816	95,593	54%
Subtotal	**1,499,591**	**1,095,066**	**73.0%**
15	170,897	42,773	25%
16	165,847	53,043	32%
17	161,556	54,436	34%
18	158,544	43,833	28%
Subtotal	**656,844**	**194,085**	**29.5%**
TOTAL	2,954,465	1,467,475	49.7%

Fuente: Cuadros 30, 36 y 43 de *Estadísticas e Indicadores de Educación, 1996-1997*, SEEC.

[44]En esta tabla, y en las demás tablas desglosadas por edad del estudiante, quedan excluidos unos 30,000 estudiantes cuyas edades no fueron reportadas. Dicha exclusión fue correctamente reportada en *Estadísticas e Indicadores de Educación, 1996-1997*, SEEC.

ejemplo, de 10 años— matriculados en un colegio o en una escuela. Eso genera la cifra cruda de matrícula para aquella edad. Dicha cifra viene de los datos de la Secretaría de Educación. Luego se divide esa cifra por la cifra del censo nacional que indica la cantidad total de niños de aquella edad en la población dominicana entera. Dicha división genera el porcentaje de matrícula para aquella edad.

Respetuosamente incrédulos con el porcentaje de 90 por ciento y pico, volvimos a los datos crudos suministrados por la misma Secretaría en su informe estadístico. Presentamos al lector los resultados de nuestra retabulación en el cuadro 10. En la primera columna aparece la edad de los niños. En la segunda columna aparece la cantidad total de niños dominicanos de aquella edad según el Censo Nacional. La tercera columna muestra las cifras de la Secretaría para el total de niños matriculados en aquella edad. Y la cuarta columna muestra el porcentaje que sale cuando dividimos la columna tres entre la dos.

Los resultados son mucho menos positivos u optimistas que los resultados sacados por la Secretaría de Educación. Examinemos sólo los niños de 7 a 14 años. El grupo con el porcentaje más alto son los niños de 10 años. Hay más de 150,000 matriculados en una subpoblación de unos 190,000 en total de aquella edad. El porcentaje preciso para los niños de 10 años es de 79 por ciento. Para los de catorce años el porcentaje baja a 54 por ciento. El porcentaje total para aquellas edades combinadas viene a ser un 73 por ciento.

¿Entonces, de dónde sacó la Secretaría la cifra del noventa y pico por ciento? La pregunta nos inquietó. Finalmente, volvimos a las tabulaciones y pudimos ver lo que los analistas de la Secretaría de Educación habían hecho. Damos nuestro análisis de manera fácilmente visible en el cuadro 11, asumiendo que el sobreconteo fue por accidente.

Para sacar porcentajes más realistas, revisamos todas esas tabulaciones de la Secretaría de Educación y ubicamos a todos los niños en su grupo de edad correcto. (Ver el cuadro 12.)

Cuadro 11
Sobreconteo de la Secretaría de Educación

Operación	*Error*
1. El cuadro 4 (p. 10) del estudio de la Secretaría de Educación informa que para el año 1996-1997 había un total de 1,360,044 niños matriculados en escuelas públicas o privadas entre la edad de 7 a 14 años. Dicha cifra provino del cuadro 37, que da un total de 1,329,991 niños matriculados en educación básica más 30,053 (= 1,360,044) que no fueron incluidos en el cuadro por no tener datos sobre su edad. Dividiendo esta cifra entre la población censal total de 7 a 14 años, la Secretaría generó una cifra alta de más de 90 por ciento de escolarización en ese grupo.	El cuadro 37 incluyó 87,996 niños de menos de 7 años y 111,701 niños de 15 años o más. Estos niños realmente estaban en primaria. *Pero no caían dentro de las edades de 7 a 14. Estos niños tenían que haber sido sacados de la cifra de los matriculados entre 7a 14 años.* No se sacaron. Incluirlos aumentó incorrectamente, por 199,697 (!), el número de estudiantes matriculados "entre las edades de 7 a 14 años". El denominador del cuadro 4 era la "población de 7 a 14 años" sacada del censo. Pero el numerador incluyó equivocadamente casi 200,000 estudiantes de otras edades que "se colaron" por error de procedimiento matemático y que inflaron enormemente la cifra de cobertura para esas edades.
2. El mismo género de operación se realizó en las tablas para niños menores 7 y mayores de 14 años. Es una operación matemática completamente inválida, incluir niños de más de 14 y menos de 7 en el numerador que se divide entre el denominador de la población censal de 7 a 14 años.	El error se cometió por haber tantos niños de sobreedad en las escuelas primarias dominicanas. Aquellos niños mayores realmente están matriculados y la Secretaría de Educación tenía que contarlos como matriculados. Pero no debieron de haberse incluido en la suma que se iba a dividir entre la población censal de 7 a 14 años. Había que recolocar esos niños mayores con los niños de su propia edad antes de hacer los cálculos porcentuales.

Cuadro 12
Estudiantes que necesitan ser ubicados en su grupo de edad

Cuadro[45]	*Edad*	*Público*	*Privado*	*Medida*
31	– de 3	1,559	3,166	Eliminarlos de cálculos[46]
31	sin edad	6,036		Asumir de 3 - 6 e incluirlos
37	– de 7	87,996	27,066	Trasladarlos a "3 - 6"
37	15 ó más	111,701	8,162	Trasladarlos a "15 - 18"
37	sin edad	30,053		Asumir de 7 a 14 e incluirlos
44	– de 15	21,944	13,063	Trasladarlos a "7 - 14"
44	19 ó más	71,593	8,825	Eliminarlos de cálculos

Obramos bajo la premisa de que los niños de más de 15 años que estaban en primaria, y por tanto fuera de su grupo de edad en las tabulaciones, no habían sido contados entre los matriculados de su edad. Si la premisa es incorrecta —si ya habían sido contados— entonces los estamos contando dos veces y el porcentaje de cobertura educativa resulta inflado. Como nos pareció muy dudable que hayan sido contados en otras tabulaciones, creemos que las medidas que tomamos y los nuevos porcentajes resultantes se acercan más a la realidad.

Al lector que no tiene el informe de la Secretaría por delante no le interesarán los detalles. Baste decir que hicimos todo lo posible para que cada estudiante matriculado fuera reubicado dentro de su grupo de edad correcto, y luego calculamos otra vez los porcentajes. El resultado se presenta en el cuadro 13, y en el cuadro 14 se yuxtaponen de manera comparativa las cifras de la Secretaría con nuestras cifras ajustadas.

[45]Esta columna se refiere al número del cuadro en el Informe de la Secretaría.

[46]Como se está calculando la cobertura de la población entre las edades de 3 y 18 años, se eliminarán, por supuesto, los estudiantes que tienen menos de 3 años o más de 18 años.

Cuadro 13
Computaciones ajustadas de cobertura
habiendo reubicado los estudiantes en sus edades apropiadas

Grupo de edad	*Población según censo*	*Matrícula comprobada*	*Matrícula ajustada*	*Cobertura ajustada*
3 - 6	798,030	178,324	299,422	37.5%
7 - 14	1,499,591	1,095,066	1,160,126	77.4%
15 - 18	656,844	194,085	313,948	47.8%

Cuadro 14
Tabulación comparativa de los porcentajes dados por la Secretaría de Educación de niños dominicanos escolarizados en el año 1996-1997 y los porcentajes obtenidos por la retabulación

Grupo de edad	*Porcentajes dados por la Secretaría*[47]	*Porcentajes retabulados*
3 - 6 años	23.1% matriculados	37.5% matriculados
7 - 14 años	90.7% matriculados	77.4% matriculados
15 - 18 años	47.8% matriculados	47.8% matriculados

En conclusión, la buena noticia es que hay muchos más niños dominicanos de 3 a 6 años recibiendo educación formal, sea pública sea privada, de lo que aparecía en el informe de la Secretaría de Educación. Resulta que muchos de esos niños ya están en primaria, y fueron accidentalmente excluidos de los cálculos —o más bien colocados incorrectamente con niños de mayor edad— por las razones que ya tratamos. Haciendo los ajustes necesarios, el cuadro de los párvulos es aún más atractivo que lo que la Secretaría de Educación pensaba.

Con los estudiantes de educación primaria, sin embargo, pasa lo contrario. Los ajustes indican que no es uno de cada diez, sino casi uno de cada cuatro, niños dominicanos de 7 a 14 años

[47]Cuadros 3, 4 y 5, *Estadísticas e Indicadores de Educación, 1996-1997*, SEEC.

que no reciben cobertura educativa formal. En cuanto a los niños de 15 a 18 años, los ajustes generaron exactamente el mismo nivel de cobertura que los cálculos de la Secretaría de Educación. Más o menos uno de cada dos niños dominicanos de la edad de 15 a 18 años carece de cobertura educativa.

En este capítulo hemos examinado los datos disponibles sobre la situación educativa de la nación. Nos hemos enfocado en la situación nacional, sin discriminar por el momento entre la educación pública y la educación privada. La evolución del colegio privado en las últimas décadas ha sido impulsada directamente por la descomposición casi total de la educación pública en ciertos momentos tristes y difíciles de la historia dominicana post-trujillista. Con el nacimiento del Plan Decenal, y con los esfuerzos reales que el gobierno actual ha hecho para mejorar la situación del magisterio dominicano, y que sus antecesores habían hecho desde los comienzos de los años 90, la "noche oscura" de la educación pública dominicana se ha puesto más clara.

12. La escuela parroquial

Pero no sólo ha sido el Estado, sino también la Iglesia, que ha cambiado el carácter de su participación en la educación del pueblo dominicano. En las huellas del Concilio Vaticano II, y con el éxodo masivo de miles de religiosos del apostolado de la educación, o de la misma vida religiosa, se transformó o simplemente desapareció el colegio tradicional de "curas" o de monjas. Muchos de los antiguos maestros y maestras colgaron sus hábitos y cambiaron de vocación. Los colegios que se quedaron tuvieron que llenar sus aulas con maestros laicos, cambiando el papel docente de los religiosos al papel de administrador/cobrador. Muchos de los que se quedaron en la vida religiosa abandonaron el apostolado de la educación por un apostolado más directamente ligado con el servicio social en los barrios o en los campos.

De los que se quedaron en la educación, muchos abandonaron la ciudad capital y las ciudades más grandes y fueron a los pueblos o a los campos. Prefirieron dejar de ser los maestros de los hijos de los pudientes para llevar a los pobres la misma educación de alta calidad que antes se limitaba a los más pudientes. Unos dirían que por accidente histórico, otros que por la Providencia, su traslado se realizó bajo gobiernos amistosos a la Iglesia. Nació en la República Dominicana un arreglo mutuo, de utilidad extraordinaria, en la cual el Estado se encargaría de los sueldos de los maestros y de ciertos otros gastos, y la congregación religiosa se encargaría de educar, gratuitamente, los hijos de los pobres. Así nace el fenómeno de la "escuela parroquial", un mecanismo que hasta ahora ha logrado —mucho más que la escuela estatal tradicional— brindar una educación de alta calidad a sectores que dependen del financiamiento público.

La evolución de estos dos gigantes, el Estado y la Iglesia, y el abandono —cada uno de manera distintiva— de su papel educativo tradicional, creó el hueco y el nicho que engendró el brote de colegios del sector privado. Con el Plan Decenal el Estado ha intentado recuperar su credibilidad educativa y su papel preponderante en la vida educativa de la nación. A fines de los años de 1990 había funcionarios que hablaban con desdén y con hostilidad no sólo a los religiosos que manejan las escuelas semipúblicas sino también a los colegios privados, como si ya el Estado hubiera recuperado su puesto de Educador-en-Jefe del pueblo dominicano.

Tal visión choca con la realidad. Pasarán muchos, muchos años antes de que el aparato educativo estatal llegue a funcionar con la mística y la competencia, y la disciplina y la honestidad que se encuentra en cualquier "colegio de monjas". Y olvide también esa noción de que ya, con el Plan Decenal, los colegios privados van a desaparecer. Volvamos a la realidad de la situación educativa dominicana, indicada al principio del presente capítulo: una sociedad que todavía no llena las necesidades educativas actuales del pueblo y que menos podrá acomodar las necesidades de la población aumentada del futuro, hará lo que pueda. Pero necesitará la ayuda de aquellos otros dos sectores. El país ha cambiado. Hay sectores sociales que jamás en la vida volverán a las escuelas públicas, como en aquellos días de antaño, venga lo que venga o no venga del Plan Decenal. Y como esperamos comprobar en los capítulos que siguen, ya el colegio privado forma una parte esencial del panorama educativo dominicano, no sólo en los ensanches de los pudientes, sino también en los barrios de los pobres. Claro, ellos tendrán que adaptarse al Estado y sus controles. Pero un Estado gobernado por el espíritu de la sabiduría también sabrá abrir sus ojos y adaptarse al nuevo mundo educativo del colegio privado.

E. Resumen del Capítulo IV: Perfil Estadístico de la Educación

- El aumento más impresionante en asistencia escolar se encuentra a nivel preescolar. Tal aumento va ligado en parte a un cada vez mayor interés en la educación, pero en parte a la participación cada vez mayor de las mujeres en el mercado laboral.
- El sector público ya provee servicios preescolares. Pero el sector privado ha sido más activo en el suministro de una oferta educativa para dichas edades.
- El aumento en la matrícula primaria es más letárgico que la del nivel preescolar. En el mismo período en el cual la matrícula preescolar aumentó en un 31.8 por ciento, la matrícula primaria aumentó sólo en un 3.6 por ciento
- El aumento en la matrícula secundaria para el mismo período era de 23%. La demanda aumentada por educación secundaria es más fuerte entre las mujeres que entre las hombres.
- Un estudio reciente de la PUCMM indica un interés bajo entre estudiantes en la carrera de maestro. Sin embargo los

datos de la SEEC demuestran un aumento en la matricula de las escuelas normales. Nuestras entrevistas cualitativas y observaciones de convenciones de maestros en la República Dominicana nos dejaron impresionados con el nuevo entusiasmo profesional entre los maestros y las maestras.

- En términos porcentuales la demanda rural por la educación es tan alta como la urbana. Ello constituye buena noticia de cierta perspectiva. Visto de otra perspectiva, sin embargo, significa la desaparición de la carrera agrícola de la vida dominicana, una tendencia que ha conllevado a la casi completa haitianización de la mano de obra rural. Dicho mercado laboral constituye buenas noticias para los desempleados de la República vecina. Muchos dominicanos no lo verían con ojos tan positivos.
- Hay diferencias por género en las tasas de matriculación. Entre las edades de 3 y 14 años, 22% de niños y 22% de niñas están matriculados en escuela o en colegio. Pero entre la edad de 15 y 18 años, 34% de las niñas están matriculadas, y sólo 26% de los varones.
- El fenómeno de la sobreedad es muy prominente en las escuelas públicas primarias de la República Dominicana. Más de 50% de los niños están atrasados en términos de las normas internacionales de edad para cada grado.
- El fenómeno de la sobreedad crea una situación donde hay niños de diferentes edades dentro del mismo curso. Tal heterogeneidad de edades dentro de una misma aula dificulta la tarea de docencia.
- Hemos visto que la demanda educativa a nivel secundario es más fuerte entre niñas que entre varones. Pero también vemos que a todo nivel, el éxito académico de las niñas tiende a ser mayor que el de los varones. Mientras las niñas constituyen el 49.5 por ciento de la población matriculada, constituyen el 51.0 por ciento de los que se gradúan. Si eliminamos a los desertores y contamos sólo los que se

quedan en la escuela, vemos que 14 por ciento de los varones y 10.8 por ciento de las muchachas son reprobados.

- La población dominicana está creciendo con una velocidad mucho mayor que la creación de nuevas escuelas. La República Dominicana pertenece a un grupo de sociedades en las cuales la brecha entre cobertura actual y cobertura futura se agudizará. Le incumbe a las autoridades públicas repensar la frialdad oficial que se demuestra actualmente hacia el sector de colegios privados. Una nueva política de alianza con los colegios privados, como se ha hecho en Chile, abriría otros caminos más económicos para aumentar la cobertura educativa que el camino de más escuelas públicas.

Capítulo V

Los colegios privados en el panorama estadístico

A El Plan Decenal: Vino nuevo vertido en recipientes estructurales viejos

En el capítulo anterior analicé los datos existentes sobre las escuelas públicas. En este capítulo analizaré ciertos datos cuantitativos que existen sobre los colegios privados. Pero antes de penetrar en el follaje confuso (y a veces aburrido) de los datos numéricos, conviene ver la floresta como unidad. ¿Dónde encajan los colegios privados en el panorama global de la educación dominicana actual?

El panorama actual es dominado por los múltiples temas del Plan Decenal, con sus múltiples pilares, los cuales incluyen:

- Aumento de la preparación profesional de maestros y directores.
- Eliminación paulatina de las denigrantes condiciones económicas en las cuales tenían que trabajar.
- Transformación curricular.
- Preparación de nuevos libros de texto por parte de autores dominicanos.

- Reparación y mejoramiento del ambiente físico de las escuelas existentes.
- Expansión de la cobertura mediante la construcción de nuevas aulas con la meta eventual de una completa cobertura nacional.
- Creación de asociaciones de padres y madres.

Invitamos al lector a releer dicha lista con mirada analítica. Los puntos de la lista anterior constituyen los elementos del "vino nuevo" brindado por el Plan Decenal. Sin embargo, lo que aparentemente no se visualiza, lo que falta de la lista, es la renovación y transformación de la estructura burocrática estatal que servirá de recipiente, de custodio y, supuestamente, de eventual dispensador de este vino nuevo: la Secretaría de Estado de Educación.

Dicha laguna en la planificación constituye el beso de la muerte para cualquier Plan Educativo y la eventual fuente de sabotaje sistémico a los planes más sinceros para mejorar la calidad educativa. Como veremos en más detalle en otra parte, las estructuras actuales del aparato estatal dominicano constituyen en gran parte una continuación fiel y tenaz de las estructuras centralizadas creadas durante el régimen de Trujillo. Sin querer reemplazar el análisis antropológico frío con emotivos himnos antidictatoriales, quisiéramos, sin embargo, hacer los siguientes planteamientos:

1. El aparato estatal tenía como sus principales funciones reales:
    a) la centralización completa del control político y militar bajo el mando del dictador.
    b) el empleo de autoridad estatal para enriquecimiento del Funcionario-en-Jefe y, en menor escala, de otros funcionarios designados por el Jefe y cuidadosamente vigilados por éste.

2. Las funciones "reales" se enmascaraban bajo una careta de funciones "formales" —los propósitos técnicos para los cuales se establecieron los distintos ministerios.
3. Todos los ministerios y secretarías, fueran cuales fueran sus funciones formales ("salud pública", "agricultura", "educación"), obedecían las mismas subyacentes funciones reales y primordiales. Todos eran en última instancia mecanismos de poder y de pillaje.
4. Bajo la mano autoritaria de Trujillo, las funciones formales de las instancias estatales se llevaban a cabo con competencia. Las escuelas funcionaban. Pero el cumplimiento de las funciones formales de una estructura (como la Secretaría de Educación) no impedía el cumplimiento de las subyacentes funciones reales de dicha estructura, la maximización del poder y de la riqueza del Jefe y sus favoritos.
5. Aquellos aparatos centralizados, mecanismos de control y de extracción, sobrevivieron perfectamente bien la desaparición de su creador, Trujillo. Lo que cambió fue que perdieron su interés y su capacidad de cumplir con las funciones formales para las cuales teóricamente fueron fundadas. Pero no perdieron en nada aquellas funciones reales de centralización del poder y organización del pillaje. Como ya no brindan servicios, la gente dice que "no están funcionando". En realidad siguen funcionando excelentemente en sus funciones reales y primordiales: la maximización del control y del ingreso de los funcionarios de turno.
6. En las cuatro décadas que han pasado desde la muerte de Trujillo, algunos renglones del Estado dominicano se han visto obligados a modernizarse por su participación en la economía globalizada. La Banca sería un ejemplo. Sin embargo, aquellas estructuras estatales con lazos menos fuertes con el mundo exterior han podido mantener la misma modalidad centralizada, oportunista y extractiva que tenían

en los días del Dictador. Es decir, la evolución del Estado dominicano ha sido parcial, por sectores.

7. El sector público educativo queda entre los sectores cuya estructura centralizada y politizada se ha mantenido desastrosamente intacta desde los días de Trujillo. En los años 1960 y 1970 dejó totalmente de cumplir con sus funciones formales. Pero siguió y sigue sirviendo sus originales funciones primordiales de poder centralizado, favoritismo oportunista y fuente de empleo para miles de personas que poco o nada contribuyen al cumplimiento de las formales funciones educativas del aparato. Hay quienes se lamentan: la Secretaría de Educación no está funcionando. En realidad la estructura burocrática sigue funcionando muy pero muy bien en términos de sus primordiales funciones latentes, que no eran y no son educativas.
8. El escenario educativo público ha sido profundamente afectado por un nuevo desarrollo post-trujillista: la sindicalización militante del magisterio público, un paso obligatorio que los maestros tuvieron que tomar en ciertos períodos oscuros de la educación dominicana. Por un lado, ya existe una colaboración estrecha y pragmática con el aparato estatal. Este sirve de cobrador para el sindicato. Las "contribuciones" de los maestros al sindicato no son voluntarias, sino descontadas de sus sueldos por el mismo aparato estatal. Pero, por otro lado, el sistema sindical continúa hasta hoy en día paralizando con arbitrariedad y con total impunidad las actividades educativas dentro de las aulas.
9. Los colegios del sector privado surgieron como resultado del abandono por parte de las instituciones educativas públicas de su función formal, la educación del niño dominicano. El sistema sindical les afecta poco. Pero están en constante peligro por parte del sistema estatal. Este no ayuda en lo más mínimo, sino que impone impuestos, exigencias y constantes amenazas, tratando al sector educativo privado como si fuera un agente hostil.

10. Los objetivos educativos de cualquier Plan Decenal acabarán saboteados hasta que no se realice una transformación total de las arrogantes y paralizantes estructuras centralizadas estatales heredadas de la Era de Trujillo. Tal transformación no se ha realizado en el sector público educativo. No se visualizó seriamente en el Plan Decenal, en la total despolitización de sus decisiones, o en la reestructuración descentralizada real de su ministerio. Por un lado, los incumbentes actuales no son en lo más mínimo culpables de la desfavorable situación institucional. Son más bien herederos de algo que no crearon. El vino nuevo del Primer Plan Decenal se ha atrapado y neutralizado en el recipiente viejo de una obsoleta estructura estatal que tenazmente ha sobrevivido la desaparición de su antiguo Dictador creador.

Mientras no lleguen el desmantelamiento, reordenamiento y reestructuración estatales, ningún plan va a funcionar. El aparato estatal antiguo, que en ciertos sectores continúa llevando las riendas del poder, se organizó no para educar, sino para maximizar las funciones latentes tradicionales de poder, empleo y privilegio. Como en los días del Dictador, el aparato estatal mantiene el poder de dictar decretos, extraer recursos, vender contratos, imponer su voluntad. Pero a diferencia del Dictador, no tiene el dinamismo de hacer que la institución a su cargo por lo menos también cumpla con sus funciones formales, en este caso la educación. Tal aparato parasítico está dotado de los tradicionales apetitos dictatoriales de engordarse. Pero carece de la energía dictatorial de ejecutar y de educar. Ni pone a funcionar sus propias escuelas ni deja que el sector privado trabaje en paz con las de él. Ni hace ni deja hacer.

La población dominicana de todos los niveles seguirá acudiendo a los centros privados de educación. El "colegio" ya constituye una alternativa esencial para muchos sectores. Para aquellos sectores del barrio que no "encontraron cupo" en la escuela pública local o que sencillamente no quieren someter sus niños a los problemas de la educación pública actual, y para aquellos sectores más pudientes que han abandonado, quizás irreversiblemente, la escuela pública dominicana como opción para su prole.

Empezamos este capítulo con las estadísticas que nos dan una idea de la externa cobertura formal de las instituciones educativas del país. Terminamos el capítulo con un análisis cualitativo y estructural de los verdaderos factores que podrían paralizar la educación dominicana. Esta cuestión de la calidad nos ocupará fuertemente en los capítulos que vienen.

B. CUADROS SOBRE LOS COLEGIOS

1. Importancia estadística de los colegios

Los datos cuidadosamente recogidos por EDUCA indican de manera dramática la importancia de la educación privada en la vida dominicana: en los años 1990 más o menos la mitad de los niños capitaleños matriculados en aulas primarias y secundarias ya se encontraban en colegios privados más que en escuelas o liceos públicos. Este brote de los colegios privados, y su creciente importancia en la vida educativa del pueblo dominicano, ha sido un proceso casi "repentino" en convencionales términos históricos. Hay una gran cantidad de padres de familia de todas clases sociales que tienden a verlo como una "bendición" que abre el camino para una educación más adecuada para sus hijos. Otros, como ciertos funcionarios educativos del Estado, lo han descrito más bien como una "infestación" o "plaga" que comercializa el sagrado campo de la educación. (No por eso dejan de mandar a sus propios hijos a tal centro infestado antes que mandarlos a la escuela pública cerca de su casa.) Pero sea cual sea la reacción ideológica del observador, nos encontramos frente a un fenómeno evolutivo asombroso y digno de estudio.

Hay una gran discrepancia entre la Capital y el resto del país en términos de la importancia estadística de la educación privada. En términos nacionales no es uno de cada dos niños que se encuentra en colegio privado, sino uno de cada cinco. Hay relativamente pocos colegios fuera de la capital. El cuadro 15 desglosa los datos para la nación entera por edad de los niños más que por zona capitaleña y otras zonas.

Cuadro 15
Datos crudos sobre las matriculaciones comparativas de escuelas públicas y colegios desglosados por edad para el año lectivo 1996-1997

Edad	*Número por edad*	*Matriculaciones*		*% Privadas (redondeado)*
		Públicas	*Privadas*	
3	23,532	8,541	14,991	64%
4	41,504	17,648	23,856	57%
5	87,705	64,194	23,511	27%
6	25,583	20,796	4,787	19%
Subtotal[48]	**178,324**	**111,179**	**67,145**	**38%**
7	146,277	118,142	28,135	19%
8	151,905	125,266	26,639	18%
9	147,697	123,365	24,332	16%
10	150,406	127,707	22,699	15%
11	141,289	119,942	21,347	15%
12	138,169	118,399	19,770	14%
13	123,730	107,586	16,144	13%
14	95,593	86,465	9,128	10%
Subtotal	**1,095,066**	**926, 872**	**168,194**	**15%**

[48]Las cifras en esta tabulación se basan estrictamente en los datos de estudiantes con edades precisas en el informe *Estadísticas e Indicadores de Educación, 1996-1997*, SEEC, y no incluyen muchos estudiantes que tuvieron que ser recolocados para hacer las correcciones indicadas en otra parte de este tomo.

Cuadro 15 (Cont...)

Edad	*Número por edad*	*Matriculaciones*		*% Privadas (redondeado)*
		Públicas	*Privadas*	
15	42,773	29,088	13,685	32%
16	53,043	38,390	14,653	28%
17	54,436	42,104	12,332	23%
18	43,833	36,426	7,407	17%
Subtotal	**194,085**	**146,008**	**48,077**	**25%**
TOTAL	1,467,474	1,184,059	283,416	19%

Fuente: Cuadros 31, 37 y 44 en *Estadísticas e Indicadores de Educación, 1996-1997*, SEEC.[49]

2. Concentración urbana de los colegios

Los 5,920 centros educativos sobre los cuales la Secretaría de Educación tiene datos se dividen en tres grupos: escuelas públicas, escuelas semioficiales (mayormente colegios religiosos católicos que funcionan con fondos públicos) y los colegios privados, sean estos laicos o religiosos. La distribución de la infraestructura educativa pública en el país —el sector de escuelas públicas— no se ha mantenido a la par con los movimientos migratorios de la población. El cuadro 16 sugiere que la construcción de escuelas y liceos públicos por el Estado ha sido más lenta que la disposición de la población a buscarse la vida en la

[49]Para asegurar la validez de las cifras en el cuadro anterior, extrajimos las cifras crudas de cantidades de alumnos matriculados, desglosados por edad, de los cuadros 30, 36 y 43 del informe estadístico de la Secretaría de Educación. Luego extrajimos las cifras, también desglosadas por edad, que comparaban matriculaciones en escuelas públicas y matriculaciones en colegios no públicos, de los cuadros 31, 37 y 44 del mismo informe. Sumamos estas últimas cifras para ver si cuadraban con las cifras globales anteriores. Eran 100 por ciento consistentes. Luego, para ver la importancia fluctuante del sector privado en la educación, computamos los porcentajes de estudiantes en colegio privado por los estudiantes de cada edad. Presentamos al lector los resultados fascinantes de este ejercicio en el cuadro.

zona capitaleña. Mientras unos tres de cada diez dominicanos viven actualmente en la zona capitaleña, el cuadro 16 indica que menos de una de cada cinco escuelas públicas (827 de 4,646, o sea 18%) están en aquella zona.

Cuadro 16
La concentración de colegios en zonas urbanas

Tipo de centro docente	*Ubicación*			
	Santo Domingo	*Santiago y San Pedro*	*Otro lugar*	*TOTAL*
Escuela pública	827 (18%)	625 (13%)	3,194 (69%)	4,646 (100%)
Escuela semioficial	49 (58%)	14 (16%)	22 (26%)	85 (100%)
Colegio privado	689 (58%)	240 (20%)	260 (22%)	1,189 (100%)
TOTAL	1,565 (26%)	879 (15%)	3,476 (59%)	5,920 (100%)

Las fuerzas del sector privado, en este caso de los "microempresarios educativos", han llenado la brecha. Vemos en el cuadro 16, que en el rango de "colegio privado" el 58 por ciento de dichos centros se han establecido en la zona capitaleña. En realidad hay más colegios privados en la capital de lo que aparecen en la tabulación oficial. Los estudios de EDUCA en la zona capitaleña han identificado cuantiosos colegios pequeños que aparentemente no aparecen en las estadísticas oficiales. Si agregamos estos colegios a las cifras de este cuadro, y si combinamos los tres grupos de centros docentes, como se hace en el rango "Total", veremos que aproximadamente tres de cada diez centros docentes se encuentran en la capital. Eso corresponde más o menos a la concentración demográfica objetiva de la población dominicana.

Del cuadro 16 extraemos varias proposiciones.

1) El Estado dominicano no ha mantenido su infraestructura educativa a la par de la evolución demográfica del país, en términos ni de su crecimiento bruto ni de su reubicación geográfica. Defensores del sector público dirían que no ha "podido". Es decir, que "no ha tenido los recursos". Un escéptico se acordaría más bien de los años de 1970, cuando el mandatario de turno hizo inversiones inmensas en avenidas y parques en la zona capitaleña donde todavía había poca gente y pocos vehículos. Se puede decir correctamente: Gracias a Dios que las hizo. Si no, el actual caos urbano sería aun más grande, semejante a la situación de un Puerto Príncipe. Pero habiendo emitido un suspiro de alivio, hay que reconocer al mismo tiempo y con mucho menos agradecimiento, que aquellos funcionarios se interesaban más en estatuas y parques para la edificación de la venidera población que en escuelas para la eventual educación de los niños que nacerían. Repito: el Estado dominicano, en sus diversas encarnaciones, no ha estado dispuesto a hacer las inversiones necesarias para la creación de una estructura educativa apropiada para la evolución demográfica de su población. A nadie le sorprenderá esta proposición. Y a pocos les ofenderá. El dominicano típico (mucho más que el asesor extranjero típico) sabe bien que el más profundo afán del mandatario o funcionario dominicano, a través de la historia y del Partido que fuera, no ha sido siempre el de servir a la nación.
2) El sector privado ha tratado de llenar las brechas y los huecos educativos creados por la inercia estatal. Una mirada superficial a la distribución de colegios privados revela que más de la mitad están concentrados en la capital. Ello podría provocar la crítica de que los "microempresarios educativos" tienen prejuicios y predilecciones capitaleños. Aparentemente no se interesan en el bienestar educativo de los pueblos y los campos. Un análisis más profundo de los

datos, sin embargo, indica que el sector privado simplemente está llenando huecos creados por un Estado cuyos políticos se han comprometido, en constituciones legales y en discursos públicos, a educar gratuitamente a la población, pero que no han asignado los recursos necesarios para cumplir con dichas promesas. El sector privado educativo surgió en las huellas de promesas estatales incumplidas. La concentración de los colegios en zonas urbanas proviene no de "indiferencia" al destino de pueblos y de campos, sino del fracaso del Estado a mantener su infraestructura educativa a la par de la urbanización del país. Si miramos otra vez la "cifra final" del cuadro 16 —el total de centros educativos— vemos que de hecho hay en la Capital un porcentaje de centros docentes que corresponde más o menos al porcentaje capitaleño de la población. Es decir, los colegios han surgido justamente en cantidad suficiente para que haya una cantidad de centros docentes que corresponde al peso de la población capitaleña dentro de la población nacional. Si hay una concentración de colegios privados en la capital, ello proviene simplemente del hecho de que el hueco estatal es mayor allá que en otras partes.

Los choferes que manejan en carreteras rurales mal mantenidas se topan con "microempresarios" jóvenes que salen con su pala para llenar los huecos en el pavimento que el Estado ha dejado de llenar, pidiendo por ello alguna compensación voluntaria por parte de los choferes beneficiarios de su iniciativa privada. De la misma manera, el dueño de colegio privado de barrio capitaleño se puede ver como un llenador de los huecos dejados por un Estado que no ha cumplido con sus promesas de educación universal gratuita.

3) Una tercera proposición sale implícita en lo anterior. La población dominicana ya se interesa tan fuertemente en la educación de sus niños como en su alimentación. Donde el Estado no ha cumplido con su compromiso de crear escuelas, los colegios pequeños han brotado como si fueran

colmados. Tal brote no hubiera surgido si no hubiera habido una demanda.

4) Nos arriesgamos a una cuarta sugerencia, más bien una pregunta empírica que un hallazgo. Los diversos estudios de FondoMicro han documentado la existencia de una fuerte orientación cultural, compartida por muchos dominicanos de todas clases sociales, de independizarse en su propio negocio más que de "trabajar para otro". Como vemos en el cuadro 16, dicha orientación microempresarial se ha extendido, fácil y lógicamente, al renglón de la educación. Sospechamos, sin poderlo comprobar sin datos internacionales comparativos, que esta tendencia por parte de maestros de querer fundar su propio colegio posiblemente sea más fuerte en la República Dominicana que en otros países hispanohablantes de Centro o Sur América. Se trata quizás de una orientación comercial, generalizada por todas las Antillas, que por idiosincrásicas razones históricas distingue esta región antropológicamente de otras regiones de las Américas. Sabemos que existen colegios privados en otros países latinos. Lo que no sabemos es si existen en tanta abundancia aun en barrios pobres. Si los maestros de otras culturas latinas se lanzan con tanto atrevimiento a fundar su propio colegio privado en la misma abundancia con la que lo hacen los maestros dominicanos. Sospechamos que no. Los datos de dicho cuadro constituyen quizás un termómetro para medir una energía microem-presarial dominicana que impulsa a sus portadores no sólo a ser dueños de tantos colmados y salones de belleza, sino también a ser dueños de su propio colegio.

Hay otro elemento del cuadro 16 que amerita comentario. Hay una categoría híbrida de centro docente: la de la escuela "semioficial". Estos son en su mayoría colegios católicos que se han comprometido a enseñar a sus alumnos sin cobrarles dinero a cambio del apoyo económico del Estado para el pago de maestros y para cubrir otros gastos. Estos centros manifiestan la misma concentración urbana que el colegio privado. No es de sorprenderse. Empezando como colegios privados, tuvieron que cumplir con los mismos requisitos de ubicación que gobiernan el establecimiento de cualquier otro colegio privado. Tuvieron que establecerse donde había: (a) un hueco educativo creado por alguna debilidad en los servicios que suministra el Estado, y (b) una población capaz y dispuesta a pagar lo suficiente para cubrir los gastos del colegio.

3. Distribución de los colegios privados por municipio

A pesar de la susodicha concentración de colegios, hay algunos centros de docencia privados a través del territorio nacional. En el cuadro 17 se desglosa la matriculación en colegios privados por municipio. Organizamos los municipios según la cantidad de estudiantes matriculados en colegio privado.

Cuadro 17
Municipios con colegios privados
en orden de la cantidad de estudiantes que poseen

Municipio	*Estudiantes*	*Municipio*	*Estudiantes*
Santo Domingo	111,589	San Juan de la Maguana	2,043
Santiago	21,778	Baní	2,007
La Romana	8,969	Barahona	1,720
San Pedro de Macorís	7,556	Azua	1,653
La Vega	4,767	Mao	1,370
Puerto Plata	4,070	Nagua	1,241
San Cristóbal	3,941	Villa Altagracia	1,129
Moca	3,566	Constanza	1,158
San Francisco de Macorís	3,112	Cotuí	1,099
Bonao	3,038	Tamboril	826
Bajos de Haina	2,580	Monte Cristi	770
Higüey	2,421	Jarabacoa	638

Cuadro 17 (Cont...)

Municipio	*Estudiantes*	*Municipio*	*Estudiantes*
Hato Mayor	568	Villa Isabela	181
Sabana Grande de Boyá	558	Fantino	171
Dajabón	542	Yamasá	159
Licey al Medio	529	Pimentel	154
San José de Ocoa	470	Salcedo	144
Sosúa	407	Guaymate	142
Río San Juan	406	Gaspar Hernández	141
San Ignacio de Sabaneta	333	El Seibo	133
Comendador	321	Arenoso	132
San José de las Matas	313	Tamayo	128
Villa Bisonó	308	Los Llanos	116
Loma de Cabrera	289	Monte Plata	114
Las Matas de Farfán	284	Nigua	112
Neiba	267	Paraíso	103
Vicente Noble	253	Villa Tapia	98
Maimón	246	Esperanza	97
Piedra Blanca	235	Matanzas	87
Esperalvillo	229	Cayetano Germosén	87
Luperón	225	Las Matas	75
Yaguate	216	Bayaguana	61
Sabana Yegua	215	Cabral	60
Villa Rivas	209	El Factor	43
Villa González	209	Los Almácigos	38
Nizao	207	Los Hidalgos	20
Pedernales	183		

Como los datos de la Secretaría se tabulan por regiones educativas, muchos pueblos no se ven en el cuadro 17 por ser contados dentro de otra región colindante. Los datos tampoco distinguen entre colegios religiosos y colegios privados; sospechamos que muchos de los colegios en los pueblos pequeños son colegios religiosos. Sus clientes tienen que pagar, es cierto. Dependen del mercado en ese sentido. Pero se fundarían con algún propósito religioso.

4. Tamaño de la matrícula en los centros docentes

Las tabulaciones oficiales de las escuelas dividen las escuelas en tres grupos según el tamaño de su matrícula: pequeñas (con menos de 301 niños), medianas (con 301 hasta 600 niños), y grandes (con más de 600 niños). El cuadro 18 compara los colegios del sector privado con los demás centros docentes en términos de su tamaño.

Cuadro 18
Tamaño de la matrícula en los centros docentes por sector

	Número de alumnos por escuela			
Sector	*Menos de 301* *N (%)*	*301 a 600* *N (%)*	*Más de 600* *N (%)*	*TOTAL*
Público	3,615 (78%)	570 (12%)	461 (10%)	4,646 (100%)
Semioficial	56 (66%)	7 (8%)	22 (26%)	85 (100%)
Privado	1,020 (86%)	138 (12%)	31 (2%)	1,189 (100%)
TOTAL	4,691 (79%)	715 (12%)	514 (9%)	5,920 (100%)

Fuente: Datos recalculados del cuadro 61 en *Estadísticas e Indicadores de Educación, 1996-1997*, SEEC.

La gran mayoría (79 por ciento) de las escuelas dominicanas, sean públicas sean colegios privados, caen en la categoría de pequeñas, con menos de 301 alumnos.[50] El hecho de que 8 de cada 10 escuelas cae en sólo una de las categorías sugiere que los

[50]El hecho de que 8 de cada 10 escuelas cae en sólo una de las categorías sugiere que los analistas de la Secretaría escogieron puntos de división incorrectos o por lo

analistas de la Secretaría escogieron puntos de división incorrectos o por lo menos algo inútiles en sus tabulaciones. Hubiera sido analíticamente más útil subdividir la población de escuelas en tres grupos con más o menos la misma cantidad de escuelas en cada grupo.

Vemos que un mayor porcentaje de los colegios privados son pequeños, en este sentido, que de escuelas públicas. Sin embargo, las diferencias entre los sectores resultan más dramáticas cuando miramos las escuelas "gigantes", con más de 600 alumnos. Sólo el 2 por ciento de los colegios privados tienen ese carácter de "fábrica educativa", un porcentaje mucho menor de lo que se da con las escuelas públicas o las escuelas semioficiales. Con respecto a estas últimas, aparentemente, el Estado, cuando invita a colegios religiosos para que se conviertan en semioficiales mediante apoyo estatal, prefiere los colegios religiosos más grandes. Es decir, mientras sólo 10 por ciento de las escuelas puramente estatales tienen más de 600 alumnos, 26 por ciento de las escuelas semioficiales caen en esta categoría de gigante.

Como vemos en el cuadro 19, la ubicación de la escuela algo tendrá que ver con su tamaño, sobre todo en el sector de las escuelas públicas. En la ciudad capital, una de cada cinco escuelas públicas pertenecerá a la categoría de gigante. En el sector de los colegios privados, en cambio, el tamaño tiende a mantenerse modesto (menos de 301 alumnos) aun en la ciudad capital. Son pocos los dueños de colegio que tienen los medios para montar colegios realmente grandes.

Y también se da el caso de que muchos padres más pudientes no querrán pagar caro por una educación "en masa" donde sus hijos serán tratados como cifras anónimas. Sin embargo, cuando se analiza el tamaño de las escuelas, hay que resistir la tenden-

---

menos algo inútiles en sus tabulaciones. Hubiera sido analíticamente más útil subdividir la población de escuelas en tres grupos con más o menos la misma cantidad de escuelas en cada grupo.

cia de asumir que las escuelas pequeñas brindarán mejor calidad de educación que las grandes. Una escuela bien organizada con 700 estudiantes y 35 maestros disciplinados brindará mejor educación que una escuelita pública rural de 75 niños con dos maestros resentidos que llegan al campo el martes por la mañana y vuelven a su pueblo temprano el viernes.

Cuadro 19
Tamaño de los centros docentes
por ubicación y por sector público/privado

	Cantidad de alumnos matriculados			
Ubicación	*1 a 300* N (%)	*301 a 600* N (%)	*Más de 600* N (%)	*TOTAL*
Santo Domingo				
Escuela pública	521 (63%)	139 (17%)	167 (20%)	827 (100%)
Colegio	585 (85%)	83 (12%)	19 (3%)	687 (100%)
Otro lugar				
Escuela pública	3,094 (81%)	431 (11%)	294 (8%)	3,819 (100%)
Colegio	435 (87%)	55 (11%)	12 (2%)	502 (100%)
TOTAL	4,635 (79%)	708 (12%)	492 (9%)	5,835 (100%)

Fuente: Datos recalculados del cuadro 61 en *Estadísticas e Indicadores de Educación, 1996-1997,* SEEC.[51]

[51]Las 85 escuelas semioficiales no se incluyeron en esta tabulación. Su distribución por ubicación se parecería más a la de los colegios privados que a las escuelas públicas. En su tamaño más grande que el colegio típico, sin embargo, se parecen más a las escuelas públicas.

Cuadro 20
Sector público o privado como vaticinador de éxito académico

	Sector			
Estudiantes	*Público*	*Semioficial*	*Privado*	*TOTAL*
Aprobados	832,191 (78%)	20,978 (86%)	200,146 (92%)	1,053,315 (81%)
Reprobados	142,849 (13%)	2,185 (9%)	8,288 (4%)	153,322 (12%)
Desertores	87,149 (9%)	1,286 (5%)	8,673 (4%)	97,108 (7%)
TOTAL	1,062,189 (100%)	24,449 (100%)	217,107 (100%)	1,303,745 (100%)

5. Diferencias en éxito académico entre sector público y privado

Las estadísticas sobre la ubicación y el tamaño de los centros docentes de por sí no revelan nada sobre la calidad de las actividades que se llevan a cabo en sus aulas. De hecho, es difícil en general utilizar estadísticas oficiales de esta índole para comparar la calidad educativa de distintos subgrupos de escuela, para saber si los niños capitaleños reciben mejor educación que los niños rurales, o si los niños que salen de colegios saben más que los que salen de escuela pública.

Hay ciertas estadísticas, sin embargo, que nos abren un poco la puerta para elaborar conclusiones cautelosas sobre diferencias en calidad educativa. El porcentaje de alumnos que suspenden sus exámenes es un posible indicador. Cuanto menor el porcentaje de "reprobados", es decir, la tasa de repitencia, tanto mejor la escuela, sobre todo cuando se trata de notas en exámenes estandarizados aplicados en todas las escuelas. Otro posible indicador de calidad es el porcentaje de "desertores", alumnos que se dan por vencidos y deciden irse de la escuela prematuramente. Cuanto mayor la calidad educativa, tanto menor será la tasa de abandono del camino educativo. El cuadro 20 nos brinda una visión comparativa sobre estos dos fenómenos.

Mientras la tasa de repitencia es de 13 por ciento en las escuelas del sector público, la tasa baja a un modesto 4 por ciento en los colegios privados. Y mientras 9 por ciento de los estudiantes del sector público acaban siendo "desertores", sólo el 4 por ciento de los alumnos de colegios privados deja sus estudios prematuramente. Utilizando estos dos indicadores, podemos concluir de manera provisoria que la educación brindada en colegios privados supera a la brindada en las escuelas del sector público. Existen problemas analíticos con el empleo de estas medidas, que discutiremos a continuación. Pero los dos sectores parecen diferir en términos de su calidad.

6. Repitencia por sector y grado

La tasa de repitencia que se da en un país se utiliza en círculos educativos internacionales como un indicador de probables problemas en el sistema educativo. Utilicemos el cuadro 21 para más en detalle este fenómeno en las escuelas dominicanas.

Cuadro 21
Patrones de repetición
desglosados por sector y por grado

	Porcentaje de estudiantes repetidores	
Grado	*Escuelas Públicas*	*Colegios Privados*
Primero	21%	4%
Segundo	13%	3%
Tercero	10%	2%
Cuarto	7%	2%
Quinto	6%	2%
Sexto	5%	1%
Séptimo	5%	2%
Octavo	5%	2%
TOTAL	11%	2%

Fuente: Retabulación del cuadro 39 en *Estadísticas e Indicadores de Educación, 1996-1997*, SEEC.[52]

[52]La tasa global de repitencia en esta tabulación es mayor que en el cuadro anterior por haberse incluido aquí los alumnos de primer grado, que sufren de una alta tasa de retención. A base de lo que llaman "cifras provisionales", los autores de Estadísticas e Indicadores de Educación, 1996-1997, SEEC calcularon (p. 18) que para el siguiente año la repitencia total del sector público bajaría de 11.9 por ciento a 6.5 por ciento, y que la repitencia alta del primer grado bajaría de 20.8 por ciento a 7.2 por ciento. Los datos crudos que justificarían dicho pronóstico no fueron incluidos en el informe.

Vemos claramente que la seriedad de la repitencia se concentra en los primeros grados, sobre todo en el sector público.

Desglosamos los mismos datos por región para ver si hay diferencia geográfica en la tasa de aprobación. Los datos se presentan en el cuadro 22.

Cuadro 22
Porcentajes de alumnos aprobados en distintos lugares desglosados por sector público, semioficial o privado

Municipio	*Sector público*	*Sector semioficial*	*Sector privado*
Distrito Nacional	85.4	88.7	93.7
Azua	76.1	93.7	
Bahoruco	71.7	87.9	
Barahona	74.3	60.0	91.6
Dajabón	76.5	86.7	
Duarte	78.0	93.1	
Elías Piña	70.8	93.9	
El Seibo	70.8	72.8	
Espaillat	77.3	91.1	93.0
Independencia	71.8	42.9	
La Altagracia	75.8	88.5	
La Romana	79.0	87.1	83.8
La Vega	78.5	93.7	91.3
María Trinidad Sánchez	80.2	79.7	93.2
Montecristi	79.5	91.2	
Pedernales	73.3	93.2	
Peravia	77.1	72.2	91.4
Puerto Plata	76.9	90.9	90.4
Salcedo	81.5	93.6	97.7
Samaná	79.0		
San Cristóbal	79.9	81.1	88.3
San Juan de la Maguana	75.0	54.4	80.8
San Pedro de Macorís	78.1	91.9	90.6
Sánchez Ramírez	78.0	96.6	
Santiago	77.7	79.1	92.7

Cuadro 22 (Cont...)

Municipio	*Sector público*	*Sector semioficial*	*Sector privado*
Santiago Rodríguez	74.9	90.1	93.6
Mao, Valverde	78.2	84.0	-
Monseñor Noüel	80.2	90.0	90.1
Monte Plata	71.5	68.9	79.7
Hato Mayor	73.8	83.2	88.2

El cuadro 22 sugiere en primer lugar la posible superioridad de la educación capitaleña. En cuanto a las escuelas públicas, la tasa de aprobación que logran los estudiantes capitaleños es más alta que en cualquier otra región del país, sin excepción. El mismo patrón se da, pero con menos consistencia, con los colegios privados. Los de la capital salen cerca de la cumbre en cuanto a esta medida de éxito académico. Y en todas las regiones los colegios privados salen con una tasa de aprobación por encima de la lograda por las escuelas públicas de la misma región.

Sin embargo, reconozcamos que cada uno de estos indicadores alberga problemas y trampas que hacen necesaria cierta cautela analítica. ¿Será posible que los colegios privados aprueben más alumnos mayormente por miedo de enfadar a los padres pagadores y por temor a perder clientela? En ese caso, las escuelas públicas son las que mantienen los estándares más altos. ¿No se convertiría así la tasa de repitencia en una medida, no de fracaso institucional, sino de seriedad institucional? Cuanto más alto el número de alumnos que se queman, ¿no se debe juzgar como más alta la seriedad de los docentes y los directores?

Y en cuanto a la tasa de deserción, ¿cómo sabemos que no se trata simplemente de cambios de dirección y de escuela? Los mecanismos de seguimiento del sistema público no son sofisticados. Un estudiante que se transfiere a otra escuela en otro pueblo o vecindario, o que se traslada a un colegio privado en el mismo vecindario, será codificado incorrectamente como "desertor académico" al no aparecer en las aulas públicas al año siguiente. Si en las estadísticas hubiera una categoría de "trasladado", tendríamos más confianza en la etiqueta de "desertor" Pero como no existe tal categoría, sospechamos que los que se trasladan se incluyen como "desertores". ¿Cómo sabemos que se trata realmente de deserción y no de simple cambio geográfico?

Estas son preguntas empíricas válidas que nos obligan a ser muy cautelosos en nuestro empleo de datos sobre la reprobación y la deserción. Sin embargo, dichas cifras se utilizan en círculos educativos internacionales como medidas comparativas de calidad. Cuanto mayores son las tasas de repitencia y de deserción, tanto más problemático se juzga el sistema educativo de un país. Reconocemos que quedan algunos peros. Pero a falta de pruebas concretas en contrario, juzgaremos las tasas en su sentido convencional. Asignaremos una "nota más alta", por lo tanto, a los colegios privados de la República Dominicana en comparación con sus contrapartes del sector público.

C. Conclusión

En este capítulo interpretamos para el lector ciertos datos cuantitativos que existen sobre los colegios privados en la República Dominicana. Tal viaje a través del mundo de datos cuantitativos se asemeja a un viaje por el centro de una floresta. Fascinado (o aburrido) con los detalles del follaje, el viajero pierde fácilmente su perspectiva original sobre la estructura y el significado de la floresta entera. Para volver a encajar el colegio dominicano en su contexto más amplio, volvamos al modelo hipotético de cuatro sociedades que planteamos en un capítulo anterior. La sociedad dominicana pertenece a la clase "D" del planteamiento, es decir, una sociedad que sufre de dos peligros paralizantes en el renglón educativo: (a) deficiencias por parte del sector público en la cobertura actual y (b) crecimiento demográfico que dificultará aun más la cobertura en el futuro.

Decimos "dificultar" para no decir "imposibilitar". Ahí se destaca el papel y la misión del colegio privado. El asunto es serio, y la solución no es la de tapar el sol con una mano. Citando CESDEM, Locher da la buena noticia de que la tasa de fertilidad dominicana ha disminuido de 5.2 a 3.2 en las últimas décadas. Pero luego viene la mala noticia de que aun así se necesitarían *cada año 5,300 maestros nuevos y 1,000 aulas nuevas* sólo para acomodar el crecimiento demográfico. Se trata de los aumentos necesarios cada año durante por lo menos una década. Y tal aumento anual no constituiría un aumento de cobertura o un mejoramiento de calidad. Se trata sólo de lo que se necesitaría para mantener el status mediocre del presente.[53]

Realista y honestamente, ¿qué puede el Estado hacer ante tal problemática? Seguir con sus esfuerzos paso a paso. Pero también puede admitir lo obvio, públicamente, en voz alta. *El Estado dominicano no ha podido en el pasado, no puede en el presente y no podrá en el futuro inmediato encargarse de la educación del pueblo dominicano entero. Punto.* Enfatizamos: *entero.* El que diga lo contrario está soñando.

Aun con dicha confesión pública de impotencia, el Estado hará lo que pueda. Seguirá con la construcción de nuevas aulas, con la contratación y remuneración decente de nuevos maestros, con la contratación totalmente despolitizada de directores competentes, y con las transformaciones internas del aparato centralizado, paralizado y paralizante de la Secretaría, herencia tenaz de los tiempos de Trujillo.

Pero al mismo tiempo empezará a recibir y a apoyar con brazos abiertos los decenas o centenares de grupos religiosos y los miles de educadores laicos que han fundado, o que quisieran fundar, sus propios colegios. Las diversas Secretarías de Estado cuen-

[53]Bernbaum y Locher, 1997, p. 51. El segundo Proyecto del Banco Mundial salió con proyecciones más suaves de las necesidades educativas. Locher califica dichas proyecciones, que piden sólo 5,000 maestros nuevos para los próximos diez años, como un cuento de hadas. Locher calcula que se necesitarán, durante los próximos diez años, unos 53,000 maestros nuevos sólo para mantener el statu quo.

tan mucho con apoyo extranjero, con sus préstamos o sus donaciones. Pues la Secretaría de Educación podría contar con el apoyo mucho más poderoso de educadores dominicanos ansiosos de independizarse, como hacen sus hermanos y primos en otros renglones económicos, y de poner sus propios centros educativos. No aumentarían los recursos de la Secretaría mediante las donaciones o los préstamos blandos con que llegan las fuentes de apoyo extranjero, pero enseñarían a grandes sectores de niños dominicanos, actualmente privados de servicios educativos de decente calidad. Lejos de ser competidores intrusos, dichos educadores privados podrían ser los aliados colectivos más grandes del Estado en el renglón educativo. Ya lo son, y lo seguirán siendo por sus propias motivaciones internas. Pero en ciertos momentos recientes, con ciertos funcionarios de turno del renglón educativo, han sido tratados como enemigos o potenciales pillos. Ha prevalecido una mentalidad de estatismo miope y obsoleto que ve al gobierno como el gran Educador-en-Jefe, y a los colegios como intrusos sospechosos que hay que supervisar, regular y controlar hasta en cuanto a las matrículas que cobran.

Dicha actitud estatal constituye una tragedia nacional. Dada la energía microempresarial de los dominicanos, incluyendo a los del renglón educativo, y contando con enérgico y amistoso apoyo estatal —moral, técnico y material— centenares y miles de nuevos colegios podrían brotar en suelo dominicano como las flores del campo. Un gobierno dotado de sabiduría, una Secretaría racional, intentaría fomentarlos, reproducirlos y multiplicarlos como si fueran una valiosa flora nacional, no amenazarlos, regularlos, multarlos o cerrarlos como si fueran prostíbulos.

En el presente capítulo examinamos datos publicados por la Secretaría de Educación en los años 1990. Al asumir sus nuevas responsabilidades con el cambio de gobierno en el año 2000, la Dra. Ortiz Bosch, Vicepresidenta de la República y Secretaria de Estado de Educación, mandó a recopilar datos sobre todos los colegios privados del país. El próximo capítulo examinará aquellos datos más completos y más recientes.

Capítulo VI

Las tarifas de los colegios y otras variables clave

A. Enfoque nacional obsesivo sobre los precios de los colegios

Los colegios difieren unos de otros en muchas variables. Las preguntas de mayor interés público son, desafortunadamente, preguntas financieras: ¿Cuánto cobran los colegios? ¿Cuánto ganan los colegios? El asunto de la calidad de la educación que se transmite a los niños dentro de los colegios recibe poca o ninguna atención en los medios de comunicación.

- ¿Cuánto cobran?
- ¿Cuánto ganan?
- ¿Cuándo es que el Estado va a intervenir para que cobren y ganen menos?

Esas son las preguntas que más le interesan al público. La cuestión de la calidad de la educación brindada llega a ser secundaria. El dominicano que va tres veces por semana al colmadón, o la dominicana que va tres veces por semana al salón de belleza, empieza con cuestiones de calidad. Si el colmadón sirve cerveza que no esté fría, o si a la doña no le gusta el corte, habrá protesta inmediata. Si el precio de la cerveza o del corte de cabellos sube, se acepta. No se le ocurriría al cliente exigir control de precios de parte del gobierno. Los periódicos tampoco montan una campaña para vilipendiar a los dueños de colmadones, prostíbulos o salones de belleza, como hacen en el caso de los educadores del sector privado. Pues eso sí constituye una situación antropológicamente interesante. Posiblemente se trate de la única cultura en las Américas cuyo Estado y cuyos medios de comunicación hablen peor de sus educadores que de los dueños de prostíbulos. Los educadores del sector público "son incompetentes e incumplidos". Los del sector privado, por su lado, son "comerciantes abusadores," porque no educan a mis hijos al precio que a mí me gustaría pagarles. En Asia, los educadores son objeto de gran respeto público. En la República Dominicana, quizás más que en cualquier otra cultura de las Américas, aquellos mismos profesionales acaban siendo blancos de vejación pública informal.

Pero lo más peligroso para el futuro de este sector es que los colegios están siendo objeto de control de precios. Controles parecidos se implementan también en ciertos otros países latinoamericanos. Pero en muchos casos se trata de colegios privados que reciben algún apoyo financiero concreto por parte del Estado. En tales centros docentes, beneficiarios de subsidios públicos, el Estado tiene un interés perfectamente legítimo en los aranceles que se cobran.

El Estado dominicano, en cambio, ni subsidia ni apoya. Al contrario, chupa y extrae. Ya hablamos del programa de "becas" obligatorias que se les exigen a muchos colegios para, supuestamente, premiar a estudiantes sobresalientes de bajo nivel económico pero que terminan asignándose a los hijos y relacionados de algunos funcionarios. Aun así, hace unos años, y a pesar de las protestas vehementes por parte no sólo de los dueños de colegios privados, sino también de la organización EDUCA y de otros representantes de la sociedad civil, el Estado cedió a las presiones políticas de los congresistas de su propio partido y firmó una ley para controlar el precio de los colegios. La ley se justificó en la misma rimbombante retórica patriótica y humanista que se utiliza para enmascarar intereses escondidos.

La medida se justificó por los precios supuestamente astronómicos y abusivos que se cobran en el renglón. Al pasarse la ley en el Congreso, y al promulgarse la ley desde el Palacio Nacional, la Secretaría de Educación diseñó una encuesta nacional que obligó a todos los colegios a suministrar información sobre tamaño, número de aulas, profesores y alumnos, tarifas cobradas a los padres, sueldos pagados a los maestros y otras variables. Se esperaba encontrar un sector dominado por una banda de aprovechados que cobraban sumas excesivas sin importar la clase social. Se esperaba, también, mediante la recolección de información concreta sobre cada colegio, establecer los criterios empíricos para una clasificación de los colegios y el establecimiento de un escalafón de tarifas máximas que los centros de cada clase podrían cobrar. Lo que se ha encontrado, más bien, es un sector en que la abrumadora mayoría de sus actores cobra matrículas tan irrisoriamente bajas —la tarifa media nacional, en los más de 2,000 colegios existentes, anda por debajo de los RD$300, o sea, US$15 dólares— que habría que autorizar un aumento general de las tarifas más que una rebaja.

Pues hay gente que no se dejará molestar con hechos y datos. Mis amistades capitaleñas de clase media o alta albergan dudas sobre mi salud mental cuando les hablo de $275 como la matrícula típica del colegio en el país. "¡Oh-oh! ¡¿Tú ere' loco?!" Lo que pasa es que cuando salen a buscar colegio para sus hijos, los únicos colegios que aparecen en su pantalla de radar son los colegios elitistas y estadísticamente atípicos que cobran de $1,000 para arriba. *El 92 por ciento de los colegios cobra por debajo de $1,000.* Y aun esa suma astronómica (para la mayoría del pueblo) les parecería, no elitista, sino sospechosamente baja. Si un colegio cobra menos de $2,000 por mes, sospechan que no puede ser de muy buena calidad. Tales colegios sencillamente "no existen" para ellos. Jamás en la vida pensarían en mandar a sus hijos a una escuela pública, ni tampoco los mandarían a un colegio barato de barrio. *Ergo,* tales colegios no existen. El que habla de mensualidades típicas de RD$250 tiene que estar loco de remate.

Pues correré el riesgo de parecer desquiciado y compartiré con los lectores los asombrosos datos nacionales recogidos por las autoridades educativas más altas del país. Son aquellas mismas autoridades que habían impuesto un control de precios y que intentaban justificar dicha medida comprobando los altos precios cobrados en el sector. Antes de llegar al meollo de los precios, sin embargo, procederé en orden lógico yendo de tópico en tópico.

1) La ubicación de los colegios. ¿Se encuentran dispersos en todo el país? ¿O están más bien concentrados en ciertos centros?
2) El tamaño de los colegios. El indicador principal del tamaño de un colegio es el número de estudiantes. ¿Cuál es la distribución de los colegios en términos de la cantidad de estudiantes que sirven?
3) La proporción estudiantes/maestros y estudiantes/aulas. ¿Cuántos estudiantes hay por aulas y por maestros? ¿La Capital difiere de las otras regiones en términos del tamaño típico de sus colegios?
4) La orientación filosófico-religiosa de los colegios. He planteado la presencia histórica de tres actores educativos en la República Dominicana: el Estado, la Iglesia y el sector privado. Los colegios pertenecen a estos últimos dos. Aquí haremos la pregunta: ¿Cuál de los dos sectores —el privado o el religioso— ha respondido con más energía? Y dentro del renglón religioso ¿cuál sector ha mostrado, por lo menos en términos cuantitativos, más dinamismo educativo en décadas recientes: ¿el sector católico o el sector protestante?

B. Distribución Geográfica de los Colegios

Se asevera con frecuencia que el fenómeno del colegio es un fenómeno urbano; que los colegios se concentran en la Capital. Examinemos los datos disponibles al respecto. El cuadro 23 presenta una lista detallada por municipio de la ubicación de los colegios en todo el país.

Cuadro 23
Distribución de los Colegios por Municipio

Municipio	Colegios	Municipio	Colegios
Santo Domingo	923	Constanza	6
Santiago	196	Montecristi	5
San Pedro de Macorís	63	Sosúa	5
Puerto Plata	54	Salcedo	5
San Cristóbal	52	San José de Las Matas	5
La Vega	43	Yaguate	4
La Romana	37	Tenares	4
Moca	35	Sabana Grande de Boyá	4
San Francisco de Macorís	32	Hato Mayor	4
Baní	29	San José de Ocoa	4
Bonao	28	Samaná	4
Higüey	27	Consuelo	4
Barahona	20	Esperanza	3
San Juan de La Maguana	20	Pimentel	3
Cotuí	15	Imbert	3
Azua	15	Bayaguana	3
Haina	14	Sabaneta	3
Monte Plata	13	El Seibo	3
Mao	12	Villa Rivas	3
Villa Altagracia	11	Villa Vásquez	3
Gaspar Hernández	9	Tamayo	2
Jarabacoa	8	Cabrera	2
Nagua	8	El Factor	2
Neiba	7	Las Matas de Farfán	2
Dajabón	6	Monción	2

Cuadro 23 (Cont...)

Vicente Noble	2	Laguna Salada	1
Villa Isabela	2	Elías Piña	1
Maimón	2	Hato del Yaque	1
Río San Juan	2	Altamira	1
Jacagua	1	Cabral	1
Guananico	1	Miches	1
Luperón	1	Monte Llano	1
Jánico	1	Pedernales	1
Loma de Cabrera	1	Piedra Blanca	1
El Mamey	1	Sabana Grande de Palenque	1
Las Guáranas	1	Las Terrenas	1
El Cercado	1		

Hay un total de 1,806 colegios en la base de datos de la Secretaría de Educación. Como se indica en otros párrafos, dicha cifra puede incluir dos tercios de los colegios que realmente existen. Sin tener evidencia de que los colegios ausentes de dicha base de datos se concentran geográficamente, tomemos la distribución que se ve en el cuadro como representativa de la distribución física del universo entero de colegios. Aquí se hace la pregunta: ¿Hasta qué punto la distribución de los colegios corresponde a la distribución nacional de la población? El cuadro 24, compara la distribución porcentual de la población con la distribución porcentual de los colegios. Los datos demográficos provienen del último censo (1993). Las cifras crudas habrán aumentado en el ínterin, al igual que el porcentaje capitaleño de la población. Pero para los fines analíticos de este cuadro, podemos utilizar los datos demográficos del decenio pasado.

El cuadro 24 nos muestra que mientras el 30.1 por ciento de la población dominicana reside en la Capital, el 51.1 por ciento de los colegios que existen a nivel nacional se encuentran en la Capital. El cuadro indica cierto grado de concentración. Si hubiera dispersión perfecta de los colegios, cada región tendría el mismo porcentaje del universo de colegios que su porcentaje en la población nacional. Por otro lado, si hubiera concentración total, todos los colegios estarían aglomerados en la Capital. La situación real cae entre los dos polos.

Cuadro 24
Distribución porcentual de la población y
distribución porcentual de los colegios
a nivel nacional

Municipio	*Porcentaje población nacional*	*Porcentaje colegios*
Santo Domingo	30.1	51.1
Santiago	9.7	10.9
San Pedro de Macorís	3.0	3.5
Puerto Plata	3.6	2.6
Resto del país	53.6	31.9
TOTAL	100.0	100.0

La relación entre población y colegios para la Capital es justo lo inverso a lo que se da en las ciudades denominadas "Resto del país". Existen entonces tres situaciones distintas.

1. **Lugares de población densa de colegios.** Sólo la Capital parece caer en dicha situación. El censo del 1993 coloca 30 por ciento de la población en el Distrito Nacional. Se estima informalmente que ya un tercio de la población vive en la Capital. Pero aunque la Capital tenga un tercio de la población, tiene un poco más de la mitad (51 por ciento) de los colegios.
2. **Lugares con presencia normal de colegios**. Según el Censo de 1993 Santiago tiene alrededor de 10 por ciento de la población nacional. Y vemos en el cuadro que justamente tiene 11 por ciento de los colegios. De manera parecida,

San Pedro de Macorís tiene 3 por ciento de la población nacional. Y, justamente, tiene 3 por ciento de los colegios. Puerto Plata tiene 3.5 por ciento de la población y 3 por ciento de los colegios, lo que le colocaría al mismo nivel de Santiago y San Pedro en términos de su conducta con respecto a la fundación de colegios.

3. **Lugares con relativa escasez de colegios**. Este caso se da, por ejemplo, en Monte Plata, localidad que tiene el 2 por ciento de la población, pero sólo el uno (1) por ciento de los colegios. Se da también en Azua, que a pesar de tener el 3 por ciento de la población nacional, tiene sólo el uno (1) por ciento de los colegios. Y el conjunto de ciudades bajo el rubro "resto del país" contiene más de la mitad de la población nacional pero menos de un tercio de los colegios.

Vemos, en fin, que en la República hay colegios por dondequiera, pero que las regiones difieren en términos de "colegios por habitantes". Examinemos tres hipótesis para explicar el fenómeno de densidad diferencial, específicamente la baja densidad de colegios fuera de la Capital, Santiago, San Pedro de Macorís y Puerto Plata.

1) *¿Mejor educación pública en comunidades más remotas?* ¿Habrá mejor cobertura educativa o mejor calidad educativa por parte del Estado en zonas remotas? ¿Será por eso que hay menos demanda de colegios privados? Descartemos esta hipótesis inmediatamente.
2) *¿Menos interés en la educación?* Las provincias más remotas tienen un carácter rural o semi-rural. Quizás los padres de aquellas zonas no se interesan tanto en la escolarización de sus hijos. Descartemos esta hipótesis también. El interés en la escolarización de los hijos ya es universal en la República Dominicana. Antropólogos que visitan la Cordillera Central en este momento me han informado que hasta los campesinos en zonas remotas mandan sus hijas a zonas urbanas para

estudiar.[54] No hay ningún sector dominicano que vea con indiferencia la escolarización de los hijos. A mi entender, resulta más compatible con la realidad plantear la hipótesis de interés universal por la educación en la República entera.

3) *¿Menos capacidad económica para pagar un colegio?* El sentido común sugeriría que el dinero (o más bien su falta) es el factor determinante que conduce a la relativa escasez de colegios en la mayoría de las zonas. ¿Que hay interés por dondequiera? Pero el interés subjetivo no necesariamente constituye la demanda objetiva. La demanda existe sólo y cuando el interés subjetivo va ligado a la capacidad económica objetiva de pagar. Si hay interés pero falta dinero (o si hay dinero pero falta interés) no se habla de demanda.

El sentido común, sin embargo, a veces engaña. Tengo que rechazar también la noción de que es la falta de capacidad económica lo que reduce el mercado para colegios en el interior. Admito que hay sectores en los pueblos pequeños (o en los campos grandes) incapaces de pagar colegio. Pero los hay también en la Capital y en Santiago. Sin embargo, también hay en todas partes algunos individuos —y quizás muchos— que serían capaces y que estarían dispuestos a pagar los $275 mensuales que cobra el colegio típico en este país. Anteriormente dije que no hay comunidad en la República Dominicana donde falte interés por la educación. Voy más lejos. Sospecho que tampoco hay ningún pueblo donde se estableciera un colegio de calidad razonablemente decente, y cobrara la mensualidad media nacional de $275, que no se llenara de estudiantes.

Por lo menos podemos afirmar que hay demanda educativa por todas partes. Sin embargo, no existe ningún mecanismo mágico o místico que convierta una demanda automáticamente

[54] Agradezco a Mathew McPherson por la información que ha compartido conmigo al respecto.

en una oferta. Los colmados, que satisfacen demandas por cosas materiales, pueden surgir por dondequiera. Pero la oferta de un servicio intangible como el de la educación, que implica maestros capacitados y organización sostenida, no es tan fácil de organizar de manera sostenible si depende de un mercado no subsidiado. Mercado educativo hay. Pero es un mercado más frágil y arriesgado en los pueblos pequeños.

Por eso, el renglón de los colegios se concentra en los grandes centros urbanos. Si se saturara el mercado en aquellos centros, se expandiría a las otras zonas. Pero está lejos de saturarse. Hay largas listas de espera en muchos colegios, con familias al acecho diciéndole a la directora "supe que fulano se va el mes que viene, guárdeme ese cupo para mi hijo, por favor."

Planteemos, como principio, que el mercado educativo emergerá con más energía y florecerá más fácilmente en zonas demográficamente más densas. Si está más flojo en zonas menos densas, no es por falta de interés educativo o por pobreza paralizante en aquellas zonas. Es más bien por dinámicas que hacen más complicada y arriesgada la organización de una oferta educativa en tales zonas. Las debilidades se encuentran, en otras palabras, en la oferta más que en la demanda.

C. TAMAÑO DE LOS COLEGIOS

1. Heterogeneidad en el sector

Existe una heterogeneidad abrumadora entre los colegios en términos de su tamaño. La variable de tamaño más frecuente se mide en términos del número de estudiantes. En ese sentido, el colegio más grande de la nación[55] es un colegio católico de la

[55]Hablo en términos de la base de datos de la Secretaría de Educación, que en principio debe tener información sobre cada colegio en el territorio nacional. Como

Capital que reportó tener más de 2,300 estudiantes. Al otro extremo hay una docena de colegios, casi todos seglares, que reportaron menos de 10 estudiantes. ¿Serán colegios entre comillas? ¿Serán más bien guarderías que lograron colarse en el rubro de "colegio"? No necesariamente. Dos de ellos enseñan no sólo nivel inicial sino también nivel básico.

Pero algunos temerán (legítimamente) que quizás estemos cometiendo un error conceptual. Hay diferencias tan profundas y radicales entre un centro de 2,000 estudiantes y otro de 20 estudiantes que quizás ni se trate del mismo fenómeno. ¿Estaremos comparando mangos con manzanas, metiéndolos incorrectamente en la misma canasta conceptual, sencillamente porque en terminología popular todos se llaman "colegios"? La pregunta sería legítima, pero mi respuesta sería que sí: pueden y deben ser colocados en la misma categoría básica de "colegio"; y los distintos subgrupos –los grandes y los pequeños– pueden y deben ser comparados unos con otros. En términos antropológicos, todos pertenecen al mismo "género" de organismo, pero quizás a distintas "especies". Tienen exactamente los mismos componentes sistémicos. Tienen los mismos ingredientes materiales: planta física, aulas, butacas o pupitres, pizarras, libros de texto, etc. Tienen los mismos actores humanos: alumnos (con sus padres), maestros y director. Tienen en teoría las mismas metas educativas. Es decir, tanto el colegio gigante como el pequeño son centros educativos. Empecemos, por lo

---

explicaré a continuación, sin embargo, faltan, de hecho, quizás un tercio de los colegios, algunos grandes y bien conocidos, en la base de datos. Pero como faltan aun más colegios pequeños y poco conocidos, asumiré que los promedios y las medianas, al igual que las distribuciones relativas de diferentes subgrupos que se dan en la base de datos, no cambiarían gran cosa si todos los colegios estuvieran presentes. De todas maneras, la base de datos recogida por la administración de la Dra. Milagros Ortiz Bosch constituye la base de datos más completa que jamás se haya recogido sobre los más de 2,000 colegios que hay actualmente en el país.

tanto, con una perspectiva inclusiva, sumergiéndonos en la rica heterogeneidad que se encuentra dentro de aquel mundo de las entidades denominadas "colegios".

2. Tamaños promedio y mediano

El tamaño promedio de los colegios es de 221 estudiantes, que parece ser un tamaño razonable. Pero es una cifra ficticia que infla y distorsiona algo la realidad. El colegio típico, que se parece a la mayoría, tiene mucho menos de 221 estudiantes. Lo que pasa es que hay más de 30 colegios muy atípicos con más de 1,000 estudiantes que mueven el promedio general hacia arriba. En vez de sacar sólo un promedio, por lo tanto, debemos utilizar también la cifra media, es decir, el tamaño del colegio a mitad de camino entre el más grande y el más pequeño. La cifra media para los colegios dominicanos es de 142 estudiantes, una cifra que representa mejor la verdadera tendencia central.

3. Irrelevancia del factor capitaleño

Asumí, basándome en aquella descomunal facultad llamada "sentido común", que los colegios de la Capital serían más grandes y que los de los pueblos serían más pequeños. Me equivoqué. El cuadro 25 desglosa los colegios en seis categorías según su tamaño, primero para todo el país, luego sacando los colegios de la Capital y analizándolos aparte. (El cuadro se lee así: "En todo el país hay 106 colegios que tienen 600 estudiantes o más. Dichos colegios constituyen sólo el 6.4 por ciento de los 1,665 colegios recogidos en nuestros datos; etc., etc.) Vemos que sólo una proporción minúscula, aproximadamente uno de cada 20, tiene más de 600. Sólo uno de cada cuatro colegios tiene 300 estudiantes o más. La mitad de los colegios tienen menos de 200 estudiantes. De hecho, uno de cada tres en el país tiene menos de 100.

Cuando examinamos los colegios de Santo Domingo no notamos casi ninguna diferencia en la distribución de sus tamaños. Los colegios capitaleños hasta dan la apariencia de ser un poco más pequeños. Es decir, en el cuadro 24 se ve una leve tendencia por parte de los colegios capitaleños de caer más bien entre los más pequeños: Justo lo contrario de lo que el "sentido común" sugiere. También es interesante notar que el tamaño promedio de los colegios de la Capital es de 206 estudiantes por debajo de la cifra nacional de 221, y la cifra media para la Capital es de 130 estudiantes por escuela frente a 142 para todo el país. Pero las diferencias son tan leves que nos dicen muy poco.[56]

Cuadro 25
Distribución de los colegios según tamaño

	Número de colegios por categoría			
Tamaño colegio en	*Todo el país*		*Santo Domingo*	
cantidad de estudiantes	*Número*	*%*	*Número*	*%*
600 ó más	106	6.4	46	5.3
300 - 599	278	16.7	127	14.5
200 - 299	234	14.1	130	14.9
100 - 199	490	29.4	269	30.8
50 - 99	344	20.7	186	21.3
Menos de 50	213	12.7	116	13.2
TOTAL	1,665	100.0	874	100.0

Para hacerle honor al sentido común, que asume que los colegios de la Capital deben ser más grandes, saqué una submuestra de los colegios que tienen de 1,000 estudiantes para arriba, para analizar adónde quedan. El cuadro 27 parece devol-

[56]Se pueden mencionar, porque estos datos no constituyen una muestra sino un universo, y como tal, las pruebas de significancia estadística también hacen menos sentido. Su propósito es el de generalizar de una muestra a un universo o población total, lo cual no viene al caso con los presentes datos.

ver la Capital a su posición de honor: de los 31 colegios grandes 13 (42 por ciento) están en la Capital. Pero la supremacía capitaleña en colegios grandes es una ilusión óptica, pues más de la mitad de los colegios de todo el país están en la Capital. Uno esperaría que por lo menos la mitad de los colegios grandes se encontrara también en ella. Esto fortalece la anterior observación paradójica de que los colegios capitaleños parecen ser, no más grandes, sino quizás un poco más pequeños.

4. Los pocos colegios grandes sirven a la mitad de la población

Hemos visto que los colegios grandes son excepcionales. Pero no por eso dejan de tener importancia estadística en cuanto al gran porcentaje de la población estudiantil que captan.

Cuadro 26
Distribución de los colegios por tamaño

Tamaño colegio en cantidad de estudiantes	*Número de colegios por categoría*			
	Todo el país		*Santo Domingo*	
	Número	*%*	*Número*	*%*
600 ó más	97,867	26.6	42,299	23.5
300 – 599	113,901	30.9	51,123	28.4
200 - 299	56,006	15.2	30,975	17.2
100 - 199	68,428	18.6	38,270	21.2
50 - 99	25,650	7.0	13,888	7.7
Menos de 50	6,683	1.7	3,723	2.0
TOTAL	368,535	100.0	180,278	100.0

Generé una tabulación con las mismas categorías de la precedente: 600 o más, 300 a 599, etc. Pero ya en vez de contar la cantidad de colegios en cada categoría, conté la cantidad de estudiantes que asisten a colegios de aquella categoría. Vemos los resultados de dicha retabulación en el cuadro 26.

5. ¿Qué determina el tamaño del colegio?

Ya el cuadro cambia. Mientras los colegios de 300 estudiantes para arriba constituyen menos del 25 por ciento de todos los colegios, éstos captan casi el 60 por ciento de los estudiantes que entran en el renglón. Como se ve en el cuadro 25, los de la Capital captan un poco menos. Pero como las diferencias entre la Capital y el país en general son tan mínimas, concluimos que el tamaño general de los colegios se determina por factores que nada tienen que ver con su ubicación en la Capital o en otro pueblo o ciudad. Como dueño de colegio, mi presencia en la Capital influyó positivamente en mi decisión de abrir un colegio (vimos que hay una densidad mayor de colegios en la Capital). Pero luego, el tamaño del colegio que abro depende completamente de otros factores. ¿Cuáles son esos factores? Existen tres factores limitantes: capital, espacio y barreras pedagógicas.

1) *Capital.* Son muy pocos (o quizás ninguno) los bancos que financiarían la fundación de un colegio en la República Dominicana.[57] Hay bancos orientados al sector de las microempresas, que prestan dinero (cautelosamente) a pequeños colegios que ya existen. Pero el renglón educativo no es un renglón donde los bancos prestan con gusto. A ningún banco le molesta cerrar un colmado por falta de pago. Pero nadie querría cerrar un colegio y poner 200 niños en la calle. Para fundar un colegio, entonces, tengo que valerme de mis propios recursos o de los de mis amigos y familiares.

---

[57]Esta renuencia universal da testimonio del carácter mitológico de los rumores sobre "el negociazo" que tienen entre manos los dueños de colegio. Si fuera así, los bancos prestarían con gusto y hasta invertirían. Agradezco a dos directores de centros docentes, a José Luis Mesa, SJ, director del Instituto Agronómico de Dajabón, y a la Lic. Francette Calac de Armenteros, fundadora y directora del Colegio Babeque, por haberme hecho esa observación.

2) *Espacio.* Habiendo lanzado un colegio que va bien, podría acumular un capital que me permita expandir. Pero una mayoría abrumadora de colegios en la República Dominicana se encuentra en edificios que fueron construidos como viviendas. Aquello genera una seria limitación de espacio. La gran mayoría de los colegios de mil alumnos para arriba se encuentran en edificios verdaderamente escolares. En el caso del colegio típico, en cambio, la mayoría no sólo funciona en casas que fueron viviendas, sino que, además, son alquiladas.[58] Difícilmente permitirán sus dueños tumbar paredes para crear aulas más grandes. Y, de todas maneras, lo pensaría muy bien antes de invertir mi dinero en el mejoramiento y la expansión de un local que no es mío. En fin, el hecho de que el colegio típico se encuentra en una casa alquilada establece barreras al crecimiento físico de mi colegio, aunque tuviera acceso a más capital.
3) *Consideraciones pedagógicas.* Supongamos que mi planta física tiene salones suficientemente grandes para alojar 80 estudiantes por aula, y que tengo capital para comprar las butacas o los pupitres requeridos. Por razones pedagógicas, sin embargo, no puedo poner 80 estudiantes en un aula, aunque tuviera dos profesores en el aula.

El cuadro 27 analiza la distribución de colegios "gigantes", aquellos que tienen 1,000 estudiantes o más. Recuérdese que estos 31 colegios constituyen una pequeña minoría atípica del universo de más de 2,000 y pico de colegios. Hay que señalar que por lo menos uno de los colegios grandes en la lista, el de Monte Plata, pertenece a una categoría muy interesante que ya no es ni colegio tradicional ni escuela pública. Es de aquellas ya mencionadas "escuelas parroquiales", financiadas por el Estado como escuelas

[58]Son aseveraciones que hago basadas en observaciones más que en datos cuantitativos.

públicas, pero administradas por una congregación religiosa católica como si fueran colegios, con los mismos estándares exigentes del colegio católico tradicional de antaño. En el caso de Monte Plata, es una congregación de misioneras dominicas de España la que administran la escuela. Otros colegios grandes de la lista pueden caer en esta categoría también. Como no cobran, no son "colegios" en la terminología popular. Pero, por otro lado, sí son colegios porque: a) son dirigidos por religiosas y b) son de alta calidad. La gente lucha para que sus hijos consigan entrar en uno de estos.

Cuadro 27
Distribución de colegios gigantes
por Municipio

Municipio	*Cantidad de colegios gigantes*	*Cantidad estudiantes en dichos colegios*
Santo Domingo	13	19,139
Santiago	6	7,976
La Romana	3	4,273
San Cristóbal	2	2,237
Haina	1	1,400
Higüey	1	1,244
La Vega	1	1,500
Moca	1	1,162
Monte Plata	1	1,223
San Francisco de Macorís	1	1,206
San Pedro de Macorís	1	1,073
TOTAL	31	42,433

El tamaño de un colegio ejerce un impacto directo sobre su salud económica. Cuantos más estudiantes atraigo, más dinero me entra. La salud económica de mi colegio a su vez afecta el renglón más importante de su salud: su salud pedagógica, la calidad de la educación que brinda. Si tengo recursos puedo pagar buenos maestros, mejorar la planta física y tener buenos equipos.

Sigamos mirando por el momento aquella minoría atípica de colegios que cobran $500 o más por mes. Estos 326 colegios constituyen menos del 20 por ciento del universo entero de colegios. Entre estos colegios que cobran más que la mayoría, sería interesante examinar las diferencias entre los tres subsectores principales: colegios laicos, colegios católicos y colegios protestantes. En el cuadro 28 podemos observar que en este nivel de tarifas hay una leve tendencia a que los colegios católicos cobren un poco menos que los de los otros dos grupos, y los colegios seglares y los protestantes quedan cerca los unos de los otros en este renglón. Se debe tener en cuenta que por la gran varianza interna de las mensualidades, la cifra media representa mejor el caso del colegio típico en cada grupo, que la cifra promedio.

Cuadro 28
Cifras medias y promedio de colegios que cobran $500 ó más según orientación filosófico-religiosa
(Submuestra de 328 colegios - Año 2000)

Orientación	*Número colegios*	*Mensualidad media*	*Mensualidad promedio*
Católicos	69	$692	$894
Protestantes	30	$770	$1,077
Seglares	227	$800	$1,210

D. DISTRIBUCIÓN DE LOS COLEGIOS POR ORIENTACIÓN FILOSÓFICO-RELIGIOSA: CATÓLICA, PROTESTANTE, SEGLAR

El cuadro 28 suscita la pregunta de cómo categorizar los colegios. Los datos de la Secretaría de Estado de Educación nos permiten subdividir los colegios por diversas variables. Un planteamiento fundamental del presente libro es que hay tres grandes grupos educativos en el mundo occidental que han competido por el privilegio de educar a la juventud: el sector público, el sector religioso y el sector privado[59]. Los colegios dominicanos de hoy día, sobre todo la gran mayoría de los pequeños, son hijos accidentados y no necesariamente deseados de la Secretaría de Educación y de la Asociación Dominicana de Profesores (ADP). Es decir, ha sido una combinación de fallas por parte del sector público y de invasiones paralizantes por parte de un monopólico sindicato huelguista que engendraron el movimiento actual de colegios privados. El sector público pasa de ser el sector que mejor educaba en el país a ser el sector que peor educa. La explosión de colegios se debe a dicha crisis.

Los colegios pertenecen a dos de estos grandes grupos: el religioso y el privado. Pero el grupo educativo religioso, a su vez, puede y debe ser subdivido para fines de análisis en por lo menos dos grupos: colegios católicos y colegios protestantes. En tal marco, al acercarme a los datos nacionales, me planteé dos preguntas:

1) ¿Ha sido el sector privado seglar o el sector religioso el que ha respondido con más energía a la degeneración de la escuela pública?
2) Dentro del sector religioso ¿ha sido el subsector católico o el protestante el que ha respondido con más energía?[60]

---

[59]Para conveniencia terminológica, en estas páginas el término "sector privado" se refiere al sector seglar o laico. Aunque los colegios religiosos, por supuesto, también son privados.

[60]Hay una pequeña comunidad judía en la República Dominicana, y una sinagoga en Santo Domingo, con un remanente de la presencia judía también en Sosúa que data de los tiempos de Trujillo. Los esfuerzos educativos de la comunidad judía local se dirigen a actividades religiosas suplementarias. Por el tamaño pequeño de la comunidad, las familias judías dominicanas educan a sus hijos mayormente en colegios seglares como el Carol Morgan o el Babeque más que establecer sus propias escuelas judías.

Los datos de la Secretaría de Educación sobre los colegios no distinguían entre seglar, protestante o católico. Hice una categorización provisional y experimental de la "orientación filosófico-religiosa" de cada colegio a base de su nombre. Si el colegio porta un nombre sin referencia religiosa, como Colegio Tía Tatiana, Las Abejitas Laboriosas o Las Ovejitas Juguetonas[61], lo clasifiqué como seglar. Si porta el nombre de un héroe o acontecimiento nacional, como Duarte o Mella, también lo clasifiqué como seglar. Aun así, había excepciones. El Colegio Cristiano Juan Pablo Duarte, en Higüey; Colegio Evangélico Salomé Ureña, en San Cristóbal, que clasifiqué como protestantes por lo de cristiano y evangélico. También un colegio en el norte se llama, según datos de la Secretaría de Educación, Colegio Evangélico Eugenio María de Hostos, el cual clasifiqué como protestante. (Me imagino que el Maestro finado gritaría en su tumba de saber que un colegio evangélico porta su nombre.)

También era posible, en la mayoría de los casos, distinguir entre colegios de orientación católica y protestante por el nombre. Colegios con los nombres "Bautista" a menos que no fuera precedido por San Juan), Adventista, Presbiteriano y Evangélico pudieron identificarse como protestantes, al igual que colegios con el nombre "Cristiano". Los católicos se consideran cristianos, pero el mundo protestante parece haber acaparado la etiqueta. Los colegios con los múltiples nombres de la Virgen son obviamente católicos, al igual que colegios con el nombre de un

---

[61]El examen de la lista de nombres resultó ser un ejercicio sociolingüístico. El susodicho colegio apareció en la lista de la Secretaría como Obejitas Juguetonas. Asumí que los animales juguetones eran ovejitas más bien que abejitas, que pican más que juegan. Otras joyas lingüísticas que salieron de la SEE eran Colegio Mi Primer Perdaño, Colegio Simón Bolival, Intituto Serrano, Infantil Rinkón, Colegio Venus, Colegio Joyas de Crito, Colegio Prebisteriano, Colegio San Isisdro, Colegio Epicopal San Grabiel. Los colegios con nombres extranjeros también se transformaron con creatividad: Colegio Jhon Devay (John Dewey?), Colegio Salvador Doli, Norsery Escolar la Pimpi, Maternal Burgs Bunny.

santo. Pero me sorprendió ver en Monte Plata un "Colegio Cristiano Reformado Santa Alicia". Resulta que no se refiere a la santa católica en sí, sino que ese es el nombre del vecindario donde está ubicado el colegio. El catolicismo de colegios con nombres de santos tampoco se aplica si sus nombres son en inglés (St. Michael, St. George). Tales colegios bilingües son en su mayoría seglares. Los colegios con nombres en inglés se clasificaron como protestantes sólo cuando llevaban la palabra explícita "Christian".

El hecho de que incluyéramos a todos los colegios protestantes en una categoría analítica no quiere decir que constituyen un bloque internamente solidario. Hay muchos protestantes que sacarían a los adventistas del rubro cristiano. También hay que cuidarse con la aplicación de la etiqueta de "católico". El carácter "católico" de muchos colegios cuyo dueño le pone el nombre de un santo podría cuestionarse. Para ser reconocido oficialmente por la Iglesia Católica como colegio católico, hay que estar entre los 208 colegios que pertenecen a la Unión Nacional de Colegios Católicos, no sólo ponerle al colegio el nombre de un santo o del Sagrado Corazón. Aunque sé por experiencia personal que hay colegios con nombres seglares que tienen una orientación católica, hasta el punto de preparar el subgrupo de sus alumnos católicos para la primera comunión. Pero eso no los convierte en un colegio religioso.

Es decir, hay que reconocer las limitaciones metodológicas del uso del nombre para clasificar un colegio religiosamente. Por eso utilizo el término "orientación filosófico-religiosa" más bien que "religioso". La dueña que le pone un nombre seglar a su colegio, por católica o evangélica que sea ella misma, está haciendo una declaración pública sobre la orientación general de su colegio. Al igual que la persona laica que, sin aprobación eclesiástica, llama a su centro educativo "Colegio Sagrado Corazón". Algo está pregonando sobre la orientación del colegio. Por eso, seguiré con la clasificación, a pesar de sus limitaciones metodológicas. Deseo usar los datos para contestar las dos susodichas preguntas, es decir, identificar la fuerza relativa de los distintos sectores y subsectores en la educación no-pública, en el mundo de los colegios.

El cuadro 29 nos da una respuesta preliminar y muy reveladora. Hasta más o menos el año 1970 el fenómeno del "colegio" en la República Dominicana era principalmente un fenómeno católico. La historiografía de los colegios, empezando con el Colegio de Gorjón en los tiempos coloniales, era más bien un subtema dentro de la historia eclesiástica. Había excepciones, como un colegio misionero protestante fundado en 1933 que luego se convertiría en el Carol Morgan de hoy en día, al igual que el colegio seglar Luis Muñoz Rivera, fundado más o menos en la misma época histórica. Pero eran excepciones aleatorias. El colegio dominicano era un colegio católico.

Cuadro 29
Distribución de colegios según orientación filosófico-religiosa

	Todo el país		*Santo Domingo*	
Orientación	*Número*	*Por ciento*	*Número*	*Por ciento*
Católico	293	16.2	146	15.8
Protestante	304[62]	16.8	138	15.0
Seglar	1,209	67.0	638	69.2
TOTAL	1,806	100.0	922	100.0

[62]Según Ramón Alonso, rector de la Universidad Católica Santo Domingo, hay unos 400 colegios protestantes en el país, es decir, más o menos el doble de la cantidad que él mismo cita (208) para la Unión Nacional de Escuelas Católicas (UNEC). (HOY, 22 de octubre de 2000, reportado por L. Jiménez.) Presumo que él goza de cifras más completas y fidedignas que la base de datos de la SEE en la que se basa el presente capítulo. Entonces, en la lista de la SEE que utilicé para este capítulo, sobran colegios católicos y faltan colegios protestantes. No sé a qué atribuir la discrepancia. Sospecho que una parte de los colegios que clasifiqué como "seglares" por la ausencia de elementos religiosos en sus nombres pueden ser realmente colegios protestantes. Pero de todas maneras según los datos suministrados por Alonso, la presencia

Ya no. Las cifras dan evidencia de una transformación estructural dramática. En términos educativos, la Iglesia Católica ya es un actor que trabaja como quien dice, a la sombra no sólo del Estado con su red de escuelas públicas y con su Secretaría de Estado reguladora, sino también a la sombra del sector privado. Dos de cada tres colegios en la lista de la Secretaría son colegios privados y laicos. No sólo eso, sino que aun dentro del sector educativo religioso, la Iglesia Católica ya no lleva la voz cantante. Comparte el escenario educativo con otras denominaciones cristianas. Hay 293 colegios con nombres católicos y 304 con nombres que parecen indicar afiliación protestante.

El cuadro da evidencia dramática de la transformación profunda que en las últimas décadas ha sucedido en el balance de "poder educativo" en el país. Es más, si aceptamos la definición más oficializada de lo que constituye un colegio católico, es decir, si incluimos en el rango católico sólo los 208 colegios que pertenecen a la organización oficial[63], entonces la influencia cuantitativa de la Iglesia Católica se encogería aun más.

La merma de la importancia estadística de la Iglesia Católica en el renglón educativo no-público se debe, entonces, a pro-

---

protestante no es igual a la católica (como aparece aquí), sino el doble de la católica, por lo menos en términos de números de centros docentes. El brote de actividad educativa protestante en el país durante las últimas décadas ha sido extraordinario. Alonso, un representante del sector católico, reconoce públicamente el valor del aporte del sector protestante.

[63]Para hacerse miembro de la UNEC, la organización católica, un colegio debe reunir condiciones apropiadas para una entidad educativa católica "...en cuanto a organización, lineamientos pedagógicos y aceptación de los principios evangélicos para la educación." R. Alonso, citado en HOY, 22 de octubre de 2000. Hay 208 colegios católicos en la organización oficial. Por lo menos 200 de ellos son manejados por congregaciones religiosas. Entre ellos hay casi cincuenta que se han convertido en escuelas parroquiales, con maestros pagados por el Estado, pero con gestión religiosa. Los otros 160 son colegios que cobran —colegios "de gestión privada". Agradezco al Lic. Reynaldo Infante, de la Unión Nacional de Colegios Católicos, quien me suministró las susodichas cifras en una conversación telefónica.

cesos históricos. Pero su retiro relativo del mundo de los colegios debe verse al lado de su inserción en la vida educativa del país con otras caras. Miremos tres de dichas caras.

1) En primer lugar ya hemos hablado de las escuelas parroquiales financiadas por el Estado y administradas por una congregación religiosa. Se estima que unos 50,000 estudiantes asisten a dichas escuelas. Aunque algunas de estas escuelas aparecen en la base de datos de la Secretaría, faltan otras. En términos legales constituyen escuelas públicas semioficiales. En términos reales, constituyen una participación y un aporte de la Iglesia Católica.
2) Existen los colegios del movimiento jesuita Fe y Alegría que trabaja en 13 países. Bajo un arreglo firmado entre la Iglesia y el Estado dominicano en 1990, empezó a trabajar en la República Dominicana. Actualmente, hay unos 15,000 estudiantes en sus escuelas en este país. La mayoría de los colegios de Fe y Alegría tampoco aparecen en la lista de la Secretaría de Educación, pero constituyen un aporte de la Iglesia Católica a la educación.
3) De manera más controversial, la Iglesia Católica sigue gozando, bajo los términos de un Concordato firmado en los años 50, del derecho de enseñar la religión en las escuelas públicas. Es decir, a pesar de su merma relativa en el mundo de los colegios sigue teniendo una influencia —según unos positiva y apropiada, según otros problemática e indeseable— aun en las escuelas públicas.

A veces las estadísticas engañan y hay que tener cuidado. Hay muchos colegios católicos, y entre ellos colegios muy grandes y famosos de la Capital, que no aparecieron en la lista de la Secretaría de Educación. ¿Será que los colegios católicos han sido más lentos en suministrar sus datos a la Secretaría? ¿Y por eso aparecen menos en la base de datos que se utilizó aquí? Para constatar rápida e informalmente abrí la guía telefónica de Santo Domingo y miré las entradas que empiezan con la palabra "Colegio". Saqué una muestra de 200 nombres. Apunté los nombres de aquellos colegios que aparecían en la guía telefónica pero que no se encontraban en la lista de la Secretaría. De los 200 nombres, faltaban 64. En otras palabras, más o menos 32 por ciento de los colegios capitaleños no están inscritos o no aparecen en la lista de la Secretaría de Educación; esto es, uno de cada tres.

Luego clasifiqué los colegios que faltan según orientación filosófico-religiosa usando los mismos criterios que utilicé para la lista de la Secretaría. Quería ver si los colegios católicos faltaban en proporción más grande que los seglares y los protestantes. De los 64 colegios ausentes, treinta (47 por ciento) son colegios seglares, veinte (31 por ciento) son colegios protestantes, y catorce (22 por ciento) de los ausentes son colegios católicos. A primera vista, entonces, los colegios católicos faltan menos de la lista de la Secretaría de Educación que los otros dos sectores. Como no conté ni clasifiqué el universo total de nombres de colegios en la guía, no se pueden hacer conclusiones estadísticas sobre estas cifras. Pero lo que sí se puede aseverar es que el modesto perfil de los colegios católicos en la lista de la Secretaría no es producto del "boicoteo" de los centros católicos a la encuesta realizada por esa Secretaría de Estado. Al contrario, los colegios católicos parecen haber respondido a la encuesta en mayor número que los protestantes y los seglares.

En párrafos anteriores vimos que los colegios católicos cobran un poco menos que sus contrapartes protestantes y seglares. Pero según el cuadro 30 tienden a tener más estudiantes. Mientras el sector católico tiene sólo el 16 por ciento de los centros docentes, enseñan al 24 por ciento de los estudiantes en el sector. Son los colegios seglares que tienden a ser un poco más pequeños. Mientras 67 por ciento de los colegios del sector son seglares, educan al 62 por ciento de los niños. Pero son diferencias numéricamente pequeñas.

Cuadro 30
Número de estudiantes y maestros
por orientación filosófico-religiosa
en todo el país

	Colegios		*Estudiantes*		*Maestros*	
Orientación	*Número*	%	*Número*	%	*Número*	%
Católico	293	16.2	89,305	24.4	3,786	22.2
Protestante	304	16.8	63,280	17.3	2,756	16.2
Seglar	1,209	67.0	213,459	58.3	10,477	61.6
TOTAL	1,806	100.0	366,044[64]	100.0	17,019	100.0

Cuadro 31
Distribución geográfica de colegios
por orientación filosófico-religiosa

	Orientación							
	Católico		*Protestante*		*Seglar*		*TOTAL*	
Ubicación	*No.*	%	*No.*	%	*No.*	%	*No.*	%
Santo Domingo	146	15.8	138	15.0	639	69.2	923	100.0
Santiago	27	13.8	28	14.3	141	71.9	196	100.0
Puerto Plata	5	9.3	10	18.5	39	72.2	54	100.0
Resto del país	115	18.1	128	20.2	390	61.7	633	100.0
TOTAL	293	15.7	304	16.8	1,209	67.0	1,806	100.0

Es interesante preguntar si hay diferencias entre los sectores en cuanto a su ubicación geográfica. Uno podría plantear la hipótesis de que los colegios seglares, acusados de correr detrás

[64]Había muchos colegios para los cuales faltaban datos sobre la cantidad de estudiantes; por lo tanto, esta cifra no puede tomarse como numerador para dividir entre la cantidad de escuelas. El colegio promedio en el país tiene unos 220 estudiantes, cifra obtenida de dividir el total de estudiantes entre los 1,665 colegios para los cuales había datos sobre el estudiantado.

del "lucro", se concentran en la Capital. De ser cierto eso, los colegios religiosos se encontrarían en mayor cantidad en el resto del país.

El cuadro 31 da muy poco apoyo a tal planteamiento. Desde un punto de vista estadístico, la probabilidad de que un colegio seglar se establezca en la Capital o en otra parte es igual que la probabilidad de la ubicación de un colegio católico o protestante. Los tres sectores sirven de manera igual a todas las regiones del país.

E. Gastos del colegio típico

Antes de abordar el tópico de las entradas de los colegios, examinemos breve y esquemáticamente los desembolsos más importantes que estos deben realizar. El cuadro 32 hace una lista de las categorías de gastos que un colegio de clase media o alta puede tener.

Cuadro 32
Categorías de gasto para un colegio típico de clase media/alta

Sueldos	• Personal administrativo (Director, etc.) • Personal docente • Personal de apoyo (conserje, portero, etc)
Gastos adicionales para el personal	• Seguros • Pensión • Capacitación de maestros
Gastos en materiales educativos y administrativos	• Material gastable enseñanza (tiza, etc.) • Material didáctico • Material gastable oficina
Equipamiento	• Biblioteca • Laboratorio • Equipos para deportes

Cuadro 32 (Cont...)

	• Computadoras • Equipos oficina (teléfonos, fax, etc.) • Areas de recreo y juegos • Mobiliario Planta eléctrica
Gastos para la instalación física	• Alquiler • Energía eléctrica • Combustibles y mantenimiento planta • Agua • Teléfonos • Recolección de basura • Mantenimiento y limpieza
Misceláneos	• Costos de asambleas • Reuniones de padres • Alquiler de sillas y pantallas de proyección • Picaderas, refrigerios y café • Eventos especiales • Publicación Anuario

El gasto mayor lo constituyen los sueldos del personal docente y del personal de apoyo. En los colegios más élite, donde se hacen constantes inversiones educativas, el porcentaje del gasto total que sale en sueldos puede bajar a menos del 50 por ciento, sobre todo si el colegio tiene gastos de expansión de la infraestructura física. En colegios de barrios humildes los gastos de sueldos pueden exceder hasta el 90 por ciento de los gastos totales.

F. SISTEMAS DE PAGO

Entremos, finalmente, en el candente tema del dinero que cobran los colegios. A diferencia de la escuela pública, el colegio tiene que comportarse como una empresa que genera sus fondos a base de lo que paga su clientela. El director ideal de escuela pública lleva dos sombreros: el de pedagogo y el de supervisor/administrador. Pero el dueño/director de colegio privado tiene que ponerse un tercer sombrero: el de empresario generador y administrador de fondos. Necesita calcular gastos y generar ingresos suficientes para cubrir los gastos y dejar algo adicional.

Para abordar el tema de los ingresos de los colegios, debemos hablar primero de las dos principales fuentes de ingreso, de los dos ritmos de ingresos y, finalmente, de los montos que se cobran en la República Dominicana. El asunto de los gastos y los beneficios es un tópico aparte. Empecemos simplemente con los ingresos.

1. Dos fuentes de ingreso: La inscripción y la matrícula

La fuente principal de ingreso del colegio es "la matrícula," es decir, la suma mensual que el colegio cobra a cada estudiante. Una fuente secundaria la constituyen la inscripción y la reinscripción. Uno compra el privilegio de entrar al colegio pagando una vez al año una suma que se llama "la inscripción". En algunos casos, se cobra una inscripción el primer año que luego es reducida en los años subsecuentes, o puede mantenerse igual. El monto de la inscripción como porcentaje de la mensualidad varía enormemente de un colegio a otro. En colegios de barrio el monto de la inscripción puede ser entre la mitad y el 75 por ciento del monto de la matrícula mensual. En los maternales elitistas la inscripción inicial puede equivaler a 3 mensualidades. Pero como la inscripción se paga una vez al año y la mensualidad 10 veces al año, la inscripción constituye una fuente secundaria de ingreso, agregando entre un 8 y un 15 por ciento al ingreso anual total del colegio.

2. Dos formas de pago: La mensualidad y el pago por adelantado

La columna vertebral económica del colegio es su matrícula, la suma mensual que cobra por alumno. Hay dos sistemas distintos de pagarla. En los colegios de $1,000 mensuales para abajo, cuya clientela viene de estratos con menores recursos económicos, los pagos son verdaderas "mensualidades", sumas que los padres pagan mes por mes. En los colegios más caros de clase media o alta, la mayoría de los colegios suele imponer un sistema de pre-pago. Examinemos los dos sistemas.

El sistema de cobro del colegio de barrio, y de una pequeña minoría de colegios más elite, es el de la cuota mensual que los padres pagan durante los diez meses en los cuales los estudiantes asisten al colegio. En teoría, el ingreso anual de un colegio se calcularía sumando la inscripción, más las 10 cuotas de la matrícula. Pero sólo en teoría, sobre todo si soy director de colegio de barrio. En tal situación no puedo calcular tan simplemente los potenciales ingresos de mi colegio. En primer lugar, tendré que bajar el precio mensual con familias que mandan tres o cuatro niños a mi colegio. Al segundo, tercero y cuarto tendré que cobrarles menos. Tal concesión puede darse también en algunos colegios más caros. Pierdo ingresos. Pero constituye al mismo tiempo un mecanismo de atraer y captar clientela.

Pero como director de colegio de barrio, donde más sufro pérdidas no es en aquellas semi-becas que doy. Donde más sufro es en el asunto de la morosidad en el pago por parte de muchos padres. El tema de la morosidad constituye uno de los dolores de cabeza más fuertes para el director, y un tópico de conversación constante entre directores. De hecho, la morosidad puede resultar tan seria que hasta les cuesta trabajo cumplir con la nómina. O tienen que coger dinero prestado a corto plazo para pagar a los profesores a tiempo —un arreglo de emergencia no sostenible. O con más probabilidad "tengo que rebajarme ante mis profesores y pedirles que por favor aguanten una o dos semanas del nuevo mes para cobrar el mes que acaba de pasar." Una situación vergonzosa para un director. Y desagradable para todo el mundo.

Tales circunstancias impactan negativamente la calidad de la enseñanza en dos sentidos: en primer lugar le mina la autoridad como director ante los profesores. Sabotea una de las más grandes ventajas que el colegio ofrece sobre la escuela pública: la capacidad del director para insistir en el cumplimiento de sus responsabilidades por parte del personal docente. Pero si no estoy cumpliendo con los profesores con pagos puntuales, difícilmente puedo imponerme si se toman ciertas libertades con respecto a la hora de llegada al colegio o con ausentismo laboral. Y aun cuando llegan a tiempo y cumplen, lo hacen con mala cara, para hacerme sentir que estoy en falta porque les debo dinero.

Formulando el asunto en términos más abstractos, la morosidad en el pago de la matrícula por parte de tantos padres sabotea los mecanismos de control interno que cualquier sistema necesita sobre los movimientos o la conducta de sus componentes. Muchos colegios pequeños sufren dilemas serios en este sentido.

Pero la morosidad en el pago también sabotea lo educativo en un segundo sentido. Si a mí y a mi colegio nos va mal en sentido económico, muy poca tranquilidad mental tendré para ocuparme de lo pedagógico. Mis energías tendré que dedicarlas a la supervivencia económica y a la resolución de tensiones con los padres que no pagan, y con los mismos profesores que me perderán el respeto por estarles fallando siempre en el pago. Mi compromiso con el mejoramiento pedagógico del colegio puede caer en un segundo plano. Lo primero es sobrevivir.

Los dilemas económicos de los colegios más pudientes son menores. Es cierto que a veces aun aquellos colegios más privilegiados tienen que bregar con morosidad por parte de padres que caen en una que otra crisis real, o por parte de ciertos "malapagas" obstinados. Pero tales colegios disponen de un nivel de capitalización que les permite amortiguar los efectos de la morosidad. Su protección mayor en ese sentido, sin embargo, no es su cuenta bancaria, sino la muy difundida práctica de exigir pagos globales adelantados. Algunos insisten en el prepago del año académico entero en la primavera o en el verano que precede el inicio del año escolar. La mayoría ofrecen otros paquetes y formulas menos exigentes. Puedo pagar quizás tres veces al año por trimestre. Pero con mucho tiempo de adelanto. Pago en abril el trimestre que comenzará en septiembre y así sucesivamente.

Dicho sistema de prepago conlleva varias ventajas financieras para el colegio: reduce a un mínimo la incidencia de morosidad tan económicamente dañina; reduce a un mínimo también la incidencia de servicios educativos brindados pero no pagados. En el barrio el padre que no ha pagado durante cuatro meses aparece humildemente a pedir disculpas en el despacho del director. Pero ya la docencia ha sido impartida durante varios meses. La única arma real de que dispone el director es no dejar que el niño se examine, o no darle los resultados de sus exámenes. Una medida muy cruel que puede ganarle muy mala fama. Como al colmadero que no fía. En cambio, el colegio que impone un sistema de prepago, de la modalidad que sea, puede evitarse problemas de manera anticipada, antes de que las clases se impartan.

Por supuesto, otra ventaja financiera que el prepago conlleva para el colegio son los intereses cobrados en cuentas bancarias. Probablemente, el impacto objetivo real de tales intereses en las finanzas del colegio sea modesto en la mayoría de los colegios. Pero la reacción subjetiva de muchos padres de clase media no tiene nada de neutral. Para empezar les cuesta mucho trabajo juntar el dinero para pagar la matrícula adelantada de tres o cuatro hijos de un solo golpe. Y para agudizar el dolor, a juzgar por varios comentarios, perciben que aquellos aprovechados del colegio se están metiendo los intereses de nuestro dinero en sus bolsillos codiciosos. Es la clase media urbana la que más sufre tal situación. Los pobres no pagan por adelantado y mal cumplen con su mensualidad, y los muy acomodados adelantan el dinero fácilmente, la mayoría sin grandes dificultades objetivas ni resentimientos subjetivos.

Es la clase media la que sufre este arreglo. Por un lado, ya no están dispuestos a mandar a sus hijos ni a la escuela pública abarrotada y desastrosa de su vecindario, ni tampoco a un colegio de $500 ó $600 pesos mensuales, sobre cuya calidad educativa albergan dudas o convicciones negativas. Paradójicamente, insisten en un colegio que no cobre muy poco, que no esté por debajo de lo que pagan los demás miembros de su círculo social. "Me dicen que aquel colegio da muy buena educación," se ha oído decir a una señora de la clase media, "Si suben su matrícula pondré a mis hijos allá." Dejaré al lector dominicano analizar las implicaciones ricas y complejas de tal aseveración, de que pondría a mi hijo a estudiar en tal lugar si sólo tuviera matrículas más elevadas.

Pero sean cuales sean las dificultades que se crean para la clientela de clase media de dichos colegios, el sistema de pago adelantado libera al colegio de las incertidumbres económicas que azotan los colegios de barrio. ¿Los dueños de colegio insisten en el prepago para cobrar intereses sobre el dinero adelantado? ¿O instituyen tal arreglo para protegerse en contra de la morosidad en el pago? No hay que escoger. Los dos factores operan. Las entrevistas y conversaciones me inclinan a dar más peso a la segunda razón. Su intento con dicho arreglo puede ser más el de protegerse. Hay que verlo en contexto histórico. Las escuelas gratuitas de Trujillo eran excelentes. Surgieron los colegios privados mientras la educación gratuita de alta calidad desaparecía con el deterioro de las escuelas públicas. Algunos de los que acuden a los colegios parecen hacerlo con cierto resentimiento, para no decir rencor. Si pertenezco a tal grupo, siento resentimiento teórico en contra del Estado cuyas escuelas se han deteriorado. Es un resentimiento teórico, y como quien dice leve, porque ya no espero nada positivo del Estado y jamás en la vida pondría a mis hijos en sus escuelas. Pero siento un resentimiento concreto e inmediato en contra de los "bandidos" que se atreven a cobrar tan cara la educación que ya estoy obligado a comprar de ellos. Dada la presencia de tales sentimientos en un porcentaje no determinado pero real de la población, los dueños de colegio probablemente no se hayan equivocado en imponer un sistema de prepago.

A los colegios de barrio les iría mejor si pudieran instituirlo también. Muchos padres caen en morosidad por verdadera necesidad económica. Pero otros padres y otras madres dejan de pagar porque han dado prioridad a otros renglones de consumo, sea en tiendas de ropa o de electrodomésticos, sea en colmados, sea en salones de belleza. ¡Que se aguante el director del colegio!. Pero éste, a su vez, no goza de la opción del obligatorio pago adelantado. Vive de mes en mes, al igual que la clientela que sirve. La clase media de los ensanches de mejores ingresos, en cambio, sí puede apretarse el cinturón. Algunos gritan, pero acaban soltando en abril el dinero para septiembre, octubre y noviembre.

En breve y en resumen: existen dos ritmos distintos de pago en el renglón de la educación privada en la República Dominicana, el pago mensual y el pago por adelantado. En este sentido, la situación local se parece a lo que se usa en otros países también. En una ciudad de la Florida, nuestro hijo asistió a un colegio que escogimos por su orientación filosófico-religiosa. Como había familias de todas las capas sociales de la ciudad, y como el colegio existía en función de una mística educativa, ajustó tanto el monto de su matrícula como el ritmo de los pagos a la situación de los menos pudientes entre su clientela. Pagábamos, por lo tanto, cada mes en vez de por adelantado. Pero hay otros colegios más elitistas, con otras orientaciones filosóficas y con una clientela más restringida a los estratos más adinerados. En tales colegios se utiliza el sistema de pago por adelantado. Esto protege al colegio del peligro del ingreso de familias menos pudientes que podrían caer en problemas con la matrícula.

G. LAS CUOTAS MENSUALES

1. Monto de las cuotas mensuales

Las controversias públicas más candentes no giran alrededor de los aludidos sistemas de pago. Los gritos que se pegan al cielo no enfocan la práctica del prepago obligatorio. El tema más controvertido de los colegios privados ha sido el monto de las cuotas que cobran. Se ha creado un ambiente de opinión pública negativa en cuanto a los colegios —sean seglares o religiosos— y los precios supuestamente abusivos que cobran. La opinión pública ha sido forjada a base, no de conocimientos empíricos ni de las matrículas reales ni de los costos reales del colegio típico, sino basándose en conjeturas, suposiciones, prejuicios y cierto nivel de desprecio social en contra del sector educativo del país. Así mismo hay una tendencia a asumir el derecho a una educación de colegio privado, pero una decidida renuencia por parte de muchos a pagarlo. El investigador oye un montón de comentarios negativos cuando se habla de la educación. "Los maestros y los funcionarios del sector público son vagos e incompetentes, y los dueños de colegios privados son unos aprovechados." No hay buenos de la película. No hay héroes. Sólo hay malos. Nadie me lo dijo textualmente. Pero es la imagen que emerge de centenares de comentarios.

Si examinamos los datos, en cambio, los "aprovechados" desaparecen, reemplazados por pedagogos que se han lanzado a fundar su propio colegio, que tienen gastos qué cubrir, que cubren los gastos, que en ciertos casos generan márgenes aparentemente razonables, y que en el proceso brindan un servicio en general apreciado por la clientela. Espero justificar tales aseveraciones con datos concretos. La Secretaría de Educación hizo el gran aporte de intentar recoger información empírica sobre los precios reales de cada colegio en todo el país. En la base de datos que ese organismo había recopilado hasta el momento de este estudio todavía faltaban entre un cuarto y un tercio de los colegios del país. Pero la información excelente que se tiene ya sobre más de 1,800 colegios nos suministra una visión más empírica de la realidad de los colegios.

No uso la palabra "excelente" a modo de cortesía ni para complacer. Se hicieron llamadas telefónicas esporádicas para verificar los montos de matrículas reportados por algunos colegios capitaleños. Se reportaron cifras sólo de $200 ó $300 más de lo que aparece en la base de datos justo lo que uno esperaría si los datos son sobre las matrículas del año anterior, y los montos dados por teléfono corresponden a las matrículas del año que viene. No es de sorprenderse. Los dueños de colegio difícilmente reportarán matrículas falsas por escrito al Estado, cuyos inspectores podrían detectar cualquier mentira con una simple llamada telefónica por parte de un "cliente interesado".

2. Mensualidades medias y promedio

Como ya he mencionado, la mensualidad media nacional de todos los colegios (en ese momento) era de $275. Es decir, que el colegio dominicano típico cobraba unos $US14 dólares (a precios de 2000). El promedio nacional es de $429, pero ésta no es una medida estadística válida debido al pequeño número de colegios con costos altos que distorsionan el resultado. Por ejemplo, tomemos el caso de una aldea con 5 casas. Cuatro de las casas ganan $2,000 mensuales. Una casa gana $500,000 mensuales. El ingreso promedio de dicha aldea es $101,600 mensuales. Pero dicho promedio sería absurdo como medida del nivel de bienestar económico en la aldea. En tales casos de fuerte varianza interna no se usa la cifra promedio, sino la cifra media. La mensualidad media, es decir, la mensualidad del colegio típico en la República Dominicana, es de RD$275 mensuales.

Existen datos financieros calculables para 1,603 de los colegios en la base de datos de la Secretaría. El cuadro 33 desglosa los colegios en subgrupos según el monto mensual cobrado.

Cuadro 33
Número y porcentaje colegios por mensualidad en todo el país

Mensualidad	*Número*	*Por ciento*
$3,000 o más	17	1.1
$2,000 - $2,999	20	1.2
$1,500 - $1,999	30	1.9
$1,000 - $1,499	49	3.1
$750 - $999	53	3.3
$500 - $749	158	9.9
$250 - $499	654	40.8
Menos de $250	622	38.8
TOTAL	1,603	100.0

Cualquier lector puede captar la distribución. Pero para el lector dominicano esta tabulación goza de especial importancia. Para un lector objetivo, interesado en la realidad honesta de las tarifas cobradas por los colegios dominicanos, esta tabulación debe meter en un ataúd y enterrar para siempre la noción estereotipada y empíricamente equivocada de que los educadores dominicanos del sector privado son una pandilla de comerciantes que sirven principalmente a los sectores élite de la sociedad. Miremos los datos. *Ochenta por ciento de los colegios cobran $500 pesos o menos por mes. Casi cuarenta por ciento cobran menos de $250 pesos.* Ninguna pareja dominicana de clase media para arriba pondría a sus hijos en un colegio de menos de $500. Aquel ochenta por ciento que acude a colegios baratos reside en sectores pobres.

También al lector internacional, acostumbrado a leer informes que tildan de elitista el fenómeno de la escuela privada en América Latina, le incumbe repensar dicho estereotipo. A falta de datos comparativos, no puedo aseverar que las escuelas privadas de todas las Américas sirven principalmente a sectores marginados, como lo hace la escuela privada dominicana. Pero es bien posible que tal distribución se dé en otros países también. Los datos existirán ya para hacer tales comparaciones. Que se hagan. Y mientras tanto que se ponga en una gaveta cualquier presuposición sobre el carácter elitista de la educación privada en América Latina.

El cuadro 34 indica que la ubicación del colegio ejerce un impacto sobre el monto de la cuota mensual. El 7 por ciento de los colegios en todo el país cobran mil pesos o más. Pero estos colegios más caros tienden a funcionar en Santo Domingo, Santiago y Puerto Plata. La concentración de los colegios muy caros parece ser más fuerte en Puerto Plata. Casi uno de cada cinco de los 36 colegios privados en Puerto Plata cobra más de mil pesos. En el resto del país, vemos que sólo uno de cada cincuenta cobra aquella cantidad alta. En la Capital, sólo uno de cada diez colegios cobra mil pesos o más. Por razones que no se han analizado, los colegios de Puerto Plata tienden a ser más caros, aun más caros que los de la Capital.

Cuadro 34
Número de colegios según monto de la mensualidad por ubicación geográfica

	Mensualidad							
	$1,000 ó más		*$500-$999*		*Menos de $500*		*TOTAL*	
Ubicación	*No.*	*%*	*No.*	*%*	*No.*	*%*	*No.*	*%*
Santo Domingo	81	9.4	131	15.2	650	75.4	862	100.0
Santiago	19	10.3	28	15.1	138	74.6	185	100.0
Puerto Plata	6	16.7	9	25.0	215	8.3	36	100.0
Resto del país	10	1.9	43	8.3	467	89.8	520	100.0
TOTAL	116	7.2	211	13.2	1,276	79.6	1,603	100.0

Miremos los datos de otra manera. Usando como base de análisis la mensualidad media que se cobra en cada lugar, el colegio típico de Puerto Plata cobra $376 pesos mensuales, los de Santo Domingo y Santiago cobran $300, y en el resto del país el colegio típico cobra $240. Recordemos que la media para todo el país, sin distinguir por región, es de $275.

Cuadro 35
Mensualidad media por ubicación
en todo el país

Ubicación	*Número colegios*	*Mensualidad media*
Santo Domingo	862	$300
Santiago	185	$300
Puerto Plata	36	$376
Resto del país	520	$240

El lector quizás quiera saber: ¿Quién cobra más: los católicos, los protestantes o los seglares?

El cuadro 36 distingue entre los tres subgrupos y separa la media del promedio. Los colegios seglares tienen un promedio más alto: $459 pesos mensuales. Pero aquella cifra artificial viene del hecho de que un pequeño número de colegios privados laicos cobran una tarifa muy alta.

Cuadro 36
Mensualidad media y promedio por orientación filosófico-religiosa
en todo el país

Orientación	*Número colegios*	*Mensualidad media*	*Mensualidad promedio*
Católico	263	$300	$425
Protestante	272	$220	$319
Seglar	1,054	$285	$459

Si miramos las más típicas cifras medias, el colegio católico típico cobra más que el colegio protestante típico e inclusive más que el colegio seglar. Dada la proximidad de las dos cifras —$300 para el colegio católico y $285 para el colegio laico— el lector con conocimientos estadísticos quizás considere que no hay diferencia estadística significativa entre los dos.

Pero hay que recordarle a tal lector que aquí se trata, no de una muestra de colegios, sino de un casi universo nacional. Dentro de ese contexto, el colegio católico típico cobra un poco más que su contraparte seglar y bastante más que su contraparte protestante.

Esta conducta aparentemente "carera" de los colegios católicos desaparece, sin embargo, si desglosamos los datos por región. Miremos el cuadro 37. La elevada media católica a nivel nacional se produce artificialmente por la conducta atípica de los colegios católicos de Santiago, los cuales cobran más que los otros dos grupos. Pero al mirar separadamente las regiones, vemos que en la Capital los colegios católicos cobran igual que los seglares; en Puerto Plata cobran menos que los otros dos grupos, y en el resto del país los colegios católicos son los más baratos de todos.

Cuadro 37
Mensualidad media por ubicación y por orientación filosófico-religiosa

	Colegios		
Región	*Católicos*	*Protestantes*	*Seglares*
Santo Domingo	$250	$213	$250
Santiago	$300	$200	$250
Puerto Plata	$325	$333	$500
Resto del país	$186	$200	$215

El carácter de barato del colegio católico se destaca, asimismo, tomando una submuestra de aquellos 328 colegios más caros que cobran $500 ó más. Si miramos sólo ese subgrupo en el cuadro 38, vemos que la mensualidad del colegio católico es la más modesta. El típico colegio católico de este subgrupo de colegios con mayores recursos cobra $692, mientras que el protestante cobra $770 y el seglar cobra $800.

Cuadro 38
Mensualidades medias y promedio
por orientación filosófico-religiosa
(Muestra: 328 colegios que cobran $500 mensuales o más)

Orientación	*Número colegios*	*Mensualidad media*	*Mensualidad promedio*
Católica	69	$692	$894
Protestante	30	$770	$1,077
Seglar	227	$800	$1,210

Nota: Por la gran varianza interna de las mensualidades, la cifra media representa mejor el caso del colegio típico en cada grupo que la cifra promedio.

En fin, que podemos concluir lo siguiente de nuestro análisis de los datos sectoriales y nacionales.

1) El colegio privado dominicano sirve principalmente a los sectores pobres de la nación.
2) Las acusaciones de cobros abusivos lanzadas al sector educativo privado en general por parte de los medios de comunicación y por ciertos funcionarios gubernamentales parecen ser incompatibles con la realidad de los modestos aranceles medianos recogidos por el propio gobierno.
3) Los colegios seglares ya inciden mucho más fuertemente en el mundo educativo dominicano que los colegios religiosos.
4) Los colegios protestantes ya tienen una incidencia más fuerte que los colegios católicos, por lo menos en cuanto a la cantidad de colegios se refiere.
5) Los colegios católicos, sin embargo, tienden a tener un mayor número de estudiantes y, con la excepción de los colegios católicos de Santiago, tienden a cobrar tarifas más reducidas que los colegios de los otros dos sectores.

H. Ingresos de los colegios dominicanos: Análisis cuantitativo

Se pueden usar las cifras para calcular también el ingreso bruto aproximado de los colegios, combinando la cifra de la cuota mensual con la cifra de la cantidad de estudiantes. Como algunos estudiantes reciben becas y como los padres de los colegios más pobres caen muchas veces en morosidad, tales cálculos quizás sobreestimen los ingresos brutos reales. Pero con tal cautela podemos utilizar la base de datos de la Secretaría de Educación para calcular, de manera somera y aproximada, los ingresos anuales de los colegios. Utilizaré dos variables: número de estudiantes y matrícula promedio para los tres niveles. La multiplicación de la matrícula mensual por la cantidad de estudiantes nos da el ingreso global mensual de un colegio. Esta cifra luego se multiplica por diez para sacar el ingreso anual de la matrícula. A esta cifra anual luego se le agrega un 10 por ciento para estimar los ingresos adicionales que pueden llegar al colegio por derecho de admisión e inscripción.

Hay 1,482 colegios para los cuales los ingresos aproximados pudieron ser calculados. Hay que acordarse de dos limitaciones: primero, faltan de la lista entre un cuarto y un tercio de los colegios de la Capital, los cuales no aparecieron en la base de datos de la Secretaría. Algunos de los ausentes son de gran tamaño y hubieran figurado entre los "gigantes" de aparecer en la lista. Segundo, aun para los colegios que aparecían en la lista, faltaba una que otra variable (como número de estudiantes). Dichas lagunas en ciertas variables clave impidieron el cálculo de ingresos globales para muchos colegios.

El colegio de ingresos más fuertes en la lista es un colegio capitaleño de más de 1,400 estudiantes y con una matrícula promedio de más de $5,500 mensuales. Aplicando la susodicha fórmula, dicho colegio salió con un ingreso anual bruto de más de $87 millones. Al otro extremo, el que menos ingreso recibe, es un pequeño colegio, también de la Capital, que tiene once estudiantes, dos maestros, una matrícula mensual de $100 pesos, y un ingreso anual de $12,100. Los dos se llaman "colegios". Pero al mirar el asunto fríamente, cabe preguntarse: ¿Estos dos centros tan diferentes son realmente miembros de la misma categoría de fenómeno?

Pero mientras uno es una empresa formalmente constituida, el otro pertenece a una subcategoría que ni es empresa que paga empleados y cubre sus gastos con las matrículas, ni es escuela pública financiada por el Estado. Sin embargo, los dos son "minisistemas educativos". Su meta compartida es la de recibir niños y abrirles el camino del desarrollo de sus destrezas latentes.

Para fines de análisis económico habrá que distinguir entre las distintas subcategorías de colegios. Pero examinemos por el momento el panorama nacional.

Cuadro 39
Ingreso bruto anual de colegios de Santo Domingo
y de todo el país, vía cuotas mensuales[65]

	Todo el país		*Santo Domingo*	
Ingreso bruto anual	*Número*	*Por ciento*	*Número*	*Por ciento*
$10 millones o más	19	1.3	18	2.2
$1.7 M - $1.9 M	229	15.5	113	13.9
$1 millón - $1.69	151	10.2	87	10.7
$500,000 - $999,999	298	20.1	174	21.3
$300,000 - $499,999	267	18.0	150	18.4
$200,000 - $299,999	182	12.3	86	10.6
$100,000 - $199,999	192	13.0	108	13.3
Menos de $100,000	143	9.6	79	9.6
TOTAL	1,481	100.0	815	100.0

[65]Para el ingreso total habría que añadir entre un 8 y un 15 por ciento por costo de inscripción adicional a principio del año.

La cifra media nacional para los ingresos brutos anuales del colegio típico es de RD$462,000. Recordemos: tal cifra representa el caso típico. Prorrateado por mes se saca un ingreso mensual bruto de $38,500. Si el 75 por ciento de los ingresos se le van en gastos —generalmente la cifra en los barrios se acerca más al 90 por ciento— el dueño tiene un excedente mensual de $9,625. De ahí saca su sueldo. Ese colegio mediano típico es del barrio. Al igual que los dueños de colmado, el típico dueño de colegio de barrio no se asigna un sueldo. Mezcla las finanzas del colegio con sus finanzas personales. Saca para sus gastos lo que le sobra cada mes.

Estas cifras presuponen que todo el mundo paga. Pero eso casi nunca se da en el mundo del barrio. Dada la alta tasa de morosidad en los pagos, el dueño saldrá con la mitad. Se trata, en otras palabras, de un renglón cuyo actor típico, si le va más o menos bien, puede salir con cuatro o cinco mil pesos de sueldo por mes. Para no pecar a favor del sector, asignémosle los $9,000 pesos limpios. *Es justamente sobre este sector "abusivo" que el Estado quiere imponer un complicado y absurdo control de precios.* Es decir, la estereotipada imagen y la hostilidad pública engendrada por las tarifas supuestamente altas de un puñado de colegios elite ha conducido a la elaboración de una disparatada reglamentación nacional que, de implementarse, complicaría la vida de un grupo de educadores dedicados y trabajadores cuyo representante estadísticamente típico gana como mucho RD$10,000 pesos (US$500) mensuales. Tal política constituye una pura payasada nacional impuesta por políticos ofendidos por tener que pagar igual que todo el mundo en los colegios elite donde han decidido poner sus hijos, pero sin pagar lo que cuestan.

Pero espérese, lector paciente. La cosa se pone mejor todavía. Concluyamos este capítulo calculando el total gastado en educación privada en todo el país. Tenemos datos para calcular los ingresos aproximados de 1,481 colegios. Todos aquellos ingresos vienen de los pagos realizados por los padres. Los padres de aquellos 1,481 colegios gastan, en el curso de un año, un total aproximado de RD$1.82 mil millones en mensualidades y costos de inscripción. Pero faltan datos para muchos colegios. Planteé en el primer capítulo que puede haber 2,500 colegios en el país. Vayamos provisionalmente con esa cifra redonda. Quiere decir que tenemos datos financieros para sólo un 59 por ciento de los colegios. Redondeemos la cifra a un 60 por ciento. Si los padres de los colegios que faltan gastan más o menos igual que los padres de los colegios sobre los cuales tenemos datos, entonces los padres de la nación dominicana gastan, en la educación primaria y secundaria de sus hijos en colegios privados, unos RD$3 mil millones de pesos cada año.

Volvamos a las cifras que presentamos en el primer capítulo sobre los gastos anuales nacionales en cerveza, ron y cigarrillos. Los cálculos derivados de un análisis del ITBIS cobrado por el gobierno dominicano indican que el pueblo dominicano gasta cada año RD$36 mil millones en bebidas alcohólicas y RD$12.8 mil millones en cigarrillos. Acabamos de ver que en la educación de sus hijos en colegios privados gasta $3 mil millones. Lo que se gasta en la educación privada no llega ni al 25 por ciento de lo que se gasta sólo en cigarrillos y puros, sin contar la cerveza y el ron. Si juntamos los tres productos, sacamos un desembolso nacional de $48 mil millones en alcohol y tabaco. Quiere decir que por cada peso que el pueblo dominicano desembolsa para la educación privada de sus hijos, gasta dieciséis pesos para su ron, su cerveza y su tabaco. "Un momento. Esas cifras basadas en el ITBIS exageran lo que se gasta realmente en el consumo. Una parte se exporta, etc. etc." —Ah, muy bien. ¿Y el whisky que se importa? ¿No compensa? Pues, *nolo contendere.* Te regalo la mitad, para no exagerar. Aun así los dominicanos gastan de sus finanzas personales *—como mínimo—* 8 pesos en aquellos productos por cada peso gastado de sus finanzas personales en la educación de los hijos.

¿Qué se concluye de estas cifras espeluznantes? Que cada cabeza es un mundo. Y cada cabeza, sobre todo cada cabeza dominicana, tiene derecho a llegar a sus propias conclusiones sobre las prioridades económicas y sociales de los ciudadanos de su país. El autor, un antropólogo extranjero, concluye lo siguiente.

- Me equivoqué cuando les dije a unos amigos dominicanos que dejaran de exagerar cuando criticaban a su pueblo por su adicción colectiva a las bebidas alcohólicas y al tabaco, y su indiferencia hacia la educación. Les dije que tales planteamientos olían a estereotipos, que ya los dominicanos se preocupaban mucho por la educación de sus hijos, y que se necesitan cifras concretas antes de emitir tales juicios negativos. Pues ya tengo las cifras. La prioridad colectiva asignada al alcohol y al tabaco, concretamente medida en desembolsos financieros, es dieciséis veces más alta que la prioridad asignada a la educación de los hijos. Por un lado, yo tenía razón. Es cierto que el pueblo ya se interesa por la educación de sus hijos. Pero resulta que muchos no dejan que tal interés llegue al punto de interferir con su apego a aquellas otras prioridades. Mis amigos no tenían cifras. Pero tenían razón.
- La política de control de precios de los colegios, al igual que la retórica hostil en contra de los educadores privados que la acompaña, carece de justificación. Se basa en una fijación con los precios de ciertos colegios y maternales elite que constituyen menos del 5 por ciento del universo de los centros docentes particulares. De implementarse, causaría fricciones y conduciría al éxodo del magisterio por parte de algunos de los pedagogos más sobresalientes del país.

Hemos examinado en este capítulo ciertos aspectos del funcionamiento de los tres actores principales en el drama educativo: Estado, Iglesia y Sector Privado. Vimos que el más activo de los actores, el más enérgico en responder a la crisis de la educación dominicana, ha sido el sector privado. Se ha pasado ya el punto de no regreso. La educación privada de colegio ya es una presuposición central al *modus vivendi* de la clase media para arriba. Ya la educación de colegio es un *sine-qua-non*, una presuposición cultural tan profunda como un teléfono y un vehículo. Es el sector privado, el sector empresarial o microempresarial, el que ha respondido más enérgicamente con una oferta de los colegios nuevos requeridos.

En el próximo capítulo seguiremos examinando los datos sobre los colegios. Pero ya compararemos el colegio con las escuelas del sector público.

Capítulo VII

El maestro dominicano

A. Introducción

Este capítulo enfocará la figura clave de cualquier sistema educativo: el maestro. La calidad de un sistema educativo dependerá en última instancia de la cantidad y la calidad del profesorado. Algunas variables clave al respecto son:

1. La preparación profesional de los maestros;
2. La cantidad promedio de estudiantes por maestro;
3. Los mecanismos de actualización y supervisión de los maestros; y
4. El nivel de compensación de los maestros.

El informe estadístico de la Secretaría de Estado de Educación nos permite hacer generalizaciones sobre las primeras dos variables, pero para analizar las últimas dos variables debimos utilizar otras fuentes de información. Procederemos en orden lógico empezando con los datos disponibles sobre la preparación pedagógica de los maestros dominicanos.

B. Perfil Estadístico del Maestro Dominicano

1. Preparación profesional de los maestros

El magisterio dominicano bajo la primera ocupación militar y bajo el gobierno de Trujillo era un magisterio sin preparación académica sistemática. En cambio ya es un grupo con credenciales profesionales. A continuación los distintos grados de preparación profesional reconocidos por la Secretaría de Educación.

- Certificado de Estudios Superiores en Educación Básica
- Maestro Normal
- Profesor de Educación Básica
- Profesor de Educación Media
- Licenciatura
- Maestría
- Post-grado

El título más común entre los maestros dominicanos es el Certificado de Estudios Superiores en Educación Básica. El maestro normal, en cambio, tiene un bachillerato más algunos cursos especializados en educación. Las especializaciones siguen subiendo el escalafón magisterial —licenciatura, maestría, hasta doctorado. Los datos sobre los sueldos de los maestros que ventilaremos en este capítulo son los que prevalecían en el año 2000, el mismo año en que salieron los datos de la Secretaría sobre los colegios. Como se señaló anteriormente, ya los sueldos de los maestros están, por lo menos en principio, ligados a su nivel de preparación mediante un programa de "incentivos". Los incentivos académicos —y por lo tanto los niveles de sueldo— se mezclan con criterios no académicos (por ejemplo, número de niños dependientes). Pero ya los mecanismos de titulación están disponibles y el escalafón de sueldos magisteriales los toma en consideración.

El cuadro 40 traza la evolución de la titulación magisterial durante cinco años lectivos.

Cuadro 40
Cambios diacrónicos en la preparación profesional de los maestros en el renglón de educación básica (grados 1-8)

Año escolar	*Total maestros*	*Número sin yítulo*	*Por ciento sin título*
1990-1991	20,879	2,450	11.7
1991-1992	22,530	2,644	11.7
1992-1993	22,365	3,670	16.4
1993-1994	23,812	5,793	24.3
1996-1997[66]	35,777	7,947	22.2
1997-1998	28,511	6,252	21.9
1998-1999	28,089	5,791	19.9

Fuente: *Estadísticas e Indicadores de Educación*, 1996-1997, SEEC.

Notamos dos cosas inmediatamente:

1. La abrumadora mayoría de los maestros tienen algún título.
2. El porcentaje de maestros que no tienen títulos ha aumentado, desde uno de cada diez en el año noventa a dos de cada diez en tiempos actuales.

Sin embargo, otros datos de la Secretaría[67] indican que la mayoría de los que no tienen título están en vías de obtener uno. Y cabe indicar aquí que la cifra anterior de la titulación de los maestros dominicanos de más del 88 por ciento estaba por enci-

[66]La Secretaría de Educación no disponía de los datos por los años 1994-1995 y 1995-1996.

[67]Datos preliminares para el año lectivo 1997-1998.

ma de la cifra que se ha reportado para la América Latina en general, que andaba por el 75 por ciento en aquellos años.[68] El descenso más reciente en la tasa de titulación coloca al magisterio dominicano al nivel aproximado reportado para la América Latina en general.

No existe información sobre las posibles causas de dicho descenso en porcentajes de titulación pedagógica. Pero si se continúan los aumentos salariales y la aplicación de las actuales normas profesionales, se puede esperar un aumento en la cantidad de estudiantes que se especializan en la educación y, por lo tanto, un aumento en la tasa de titulación de los profesores.

El sistema educativo dominicano ya exige que en un colegio o una escuela haya cierto porcentaje de maestros titulados. Hay voces paradójicas que se están levantando, en el mundo industrializado, en contra de tales requisitos de titulación pedagógica, reclamos que podrían ser aplicables hasta cierto punto a la situación dominicana. Por un lado hay una creciente escasez de maestros en muchos distritos escolares. Por otro lado hay profesionales que se han ganado la vida como científicos o escritores o músicos o artistas o atletas, los cuales estarían dispuestos a compartir sus conocimientos como maestros, sea a tiempo completo sea a tiempo parcial, en las escuelas públicas. Sin embargo, no pueden. Son expertos en su campo, hasta con doctorados en algunos casos; pero como no cursaron estudios pedagógicos no están certificados como maestros. Y por lo tanto hay gremios (en Estados Unidos, por lo menos) que no permiten que su distrito escolar los contrate para enseñar.

---

[68]Comisión Internacional sobre Educación, Equidad, y Competitividad Económica en América Latina y el Caribe, El futuro está en juego: Informe de la Comisión Internacional sobre Educación, Equidad, y Competitividad Económica en América Latina y el Caribe. Publicado en Acción Pro Educación y Cultura (APEC), Memorias: Primer Congreso Internacional de Innovaciones Educativas Santo Domingo: CENAPEC, 1998, pp. 123-159. El dato sobre titulación se reporta en la página 141.

No vamos a resolver el dilema aquí. Por un lado, parece absurdo que haya distritos escolares donde un Michael Jordan no podría enseñar atletas, ni un Pavarotti ser maestro de canto. Pero, por otro lado, el saber hacer algo y el saberlo enseñar son dos cosas distintas. Un jubilado bostoniano viviendo en Bella Vista no necesariamente sería un buen maestro de inglés para niños dominicanos por el mero hecho de ser angloparlante. Hay que saber enseñar. Y un título pedagógico en principio garantiza que su portador no sólo sepa una materia, sino que también sepa enseñársela a la juventud.

El diseño del actual sistema dominicano permite más flexibilidad en este sentido. Las normas vigentes hablan de un *porcentaje* de maestros en cada escuela, colegio o distrito que deben ser titulados. Tal ventana fue abierta quizás para permitir a maestros novatos enseñar mientras consiguen su título. Pero por esa misma ventana podrían pasar también profesionales competentes en una materia que quieran dedicarse al magisterio. Es una ventana que debe mantenerse abierta.

Finalmente, hay escépticos que dirán: "Nos ayuda poco saber el porcentaje de titulación de los maestros si albergamos serias dudas en cuanto a la calidad de la capacitación que recibieron. Estos porcentajes no nos dicen nada sobre la calidad." Por supuesto, tales cifras no garantizan calidad. Es probable que haya deficiencias en la capacitación. Muchos maestros han comentado que las universidades que imparten la capacitación no necesariamente gozan de profesores que realmente saben de educación. O que aun habiendo capacitación adecuada, la calidad de la enseñanza puede sabotearse por factores exógenos —aulas demasiado llenas, molestosas intervenciones burocráticas o gremiales, y otros disturbios.

Pero los requisitos de titulación y los diversos caminos académicos disponibles para conseguir los títulos, dan indicios de que el país ya está consciente de la necesidad de tener maestros capacitados. Pero mientras reconocemos que las altas tasas de titulación no garantizan alta calidad, sabemos que la total ausencia de títulos sí garantizaría una educación de muy baja calidad. En esta materia el país parece estar enrumbándose por buen camino.

C. Actualización de los maestros

Los mecanismos de actualización de los maestros dominicanos ya en servicio también han mejorado considerablemente en el último decenio. EDUCA, con el apoyo financiero de la USAID, facilitó la capacitación profesional de más o menos la mitad de todos los directores de colegio y de escuela en el Distrito Nacional —unos 800 en total. La estrategia de EDUCA fue la de comenzar con los directores. Pero también financió mediante becas la capacitación de unos 4,000 maestros y colaboró con la Secretaría de Educación (la cual gozaba del apoyo del Banco Mundial y del Banco Interamericano de Desarrollo), en la capacitación a corto plazo de más de 4,400 maestros adicionales del sector público.

La institución educativa privada APEC, a su vez, ha organizado varios esfuerzos cuyos resultados han sido un aumento en la imagen profesional de la carrera de maestro. Asistimos a su Primer Congreso Internacional de Innovaciones Educativas, en junio de 1998, donde miles de maestros dominicanos pagaron su propia matrícula y participaron en un evento profesional como los profesionales de cualquier otro país. Es decir, a pesar de los datos del cuadro 40 que parecerían indicar un reciente descenso modesto en el porcentaje de profesores con títulos pedagógicos, nos parece que el ambiente educativo en este momento se caracteriza por un sentido de que el magisterio dominicano se va recuperando de las condiciones vergonzosas y denigrantes de décadas anteriores. El magisterio se está reconvirtiendo en una digna carrera profesional.

D. Organización de los maestros

La impotencia del director actual deriva principalmente de la centralización burocrática. Pero deriva también en parte de otras dinámicas que invadieron el sistema después de la muerte de Trujillo. El director de escuela no sólo tiene que bregar con una burocracia que le echa su sombra desde arriba. Tiene que bregar también con un poderoso sindicato de maestros que puede (y suele) presionarlo desde abajo: la Asociación Dominicana de Profesores (ADP). La ADP ha jugado un papel tan central —y para muchos tan controversial— en el drama educativo que será útil empezar con una breve reseña de su historia, estructura y funcionamiento.

El movimiento sindical empieza sobre el año 1961, el mismo año en que muere Trujillo. Pero es a la sombra de la revolución de 1965 que el movimiento sindical de los maestros realmente nace. Eventualmente surge una federación de educadores (FEDOPRO), pero limitado al Distrito Nacional. A través de esta federación comienzan los maestros del sector público a dar sus primeros pasos gremiales, y a darlos de forma beligerante, formulados en terminología y retórica de la izquierda. FEDOPRO, sin embargo, sufría de varias limitantes, tal vez la mayor de las cuales era su membresía restringida al Distrito Nacional. De allí que en marzo del año 1971 se forma la ADP, la primera asociación de maestros públicos a nivel nacional.

Desde sus inicios la orientación proletaria de la ADP se enfatiza mucho más que su orientación profesional. Se conceptualiza a sí misma como el sector profesional más ligado a los obreros del país, dedicado a la capacitación de los hijos de los trabajadores. Y en aquel momento de la guerra fría y de la presencia soviética en Cuba, luchar por el proletariado significaba tender su casa de campaña en los prados de la izquierda política. Ya de por sí politizadas bajo Trujillo, las escuelas y sus maestros se fueron al otro lado del eje político y se convirtieron en críticos públicos del régimen de turno, cualquiera que fuera. Cuando en el año 1971 surge la Central General de Trabajadores, donde se aglutinan todos los sindicatos de trabajadores, la ADP se afilia. Con los vaivenes de la política, cambiará de Central, y hoy en día se afilia a la CTU, la Central de Trabajadores Unitaria. Pero sigue con su postura pública beligerante y proletaria, afiliada siempre a una central de trabajadores.

Como nos dijo con fervor un representante de la ADP, el sindicato se visualiza como encabezando "la lucha por una educación de calidad y una educación para todos, donde los trabajadores puedan llevar sus hijos y encontrar una educación competitiva como la que ofrece el sector privado." La competencia profesional de los maestros se enfatiza, pero el profesionalismo magisterial es reformulado y reconceptuado principalmente como instrumento en una lucha obrera en contra de poderosas fuerzas opresoras.

El discurso público se formula en los términos nobles de la lucha para una educación de alta calidad para los hijos del proletariado. Pero las batallas concretas que se llevaron a cabo en los años de 1970 poco o nada tenían que ver con calidad educativa de por sí. Giraban más bien alrededor de los intereses materiales de los maestros en tres sentidos: el derecho de organizarse, el sueldo docente, y el seguro social. En cuanto al derecho básico, cuando se fundó la ADP en 1970, sufría de un dilema legal. Había una ley que prohibía que los trabajadores del sector público se sindicalizaran. Siendo empleados públicos, se consideraba un acto criminal que los maestros se organizaran. Como era legal para el maestro privado sindicalizarse, la ADP tenía que valerse de ese subterfugio, el registro legal o de maestro privado, para afiliar los maestros del sector público. Pero estaba prohibido.

En los años 1970 se consiguieron dos de los objetivos: la legalización de la sindicalización de los maestros y algunos aumentos muy modestos de sueldo. Finalmente, en 1985 se consigue un seguro médico para maestros y, eventualmente, se abren hospitales —uno en la capital y otro en Santiago— para los maestros miembros de la ADP. Es decir, los logros pre Plan Decenal de la ADP eran reales. Pero modestos.

Y se realizaron a un costo muy alto para la nación. Desgraciadamente, los instrumentos principales de la ADP en los años 1970 y 1980 fueron las huelgas totalmente paralizantes y los agresivos y a veces peligrosos enfrentamientos públicos entre fuerzas policíacas y militares del Estado, de un lado, y maestros y alumnos del otro. Tales estrategias condujeron a tres resultados trágicos: (a) la parálisis del sistema educativo estatal, (b) la destrucción de la confianza nacional en la viabilidad de la educación pública y (c) la destrucción del prestigio social y respeto profesional de que gozaban los maestros del sector público en la era política anterior. Como aquel infame coronel, de dotes intelectuales y morales bastante limitadas, que afirmó en Vietnam que "tuvimos que destruir la aldea y matar sus habitantes para salvarlos del comunismo", pues ciertas voces dentro de la ADP aparentemente intentaron de igual manera rescatar y mejorar la educación pública dominicana destruyéndola. Los logros salariales modestos que se realizaron en aquellas décadas se compraron a un precio muy alto, no sólo para el niño que se quedó en la calle, sino también para el maestro cuya dignidad profesional quedó seriamente dañada en los ojos de un pueblo que antes —en "aquellos tiempos"— lo tenía montado en un pedestal de honor y respeto.

¿Hubiera podido el magisterio profesional presionar al Estado y realizar los mismos logros sin adoptar las tácticas bélicas empleadas por los obreros de la cervecería? ¿Y sin destruir el sistema educativo? Como raramente hay un sólo camino que conduce a donde uno quiere llegar, sospechamos que sí. Pero es demasiado fácil criticar en retrospección. El hecho es que el Estado se portaba de una manera vergonzosa y humillante con sus maestros, y la ADP adoptó las estrategias de moda en aquel momento histórico: huelgas, enfrentamientos agresivos con las fuerzas públicas y rimbombante retórica izquierdista sobre los derechos educativos de los obreros, al mismo tiempo que se hacía todo lo posible por paralizar las únicas escuelas que brindaban dicha educación. Para bien o para mal, aquel fue el camino adoptado. El niño dominicano quedó victimado por una rabiosa guerra civil entre dos sectores poderosos, cada uno de los cuales acudió a tácticas destructivas que violaron las esperanzas educativas de aquel niño y de sus progenitores.

"¿Qué víctimas ni víctimas? ¡La juventud estaba encantada! Después de tantos años de silencio y terror, ya finalmente se podía hablar, demostrar, protestar. Sin miedo." Algunos dominicanos que eran alumnos en aquellos tiempos, nos aseveran que algunos niños, quizás muchos, no se sintieron victimados en lo más mínimo, sino encantados y emocionados con las huelgas y los enfrentamientos. Y eso es natural. Pero eso no cambia el carácter catastrófico de lo sucedido. Su alegría juvenil en reemplazar aquellas aburridas tareas académicas con griteríos colectivos y demostraciones públicas no cambia el daño hecho al sistema educativo o a su propio desarrollo intelectual y personal. Los niños quizás no se daban cuenta. Pero sus impotentes padres sí. Por eso se fueron tantos al sector privado, no sólo los más pudientes, sino los padres del barrio también. Las excelentes encuestas de EDUCA indican claramente que para principios de la década de 1990, el éxodo de las escuelas públicas afectaba más o menos la mitad de los niños capitaleños. Sin querer serlo, el Estado había sido progenitor del colegio privado del barrio. Y la ADP su progenitora.

Al venir el Plan Decenal en los años de 1990 para restaurar el sistema educativo y la dignidad del maestro, la ADP se abre al espíritu de la nueva era. El Estado hace un acto público de contrición. Bajo el liderazgo de la Lic. Jacqueline Malagón, la Secretaría de Educación repudia sus intentos anteriores de resolver el dilema educativo con gases lacrimógenos y los reemplaza con la solución de aumentos presupuestarios y salariales, y con mejoramientos curriculares. Y la ADP, a su vez, sin dejar su militancia sobre asuntos salariales, y sin confesar (que sepamos) que ella también había pecado en algunas de sus tácticas más destrozadoras, empieza a ocuparse más de lo profesional y a comprometerse también con tareas técnico-pedagógicas. Desde los inicios de la década de los años de 1990, los dos combatientes gigantes llegan a una tregua, a un *modus vivendi* que le conviene mucho más al niño dominicano que el estado bélico anterior.

La convivencia llega a tal punto que bajo un secretario de turno los dos partidos entran en un arreglo que inquieta a algunos observadores que entrevistamos: la Secretaría de Educación asume que cada maestro será miembro de la ADP como condición de su nombramiento y se convierte hasta en cobrador de la cuota mensual. Se nos informó que se descontaba un 1 por ciento del sueldo magisterial para el sindicato. Se dijo también que hay unos 43,000 maestros, 60 por ciento de los cuales enseñan dos tandas, lo que generaría un total de unas 68,800 tandas nacionales. Cuando la tanda se pagaba a unos $3,000, una deducción del 1 por ciento generaría unos $30 por tanda. (La tanda en el año 2005 se está pagando, según alguna información a $5,000 y pico, pero carecemos de datos precisos.) La multiplicación de dicha suma por 68,800 tandas generaría para la ADP una suma mensual de unos $2,000,000 de pesos o más de US$115,000. Es posible que haya sólo 43,000 tandas (los datos de la Secretaría son, como veremos, algo opacos al respecto), lo que bajaría el monto mensual a $1,290,000. Pero es posible que se cobre también sobre los incentivos que se agregan al sueldo básico, lo que volvería a subir el monto. Es decir, aunque desconocemos los detalles, y aunque queremos clarificar al lector que nuestras cifras son puramente hipotéticas, se puede aseverar, sin temor a exagerar, que su nuevo arreglo con el Estado, que hace obligatoria la membresía de un maestro público en el sindicato, le genera a la ADP una suma mensual respetable.

Tal arreglo difiere radicalmente de lo que se da en los Estados Unidos. En Estados Unidos el magisterio público también está sindicalizado y hay sistemas escolares públicos que también descuentan las cuotas gremiales del sueldo del maestro. Pero existen las siguientes diferencias en los casos que conocemos personalmente.

1. El maestro es libre de pertenecer al sindicato. No es una condición de su empleo. Si no ingresa, igualmente será beneficiario de cualquier aumento de sueldo negociado por el sindicato. Pero no puede contar con el apoyo del sindicato en caso de conflicto con la administración. Muchos deciden no ingresar, ya sea para ahorrarse el dinero de la cuota, o por razones de sentimientos antisindicalistas. Al maestro dominicano del sector público no se le ofrece esa opción de escoger.
2. Las deducciones del sueldo son opcionales. El maestro que decide ingresar al sindicato puede, si quiere, pagar su cuota gremial en un desembolso de su bolsillo. Sale igual económicamente, y el descuento automático permite pagar en pequeñas cantidades. Pero la opción de pagar de otra manera agrega un elemento de autonomía.
3. Cada distrito escolar forma su propio sindicato, de una manera altamente descentralizada. Luego se afilian a un sindicato más amplio. Si tal situación existiera en la República Dominicana, los maestros de Santiago tendrían un sindicato, que cobraría y canalizaría el dinero de las cuotas, los del Distrito Nacional otro, etc. Los distintos sindicatos entonces se afiliarían a un macro-sindicato "sombrilla" para aumentar su poder de regateo. El sindicalismo dominicano, sin embargo, no goza de esa autonomía local. Como los distritos escolares no tienen ninguna autonomía, no haría sentido formar sindicatos separados en cada distrito. El sindicato está tan centralizado como el Estado.
4. Los maestros de los distritos escolares norteamericanos pueden escoger entre distintos sindicatos "sombrilla". Los dos principales son la American Federation of Teachers, con tácticas más agresivas, y la National Education Association, con una manera más "refinada" de negociar. Estos sindicatos son realmente federaciones de pequeños sindicatos locales. La ADP, en cambio, goza de un monopolio nacional. No es realmente una federación de agrupaciones autónomas más pequeñas.

5. Los sindicatos magisteriales norteamericanos, por lo tanto, tienen que competir en dos sentidos. Primero, tienen que competir con otros sindicatos. Y, segundo, tienen que convencer al maestro de unirse al sindicato en vez de quedarse sin afiliación. Lo realizan mediante el suministro de varios servicios —médicos, odontológicos, oftalmológicos, recreativos, etc.— adicionales a su función principal, que es el regateo de los sueldos. Como goza de un monopolio de hecho, la ADP realmente no tiene que competir. Por supuesto, tiene que presionar al Estado, pero no tiene que competir con otros sindicatos para ganarse la membresía de los maestros. En vista de su arreglo con el Estado, dicha membresía es obligatoria y garantizada.

Al hacer tales comparaciones, no deseamos implicar de ninguna manera que la ADP debe seguir los modelos organizativos vigentes en otros países. Por el contrario. El público dominicano —aun aquellos sectores hostiles al sindicalismo magisterial— debe saber que la estructura y el funcionamiento de la ADP representa sencillamente una respuesta objetiva a la estructura y el funcionamiento del Estado dominicano. Vemos la adaptación de la ADP al Estado en tres renglones.

a) *La ADP se adapta al Estado en su centralización.* Ya vimos que el Estado es obsesivamente centralizado. Los distritos escolares no gozan de absolutamente ninguna autonomía económica u organizativa. No son distritos autónomos. Son simplemente sucursales de la Secretaría en Santo Domingo. Y la ADP también acabó organizándose de la misma manera compulsivamente centralizada. Claro, hay oficinas y capítulos regionales de la ADP. Pero no son sindicatos independientes que se afilian voluntariamente a la ADP. Son más bien sucursales locales de un organismo centralizado, igual que el organismo centralizado del Estado.
b) *Se adapta al Estado en sus tácticas beligerantes.* También en sus

tácticas beligerantes la ADP simplemente ha seguido el modus operandi del Estado, por lo menos de administraciones anteriores hostiles a la educación. En un país donde hay maestros que han muerto en enfrentamientos con el Estado,[69] no es de sorprenderse que el movimiento sindical entre a la arena con los guantes puestos, listo para pelear. El Estado mismo ha creado el ambiente selvático que prevalece en el país. En tal selva, los tigres y las serpientes sobreviven más fácilmente que las palomas y las ovejas.

c) *Se adapta al Estado en su autoritarismo.* Tenemos tres impresiones superficialmente contradictorias y ambivalentes al respecto:
    i) El papel de la ADP fue esencial en el enfrentamiento entre el maestro público y el Estado. Fue la conducta francamente vergonzosa de ciertos gobiernos pasados en contra del sector educativo que dio justificación y alas al movimiento sindical entre los maestros.
    ii) La ADP ha sido, sin darse cuenta, la madre del colegio privado del barrio, o por lo menos la madrina, al lado de su compadre, el Estado antieducativo del pasado.[70] Los padres de todos los sectores desarrollaron un dis-

[69]Los enfrentamientos con el Estado han costado la vida de maestros. La ADP nos citó el caso de Eladio Peña de la Rosa y el de Simón Orosco, "accidentado de manera extraña". Hay otros maestros anónimos, según la ADP, que han muerto ya sea en atropellos o en distintas cárceles del país.

[70]Parece raro tildar de comadres a dos entidades supuestamente antagónicas. Ya hace años, sin embargo, que se ha llegado a un acuerdo y un equilibrio colegial entre el Estado y el sindicato. El Estado hasta funciona ya de cobrador para el sindicato, haciendo la membresía en la ADP un elemento de los nombramientos magisteriales en el sector público, deduciendo las cuotas gremiales directamente de unos 40,000 sueldos magisteriales y mandando a la ADP un cheque mensual cuyo monto tiene que ser bastante elevado. El sindicato, por supuesto, tiene que mantener cierta imagen bélica y sigue insistiendo en el cumplimiento de los acuerdos. Pero su relación objetiva con el Estado, que le sirve de cobrador, ya parece ser bastante cómoda.

gusto tan profundo en contra de las huelgas y paros incesantes en las escuelas, eventos provocados por el Estado y promovidos y encabezados por la ADP, que engendraron una demanda para alternativas educativas no estatales.

iii) Aun bajo las condiciones mejoradas del presente, los oficiales y agentes locales de la ADP continúan con el poder de interrumpir, con total impunidad, la docencia en una escuela, convocando reuniones durante horas laborales, y a veces sin preaviso, que conducen al cierre de la escuela y al envío de los estudiantes a sus casas. Ni el Estado ni el maestro individual tiene poder de resistir tal abuso de poder por parte del sindicato.

En el contexto presente, por lo tanto, el sindicato constituye otro talón de Aquiles que sabotea el poder del director de escuela de supervisar sus maestros. El Estado lo paraliza desde arriba, y el sindicato lo paraliza desde abajo. La escuela individual como "sistema" no goza de las barreras y las fronteras protegidas que cualquier sistema viable necesita. El hipotético maestro recalcitrante está protegido desde arriba por la sombrilla de un sistema burocrático letárgico, y desde abajo por el escudo de un sindicato poderoso que resiste cualquier desafío a su autoridad. La escuela pública no goza de la autonomía interna y de las fronteras protegidas que necesita cualquier empresa viable.

Se nos comentó en muchas ocasiones, por lo tanto, que los maestros del sector público no demuestran como grupo ni la disciplina ni el cumplimiento ni la mística que existían en "aquellos tiempos", en ciertas famosas escuelas públicas urbanas durante la Era de Trujillo, y que hoy en día se logra introducir en muchos colegios del sector privado.[71] Allá en los colegios del

---

[71]Hay muchos maestros dedicados y sacrificados en el sector público. Pero las actuales tendencias estructurales del sistema fomentan y protegen la mediocridad. La

sector privado no hay ni Secretaría para contratarte ni sindicato para protegerte. Es el director del colegio quien te contrata y quien puede ponerte otra vez en la calle si no cumples.

E. Los sueldos de los maestros

El sueldo magisterial promedio de un país da indicios de la importancia que el país atribuye a la educación de la juventud. Es quizás en los países asiáticos donde el maestro goza de más respeto social. Y es precisamente en aquella región del mundo donde los sueldos magisteriales alcanzan su mayor nivel. En los países industrializados del occidente, el cuadro es menos atractivo. Quienes escogen la vocación de pedagogía no recibirán ni gran honor social ni gran sueldo. Pero pueden vivir de lo que se paga, sobre todo si el/la cónyuge trabaja también.

El cuadro latinoamericano resulta aun menos atractivo, y la situación de la maestra dominicana cae firmemente dentro del marco latinoamericano. Como la disponibilidad de plantas escolares cae muy por debajo de lo requerido para educar a todos los niños, se mitiga la presión dividiendo el día escolar en dos tandas. Algunos cursos estudian por la mañana, otra por la tarde. Y en algunas escuelas hay una tercera tanda, la nocturna, mayormente reservada para estudiantes de secundario.

El nombramiento básico de los maestros es por tanda. Pero los niveles de sueldo establecidos por tanda son tan bajos que existe la presuposición de que los maestros necesitan enseñar dos tandas para cobrar un sueldo viable. Además del sueldo de

---

gran excepción a la imagen que pintamos se ve en las escuelas "semioficiales", escuelas financiadas por el Estado pero dirigidas en su mayoría por congregaciones religiosas católicas. En dichas escuelas públicas —que el pueblo todavía sigue llamando "colegios"— donde las directoras mantienen total autonomía en cuanto a la contratación y la cancelación del personal, se mantiene disciplina, mística profesional y cumplimiento de horas y deberes laborales.

base existe el "escalafón", aumentos que se le agregan al sueldo base por varios factores. Tales aumentos se dan sólo a los maestros de tiempo completo, es decir, los maestros que enseñan dos tandas.

Este mismo arreglo, mediante el cual el tiempo completo se define como dos tandas, es un arreglo que imposibilita una educación de alta calidad; que institucionaliza la mediocridad como norma. Y no es culpa del maestro, sino producto del mismo sistema. Visto desde el punto de vista del alumno, el día escolar es breve —de cuatro horas máximo en el caso típico. Y cuando de estas cuatro horas se restan los momentos de inicio tardío del día, y terminación prematura —a las once, por ejemplo, en vez de a las doce— y cuando se restan los días de huelga o de asamblea sindical, nos encontramos frente a un sistema educativo defectuoso. Y seguiría siendo defectuoso aunque fuera dotado de supermaestros de alta motivación y de alta capacitación, cada maestro encargado de una sola tanda.

Pero cuando los docentes de tal sistema son mal pagados, asignados a aulas congestionadas de 50 alumnos, y por añadidura obligados a enseñar una segunda tanda de 50 alumnos para sobrevivir económicamente, se engendra una situación en que la posibilidad de una educación de alta calidad es bastante reducida.

Los mejores colegios privados reconocen la no viabilidad del arreglo. Tienen una sola tanda de por lo menos seis horas. Y pagan más a sus maestros por esa única tanda que el sector público paga por dos. El colegio de barrio en cambio sigue con el sistema de doble tanda y en muchos casos paga menos a sus maestros por tanda que el sector público. Pero aún así el colegio de barrio tiene mayor posibilidad de brindar una educación de mayor calidad que en las aulas públicas. La directora escoge sus maestros, y los puede sacar si no cumplen. Los cambios políticos y gubernamentales no producen un cambio de personal. Y sobre todo los maestros no están bajo órdenes sindicales de salir de huelga. .

Los maestros dominicanos pasaron décadas con sueldos en un nivel "más bajo que el de los serenos". Durante la década del

Plan Decenal los sueldos se mejoraron, pero quedándose en un nivel donde el maestro tiene que enseñar dos tandas para sobrevivir. La información salarial que se presentará abajo proviene de datos recogidos en el año 2000. Las cifras precisas habrán cambiado, pero no la realidad básica de sueldos bajos.

La indignación colectiva que invadió las escuelas públicas en los años después de la muerte del dictador, y que produjo una serie de huelgas paralizantes, tomó la forma externa y la retórica de un movimiento político de carácter izquierdista. Pero su fuerza motriz fue económica: el descenso real en el sueldo pagado a los maestros. Por medio de unas maniobras burocráticas hostiles, los funcionarios de un gobierno determinado a castigar al sector educativo lograron excluir los maestros de los escalafones que gobernaban el monto de los sueldos de otros empleados del sector público. Resultado: "en un momento el maestro que enseñaba de día ganaba menos que el sereno que vigilaba de noche." No entrevistamos a ningún sereno de aquella época para ver si era verdad. Pero dicha anécdota se nos ha repetido con tanta frecuencia —como si ya constituyera un episodio triste dentro del folklore educativo nacional— que sospechamos que es cierta. El éxodo de maestros a otros sectores, la ira de los que se quedaron en el sector público y la fuerza que adquiriría el sindicato magisterial, todo puede analizarse como producto de una variable muy simple y clara: "el sueldo". Claro, operaban también otros factores. Pero el factor económico ha ejercido profundo impacto causal en la evolución de la educación dominicana.[72]

---

[72]El "folklore" popular local atribuye el descenso del sueldo magisterial a la hostilidad y a la enemistad que existían entre Joaquín Balaguer y el magisterio dominicano. Posiblemente provenía también de una actitud secreta por parte de Balaguer (que se le escapó públicamente en un momento quizás de descuido verbal) de que los sueldos de los empleados públicos no tenían que ser grandes, ya que tenían otros mecanismos bien conocidos de usar sus puestos para generar informales ingresos adicionales. Balaguer dizque cobraba sólo $3,000 como sueldo presidencial. ¿Sentiría

Los aumentos en sueldo que vinieron en los años 1990 han restaurado en algo las esperanzas por un sistema educativo renovado y transformado. El aumento de sueldos magisteriales fue identificado, con total sabiduría, como una premisa elemental sin la cual ningún Plan Decenal podría funcionar. Por cierto, los aumentos de sueldos no representan una condición *suficiente*, por sí solos, para asegurar la calidad. Pero sí constituyen una condición *necesaria* para dicha meta.

En el cuadro 41 trazamos la evolución de los sueldos de los docentes basada en dos fuentes algo dispares: las cifras oficiales de la Secretaría de Educación y nuestras entrevistas con maestros y con representantes de la ADP. En la columna de la izquierda aparecen datos suministrados por la ex-Secretaria de Educación, Ligia Amada Melo de Cardona, en una ponencia pública hecha en el año 1998.[73]

Cuadro 41
Evolución del salario de los docentes
1990-1997

Año	*Según la Secretaria de Educación*	*Según maestros entrevistados*
1990	608	-
1991	608	-
1992	3,300	1,000
1993	3,300	1,000
1994	3,300	1,000
1995	4,000	1,300
1996	4,000	1,300
1997	7,250	2,500

admiración por los maestros, creyendo en su idealismo y esperando que seguirían su ejemplo abnegado? ¿O les tenía rencor porque convirtieron las aulas en centros de protesta?

[73]Melo de Cardona, loc. cit.

Para interpretar las cifras tan distintas unas de otras hay que hacer varias clarificaciones.

1. Se trata sólo de los sueldos de los maestros del sector público. En una ponencia titulada "Situación de la Educación Dominicana", a la cual asistimos, una antigua Secretaria de Educación ni mención hizo de los colegios del sector privado, los cuales actualmente educan a casi la mitad de la población estudiantil capitaleña. En la visión estatal, por lo menos de dicha administración, aparentemente el único educador merecedor de mención en una ponencia pública es el Estado. La ponencia de la Secretaria debió, sin embargo, haberse titulado "Situación de la Educación Pública Dominicana."
2. La discrepancia más grande en las dos columnas del cuadro 41 —la versión oficial de los sueldos y la versión de varios maestros entrevistados— proviene del hecho de que los maestros, al hablarnos de sueldos, acostumbran citar el sueldo básico real por tanda. La Secretaria de Educación, en cambio, presenta la norma como dos tandas por docente, y combina los sueldos de las dos tandas.[74] Su decisión de tratar dos tandas como la norma y sueldo real del maestro tiene cierta justificación estadística. Para el año en que se presentaron los datos (1998), había unos 43,000 maestros como miembros, de los cuales 17 mil (40 por ciento) habían conseguido solamente una tanda. Estos ganaban solamente $2,500, menos las deducciones legalmente obligatorias. A

[74]Hay un error en el cuadro. Los sueldos citados por la Secretaría para el año 1990 cubren la recompensa de una sola tanda. Me baso en los datos suministrados al respeto por Rafael Santos en su libro sobre la ADP, p. 302. Por las demás cifras la Secretaría de Educación cita el monto de dos tandas. El error tergiversa por un factor de 100 por ciento la magnitud del aumento recibido en el año 1992. Aún así fue un aumento realmente significativo.

los de una tanda no se les daba incentivos. Una mayoría de 60 por ciento, sin embargo, tenía dos tandas en el sistema público. El maestro dominicano típico, para sobrevivir, obligatoriamente tiene que enseñar dos tandas, a menos que enseñe en un colegio económicamente privilegiado.
Esto crea una situación feroz para el maestro, y desafortunada para el estudiante, que tiene que compartir la energía y la atención de su maestro no sólo con los otros niños de su tanda sino también con los de la otra tanda. Y para la presentación de estadísticas e indicadores, en tal situación donde la norma son dos tandas, es imprescindible distinguir estadísticamente entre la proporción de estudiantes por aula y la proporción de estudiantes por maestro. No es lo mismo. Como veremos al final del capítulo, se necesita una clarificación y posible rectificación de los datos oficiales en este sentido. Si no consigue su segunda tanda en el sistema público, tiene que buscársela en un colegio del sector privado —o abrir un ventorrillo en la galería de su casa, o salir a conchar, o a hacer otra chiripa, porque con $2,500 al mes ya no se vive.[75]

3. Aun así, los sueldos de dos tandas citados en documentos oficiales exceden el doble de lo que citaron los maestros y dan la impresión de ser exagerados. En realidad, habrá por lo menos una leve base empírica para dichas cifras. Existe una serie de incentivos adicionales que se agregan (o deben agregarse) al sueldo básico del maestro. Sin embargo, se aplican en su totalidad sólo a un sector afortunado del magisterio. Asistimos a la presentación que hizo una secretaria

[75]En este sentido, los colegios privados están rindiendo un servicio no sólo a niños que no encuentran cupo en las escuelas públicas, sino también a maestros titulados que consiguieron sólo una tanda (o ninguna) en el sector público y que tendrían que abandonar el magisterio para otro trabajo si no fuera por los centenares de colegios privados que ya canalizan sus servicios docentes.

de turno en un congreso de APEC, delante de miles de maestros dominicanos. Cuando presentó el cartelón afirmando que el maestro dominicano promedio ya ganaba $7,250, se oyeron protestas colectivas de "¡Oh-oh!" y "¡embu'te!" por parte de centenares de maestros atónitos cuyos sueldos ni se acercan a esa suma. Lo que pasa es que es una minoría muy pequeña de maestros que están recibiendo los incentivos totales que les tocarían si la ley se cumpliera completamente.[76] El 40 por ciento que enseña una tanda no los recibe, y es posible que 16,000 de los restantes 26,000 maestros con dos tandas tampoco los reciba en su totalidad. Muchos maestros de dos tandas están cobrando sólo el sueldo básico, que les genera solamente $5,000, no la cifra oficial. Y de esos $5,000 hay que descontar ciertas deducciones obligatorias.

Es más, cuando se hizo el brinco de $1,300 por tanda a $2,500, los incentivos no brincaron con los sueldos. Se congelaron. Es decir, en vez de recalcular el incentivo porcentual sobre la nueva base salarial, la Secretaría mantuvo el incentivo antiguo calculado sobre la base del sueldo más bajo. Cuando me pagaban $1,300 por tanda, un escalafón de 10 por ciento me generó otros $130. Cuando la tanda subió a $2,500, mi incentivo tenía que subir a $250. Pero no fue así. En todo caso, tanto los maestros como los representantes de la ADP aseveraron que existe un desorden constante y una falta de cumplimiento institucional en el pago de los incentivos acordados, al igual que un diálogo continuo entre la ADP y la Secretaría sobre el asunto. Por lo

---

[76]La ubicación en ciertas zonas de difícil acceso trae un incentivo del once por ciento por transportación. El incentivo mayor viene del título, dividido en varias categorías: maestro normal de primaria (15%), licenciatura (20%), postgrado (25%), maestría (30%), doctorado (40%) sobre el salario base. Con la creación de las Pruebas Nacionales, se creó un incentivo para maestros que tienen que enseñar los tres grados que reciben las Pruebas (cuarto, octavo y cuarto de bachillerato). Estos son considerados como grados más difíciles, al igual que los cursos de alfabetización.

tanto, la cifra oficial de $7,250 tiene que interpretarse como una cifra muy pero muy teórica, generosa e idealizada. Es posible que represente lo que gana un maestro hipotético, no lo que gana el maestro promedio real.

El dramático brinco salarial que se dio en 1992 era producto directo del Plan Decenal, el cual visualizó, como elemento prioritario, un mejoramiento de las condiciones económicas en que el maestro dominicano tenía que vivir. De ahí en adelante, se agudizó una bifurcación dentro del sector privado. Por un lado, hay colegios más pudientes que dan una sola tanda. Sus alumnos asisten al colegio por lo menos 6 horas al día y generalmente más. En algunos de estos colegios los maestros cobran más por esa única tanda que lo que los maestros del sector público cobran por sus dos tandas. Los sueldos de maestros en los colegios élite varían de $7,000 a $15,000 o hasta más en casos de maestros bien pagados.[77]

Por otro lado, están los colegios más pobres. Estos siguen la tradición de dos tandas, en las cuales los niños están en la escuela un máximo de cuatro horas al día, incluyendo el tiempo de docencia, de comida y de recreo. Dichos colegios más pobres pagan hoy en día, por regla general, menos que las escuelas públicas.

---

[77]Todo es relativo. El Colegio Carol Morgan paga de los mejores sueldos para maestros locales, pero paga sustancialmente más a los maestros que contratan en el extranjero, además de suministrarles alojamiento y transporte gratuitos, y otros bene-ficios que sus colegas criollos no reciben. Dicha discrepancia crea, por supuesto, resentimientos, aun entre los maestros criollos mejor remunerados del país. Son profesionales con títulos y con años de experiencia, pero ganarán menos que un hipotético novato extranjero angloparlante, que quizás no pudo encontrar trabajo en su propia casa y vino, por lo tanto, a la República Dominicana. La misma desigualdad existe en el renglón de los expertos internacionales que vienen pagados como consultores a los distintos sectores del Estado dominicano. Los sueldos que ganan —libres de impuestos en algunos organismos— son astronómicos cuando se comparan con los sueldos de sus colegas dominicanos, una discrepancia que a veces genera comentarios, rencor y cinismo.

En general, la situación salarial del magisterio dominicano ha mejorado notablemente cuando se le compara con la situación anterior. Sin embargo, para evaluar realmente la suficiencia de los sueldos promedio de un sector social, hay que compararlos, no con los sueldos previos, sino con el costo real de la vida actual.

El concepto de la canasta familiar proporciona una cifra que nos permite juzgar la idoneidad del nivel salarial. Los componentes principales de la canasta familiar son alimentación, vestimenta, alquiler de viviendas y servicios públicos, como el agua, el transporte, etc. Dichos gastos sobrepasan las ganancias del maestro típico, convirtiendo el magisterio en una profesión poco atractiva desde un punto de vista económico.

Examinemos el año 1990. Santos (p. 302) informa que la canasta familiar para un grupo doméstico de cinco miembros, llevando una vida modesta, ya andaba por los $4,000. Se ganaba $607 por tanda, según Santos. Una pareja hipotética de maestros, cada uno de los cuales había logrado dos tandas, ganaría menos de $2,500 por mes matándose con dos tandas, una suma muy por debajo de la canasta familiar de aquella época.

Brinquemos al año 1998. Ya para aquel año hacía mucho que la canasta familiar sobrepasaba los $7,250 que supuestamente ganaba el "maestro promedio" de las estadísticas oficiales. La canasta familiar en la zona urbana ya andaba por encima de los $10,000. Calculando que el maestro típico tiene en su casa una familia típica de cinco personas, sólo el componente de alimentación en la canasta familiar giraría en alrededor de los $5,500 en 1998, y muy por encima de esa cifra en el nuevo milenio.[78] La ADP calcula que el 80 por ciento del magisterio

[78]Para estas cifras contamos con cálculos hechos por personas entrevistadas dentro de la ADP, no con las cifras oficiales al respecto. Las cifras brindadas parecían reflejar la realidad.

carece de vivienda propia. Vive en casa alquilada. El alquiler promedio que paga un maestro se calcula en $2,500. Si son $5,500 de alimentos y $2,500 de alquiler, ya estamos en $8,000, por encima aun de la cifra optimista que dio la Secretaria de Educación en su ponencia.

En breve, todo el sueldo, en principio, podría irse en alimento y casa. No le quedaría nada al maestro para la recreación ni para los servicios como transporte. Tendría dificultad para la vestimenta. No podría ir a una librería. Hasta la compra de un periódico diario le costaría varios centenares de pesos mensuales, una suma difícil. Y ni hablar de comprar su propio transporte. La ADP estima, muy informalmente, que el 80 por ciento de los maestros "andan a pié."[79] Sólo el 20 por ciento ha podido comprar transporte propio, y generalmente se trata de una motocicleta no de un automóvil. En resumidas cuentas, los aumentos salariales de los maestros en los últimos diez años han sido astronómicos en términos de los sueldos anteriores, pero muy modestos en términos de la carrera perpetua que echa el individuo con los aumentos de precio de los artículos de primera necesidad en la canasta familiar.

¿Cómo sobrevive entonces con un sueldo de $7,000? Afortunadamente, (otros dirían desafortunadamente para los niños) ya son atípicas las familias donde sólo el marido trabaja. Con la excepción de ciertas capas acomodadas, ya en la República Dominicana los dos cónyuges tienen que trabajar para sobrevivir. Con los sueldos actuales, una pareja hipotética de maestros ya podría juntar un sueldo combinado que les permitiría "defenderse", aunque no necesariamente comprar una casa o un carro, objetos ya absolutamente imprescindibles en la vida de la clase media para arriba. Sólo defenderse. Pero por lo menos, gracias a las medidas salariales tomadas por varias administraciones, y

---

[79] Andar montado en concho no cuenta como andar montado. El que paga pasaje en carro público "anda a pie" en el lenguaje dominicano.

gracias también a las presiones incesantes de la ADP, el sueldo magisterial en la República Dominicana es un sueldo que comienza a acercarse a lo viable.

Los gobernantes pudieron aumentar los sueldos porque aumentaron el porcentaje del presupuesto nacional asignado a la educación. Tomaron pasos fiscales reales y concretos para que las aspiraciones educativas no se quedaran a nivel de retórica sino que se convirtieran en recursos.

Hemos oído, sin embargo, críticas del uso que se le ha dado al dinero, sobre todo la canalización del grueso de la inversión aumentada al renglón de sueldos. En términos generales, tal estructuración presupuestaria puede tildarse de sospechosa. Pero en el caso específico de la República Dominicana de hoy, consideramos que tal decisión ha sido justificada. Carecemos de datos específicos sobre el uso del dinero, pero podemos asumir que no fue canalizado hacia la creación de miles de 'botellas' nuevas, sino que fue asignado más bien al aumento de sueldos de maestros ya contratados y para la contratación de maestros nuevos. Entonces, se le ha dado un uso necesario al dinero. No ideal, pero necesario. Hasta tanto el nivel de los sueldos de un maestro no le permita a su familia ganar la batalla con los montos en el costo de la canasta familiar, no habrá equilibrio en la vida del maestro y, por lo tanto, en el sistema educativo.

Claro, una parte del presupuesto tiene que ser apartada para otras inversiones necesarias, para que no todo se consuma en el pago de personal. Pero la desesperada situación económica de los maestros de antes ha justificado, a nuestro entender, un "plan de emergencia" para subirles los sueldos como alta prioridad nacional. El resultado de estos aumentos ya se está viendo, en las cifras anteriormente citadas que demuestran un aumento en la cantidad de estudiantes que se inclinan al magisterio, tanto a nivel de bachiller como de licenciatura. No sólo de pan vive el hombre. Pero sin el pan tampoco vive. Y una persona tiene que ser o un loco o un irresponsable de encaminarse hacia una carrera donde sus hijos acabarán "comiéndose un cable". Los recientes pasos salariales tomados por las autoridades educativas han logrado finalmente sacar de esa categoría la carrera de maestro.

F. Politización del magisterio

El nivel de los sueldos juega un papel fundamental en atraer la juventud hacia el magisterio. Y las credenciales profesionales constituyen en principio el único criterio que determina si conseguirá un puesto. Pero, desafortunadamente, el mundo real funciona de otra manera. En esta y en las siguientes secciones trataremos de varias dinámicas exógenas que parecen incidir en la selección de personal docente, directivo y administrativo.

Hay varias tradiciones del pasado que han afectado la composición de la nómina de las instancias públicas en la República Dominicana, sobre todo las tradiciones políticas. La tendencia hacia la bifurcación política de la nación empezó casi con el nacimiento de la República Dominicana en el siglo pasado. La contienda entre Santana y Báez prefiguró las futuras contiendas entre rojos y azules con otros nombres pero con el mismo escenario de una contienda entre los gobernantes y la "oposición". La invasión de dinámicas políticas en lo educativo tiene una historia larga en el país. Podemos identificar cinco capítulos o episodios.

1. *El fundador de la primera escuela normal,* el puertorriqueño Eugenio María de Hostos, se fue disgustado del país, poniendo en peligro la escuela normal que fundó, por sus actitudes políticas. Tenía ciertas ideas democráticas, violadas por el nuevo gobierno de Lilís. Rehusó seguir con la educación de los maestros y los niños porque no le gustaba la conducta de los gobernantes de turno.Es decir, su afán de educar venía mezclado y envuelto en un paquete ideológico que no toleraba la presencia de ideologías o prácticas políticas diferentes de las de él. La orientación educativa de

Hostos era, en otras palabras, altamente politizada.[80] No lograba separar sus ideas políticas de sus compromisos profesionales de educador con sus estudiantes. Si los políticos del momento no le gustaban, sacudía el polvo de sus sandalias y se iba con aire ofendido.

2. *La ocupación militar norteamericana* intentaría al principio una educación apolítica, enseñando historia dominicana en castellano, no historia norteamericana en inglés. Pero sucumbiría también a las dinámicas políticas obligando a las escuelas dominicanas a izar la bandera norteamericana, una estupidez absolutamente innecesaria que provocó resistencia en ciertas partes. Como se capta en el caso siguiente, esto hirió el patriotismo de muchos dominicanos. Pero constituyó una manifestación de patriotismo mal dirigido por parte del comandante que mandó a encarcelar a la hija de Lilís. Este incidente constituye una forma de "pre-politización", pues se trataba de la imposición de un gesto simbólico irritante, el izar una bandera de nación extranjera. No se trataba, sin embargo, de la imposición de un currículo altamente "ideologizado", ya que los norteamericanos establecieron un sistema educativo que estaba diseñado por y para los dominicanos.[81] El idioma de enseñanza fue el español, y la historia y la cultura que se enseñaron continuaron siendo la historia y la cultura dominicanas.[82]

---

[80]Volvería después de la muerte de Lilís y recuperaría un puesto de importancia educativa. La situación política volvería a empeorarse, y trataría de irse de nuevo del país. Pero le faltaban recursos, se enfermó, y murió en la ciudad capital.

[81]La comisión educativa encargada de diseñar el currículo la constituyeron el Arzobispo Nouel, Pelegrín Castillo, Jacinto R. de Castro, Manuel Ubaldo Gómez, Manuel de Jesús Troncoso de la Concha, Julio Ortega Frier y Federico Velásquez Hernández. En Bruce J. Calder, *The Impact of Intervention: The Dominican Republic during the U.S. Occupation of 1916-1924*. Austin: University of Texas Press. 1984.

[82]En esto la política educativa norteamericana difería de lo que se había aplicado en Puerto Rico, donde el sistema escolar fue utilizado más fuertemente como vehículo de americanización. Difería también de lo que pasaba en las islas británicasy francesas, donde los niños de descendencia africana o asiática, cuando aprendían

Recuadro 1

Tropas norteamericanas llevan presa a una maestra dominicana: El caso de la hija de Lilís
Casimira Heureaux era hija del Presidente Ulises Heureaux, cuya presidencia dictatorial llegó a su fin mediante las manos de un asesino. Heredó de su padre la pasión por la política y el orgullo en la dominicanidad. Discrepó de su papá en su interés apasionado por la educación. Se había graduado de Maestra Normal en el Instituto de Señoritas; una escuela normal para muchachas fundada por Salomé Ureña como institución femenina paralela a la Escuela Normal de Eugenio María de Hostos. A pesar de su convicción en cuanto a la necesidad de involucrar a las mujeres en la educación formal, y su deseo de alejarse en cuanto fuera posible de gran parte de la herencia cultural ibérica para forjar una nueva identidad antillana, Hostos preservó el patrón ibérico de separación de los géneros en las aulas, tan distinto de la mezcla que se utilizaba hacía tiempo en Francia, Inglaterra y Estados Unidos. Casimira, la hija de Lilís, se gradúa de aquella escuela y se dedica al magisterio. Pasa un tiempo enseñando en San Pedro de Macorís. Pero eventualmente decide independizarse, como quien dice, en su propia empresa educativa. Era una empresa entre comillas, porque la educación de la juventud se conceptuaba más como vocación de servicio que como negocio generador de ganancias. Se traslada a Sánchez donde crea una escuela "semioficial". Ella era la dueña fundadora, pero solicitó y recibió ayuda financiera del Estado dominicano. Su escuela, por lo tanto, tiene carácter de escuela pública estatal. Viene la ocupación norteamericana y la creación de una red de escuelas. Casimira incorpora su escuela a esa red. Pero no con buenas ganas. Nacionalista quizás aun más que su papá, resiente la ocupación. En particular resiente la obligación que se le impuso de izar en su escuela cada día la bandera norteamericana. No lo hace. Su infracción se reporta a las autoridades militares locales. Le dicen que ice la bandera norteamericana. Les contesta que no. Las tropas la arrastran al cuartel. Se cierra su escuela.

Fuente principal: Alvarez Santana, 1997.

"nuestra historia", aprendían la historia de Inglaterra o Francia. En el programa educativo del Gobierno Militar, los niños dominicanos aprendían historia dominicana, escrita por historiadores dominicanos, en lengua castellana.

3. *Escuelas como vehículo de adoctrinamiento ideológico.* La politización del sistema educativo alcanzó niveles altos bajo Trujillo. Este, o sus subalternos, por primera vez en la historia dominicana, convirtieron la estructura educativa en un vehículo de adoctrinamiento ideológico de reverencia hacia el "Benefactor de la Patria", sobre todo en estudios sociales e historia. La politización del sistema educativo también tomó la forma de obligatorias manifestaciones públicas por parte de estudiantes y maestros en apoyo de Trujillo cuando éste llegó a ser blanco de críticas internacionales.
4. *Escuelas como vehículo de resistencia antiguberna-mental.* En los años después de la muerte de Trujillo la politización de las escuelas continuó, pero con un viraje radical de la derecha a la izquierda. Ya se trataba de una militante politización antigubernamental, con una predominante ideología izquierdista. A pesar de la politización derechista de Trujillo, las escuelas funcionaban y los maestros educaban mientras el dictador vivía. Algunas de las mejores escuelas públicas en la historia del país fueron establecidas justamente durante la era de Trujillo, enseñadas por maestros de gran renombre público. Hasta las familias élite del país mandarían sus hijos a dichas escuelas sin el menor recelo. Con la subsiguiente politización izquierdista, en cambio, las escuelas públicas cayeron en el caos y sencillamente dejaron de funcionar.[83]
5. *La politización de las escuelas* continuó y continúa aun después del lanzamiento del Plan Decenal, pero ya bajo una

---

[83]Oímos de boca de muchos dominicanos bien informados que la politización de las escuelas empezó en los años turbulentos después de la muerte de Trujillo. Respetuosamente, les acordamos aquí que Trujillo también politizó las escuelas. Lo que sucedió después de su muerte no fue una repentina politización, sino un viraje antigubernamental e izquierdista por parte de un sistema que ya estaba politizado.

quinta modalidad: los puestos administrativos y directivos como mecanismo de botín político, de poner y quitar, poner miembros del partido de uno, quitar gente que no sea del partido. De esto se tratará.

Es imprescindible ver que la politización de las escuelas continúa, aunque de manera transformada. Como en todo proceso evolutivo, se retienen elementos del sistema anterior al mismo tiempo que se agregan nuevos elementos. El uso de las escuelas para la glorificación del Jefe, que se practicaba en los tiempos de Trujillo, sigue vigente, aunque sea de manera modificada. Los intentos de mejoramiento del sistema educativo —desayunos escolares, computarización de las aulas, etc.— en vez de conceptuarse como fríos pasos profesionales, se convierten en moneda de propaganda política, como logros y esfuerzos personales del presidente de turno.[84] También siguen vigentes, de manera un poco suavizada, las prácticas de la "fase izquierdista". Ya no hay gas lacrimógeno. Pero las autoridades del sindicato siguen cerrando escuelas con arbitrariedad e impunidad, para montar una que otra reunión gremial o para protestar el trato a este u otro maestro. Es decir, ciertos espectros del pasado trujillista y post-trujillista siguen caminando en los pasillos educativos del presente.

Pero en este nuevo "quinto capítulo" de la politización de las escuelas, es el uso del "nombramiento como botín político" que parece constituir el mecanismo principal de politización. Apartándonos por el momento del sistema educativo en particular, y hablando del Estado en general, el "puesto como botín" se manifiesta por lo menos de tres maneras.

---

[84]La trujillización de la política continúa de otras maneras también. Varios dominicanos educados nos expresaron su disgusto, en algunos casos casi con lágrimas, con la conducta navideña de un mandatario anterior, que se presentaba personalmente en los barrios para repartir sobres con $200, o que mandaba camiones para

- El puesto, denominado "botella" en el léxico popular cuando no va ligado a grandes obligaciones cotidianas,[85] le da a su incumbente un codiciado sueldo básico.
- El puesto, si goza de cierto carácter estratégico, coloca a su incumbente en una posición donde puede aumentar su modesto sueldo legal mediante las cuantiosas estrategias de "macuteo y picoteo" que han florecido con exuberancia en los jardines del sector público dominicano.
- Aquellos puestos aún más altos que vienen ligados con el poder sobre la asignación de puestos menores le proporcionan al incumbente de turno el poder de premiar a los de su partido y de excluir a los de la oposición mediante los nombramientos.

El empleo de criterios políticos en la asignación de los nombramientos no aparece nunca en ningún informe estadístico de ninguna Secretaría —ni de ningún país, dicho sea de paso. Parece que en la República Dominicana tal abuso del poder, el poner y quitar empleados por razones partidaristas, constituye "una costumbre vergonzosa" practicada solamente por la oposición; nunca, por supuesto, por uno mismo.

---

repartir paquetes, ocasionando en varias ocasiones disturbios públicos por parte de masas empobrecidas compitiendo por las funditas, recibiendo golpes de los militares asignadas a "mantener el orden". Tal paternalismo estatal, para muchos dominicanos vergonzoso y repugnante, ilustra contundentemente la supervivencia de elementos trujillistas en la política casi cuatro décadas después de la muerte de su creador. Dicha conducta parecía atípica de parte del joven Presidente que la hacía. Los consejeros políticos que le convencieron a participar en tales episodios denigrantes lo aconsejaron muy mal.

[85]Los puestos docentes en la escuela definitivamente no califican como "botella" en este sentido popular. Hay centenares, para no decir miles, de puestos dentro de la Secretaría central que fácilmente podrían ser tildados de "botellas" por un público escéptico que no sabe lo que hacen aquellos empleados y asumen, por lo tanto, que hacen harto poco o nada.

La práctica se puede realizar fría y brutalmente sin el menor deseo de esconder su naturaleza. O se puede suavizar y camuflajear tanto cuando se pone como cuando se quita. Se camuflajea en el "poner" asegurando que el recipiente del favoritismo por lo menos tenga algunas credenciales profesionales relevantes al puesto. Así se le hace más difícil a la oposición lanzar la acusación de que colocaron a un incompetente en una posición técnica. Se camuflajea también en el "quitar" removiendo a un empleado de otras lealtades partidaristas, no poniéndolo sencillamente en la calle, sino mediante un traslado o una jubilación anticipada.

Es imposible saber con certeza qué porcentaje de los actuales nombramientos educativos ha sido afectado por la membresía partidarista del beneficiado, sea en gobiernos anteriores sea en el actual. Sería irresponsable lanzar acusaciones sin tener datos, sobre todo cuando profesionales educativos del actual partido gobernante nos han asegurado que su gobierno rechaza tales prácticas vergonzosas en el renglón educativo. Pero también sería irresponsable no reportar las decenas de aseveraciones contradictorias hechas por personas informadas que nos aseguran, en algunos casos contando episodios específicos, que las actuales autoridades educativas siguen asignando y quitando cargos en base a criterios políticos.

El criterio dominante va acompañado por criterios secundarios. En la visión popular que se nos comunicó, el criterio dominante sigue siendo la membresía partidista y la lealtad política. Las formales credenciales técnicas del individuo tendrán también importancia, pero (según la *vox populi*) de carácter secundario en el actual sistema político de la República Dominicana.

Los criterios políticos juegan un papel profundo en los altos nombramientos a nivel de Secretario de Estado. Aquello se ve normal en cualquier país. Se supone que el Secretario de Estado, el Primer Ministro y los miembros de un gabinete presidencial sean puestos donde la lealtad política se considere imprescindible y requerida. Pero la imposición de tales criterios hasta para nombramientos de directores de escuela y hasta de maestros puede envenenar el ambiente y empeorar el funcionamiento del sistema educativo. Cuando un director de escuela competente, que ha recibido capacitación costosa mediante esta u otra beca, y que ha logrado establecer una relación de confianza con los padres de la escuela, repentinamente se encuentra "trasladado" o "jubilado", dos palabras bonitas para no decir "cancelado", el sistema educativo ha sido invadido, debilitado y ensuciado por el sistema político. Como tales decisiones políticas no se archivan en informes estadísticos, y se pueden camuflajear mediante las maniobras susodichas, es imposible aseverar con qué frecuencia sucede. Pero sigue sucediendo, por lo menos según fuentes fidedignas.

Los maestros mismos se dan cuenta de la importancia de la afiliación política y del papel que juega. Nos asombramos cuando se nos aseveró que la afiliación política de cada maestro la conocen perfectamente bien los demás maestros. Hablando del profesor fulano, quizás no se sepa dónde nació, qué religión practica o qué título pedagógico tiene, pero sí se sabe por cuál partido vota. En muchos sentidos, entonces, la política juega un papel extraordinario en la escuela dominicana. Y no es seguro que dicha dinámica contribuya al bienestar educativo de los alumnos.

G. La preponderancia de mujeres en el magisterio y sus posibles causas

La política no es el único factor que ha incidido en la composición de la nómina educativa del país. Exploremos ahora el fenómeno del género. Analizamos ya los patrones de género entre el estudiantado. Ahora toca mirar algunos datos inquietantes sobre el sexo del magisterio. El análisis de los datos sobre el sexo de los estudiantes indicó un equilibrio impresionante entre los dos sexos en términos tanto de su cobertura como de su tasa de aprobación, con quizás una ligera —pero muy ligera— ventaja por parte de las niñas. Pero ¿y sus profesores y los directores de las escuelas? ¿Se distribuyen de la misma manera igualitaria entre hombres y mujeres?

La respuesta es fuertemente negativa. Los datos preliminares para el año lectivo 1997-1998 indican que había 36,941 maestros a tiempo completo. De esos 28,398 eran mujeres, o sea el 77 por ciento.[86]

Se ve que, como en muchos otros países, la educación pública es una profesión altamente feminizada en la República Dominicana. Tres de cada cuatro maestros a tiempo completo son mujeres. Tal cifra no constituye un gran descubrimiento. Se sabe popularmente que la mujer está más dispuesta a abrazar la carrera docente que el hombre, sobre todo a nivel primario y pre-primario. La República Dominicana comparte dicho patrón con muchos otros países.

¿De dónde viene tal predilección por género? Hay por lo menos tres explicaciones populares alternativas que se escuchan "por ahí".

1. *Dinámicas innatas.* Algunos derivarían la predilección, por lo menos en parte, de esenciales y permanentes diferencias constitucionales entre hombres y mujeres. Las mismas predisposiciones innatas, en dicho modelo tradicional, que predisponen a la mujer más que a su marido a ser la principal cuidadora cotidiana de su prole también la inclinan hacia una carrera donde enseñará a los párvulos o a los niños jóvenes.

---

[86]Al mismo tiempo, había 4,164 maestros a tiempo parcial, de los cuales 54 por ciento eran mujeres. El informe de la Secretaría, desafortunadamente, no suministra explicaciones de qué significa a tiempo completo. ¿Son dos tandas? ¿O una sola tanda de cuatro horas? ¿Cuenta como tiempo completo en la nómina? En cuyo caso, entonces, ¿qué significa tiempo parcial? Sin tales clarificaciones es difícil interpretar ciertos datos. Es posible que muchos de los maestros a tiempo parcial sean individuos contratados para programas atléticos, en cuyo caso la subida de la proporción masculina se explicaría.

2. *Dinámicas culturales.* Otros rechazarían con vehemencia dicho modelo innato y atribuirían la predilección más bien a modelos culturales derivados históricamente más que a tendencias innatas. (Los antropólogos modernos por lo general evitan explicaciones genéticas de diferencias, no sólo entre culturas, sino también entre los dos sexos). Bajo un modelo cultural la inclinación de las mujeres por la enseñanza de los párvulos constituye un papel que su cultura, y no su banco genético, le ha impuesto.
3. *Dinámicas económicas.* Otros achacarían la gran preponderancia de mujeres en el magisterio dominicano no a los genes ni a las preferencias culturales, sino a factores puramente económicos: el bajo nivel, en términos relativos, de recompensa monetaria de la profesión de docente. Bajo este modelo las mujeres dominarían la educación porque están dispuestas a tragarse los sueldos más bajos que se pagan en este sector. El hombre que podría sentirse inclinado intelectualmente y personalmente al magisterio acaba cogiendo otra ruta para no tener que "comerse un cable".

Cae fuera de nuestros propósitos identificar científicamente cuál es el factor o la combinación de factores que ha producido la preponderancia femenina en el magisterio dominicano. Pero algunos comentarios vienen al caso. En primer lugar, el fenómeno del papel preponderante de la mujer a nivel aparentemente mundial en la educación preescolar nos obliga a entretener la hipótesis de algún grado de programación innata que inclina a la mujer, más que al hombre, a dedicarse a tiempo completo al cuidado de niños.[87] Pero, por otro lado, hemos visto colegios de muy alta calidad donde maestros enseñan a los pequeños con la

[87]Tal sugerencia ofenderá a cierta clase de feminismo radical que categoriza cualquier división de labor sexual como producto de opresión patriarcal más que de los genes.

misma destreza —y dulzura— que las maestras. No tenemos absolutamente ninguna base empírica en lo que hemos observado para plantear una superior capacidad genética por parte de las mujeres en cuanto a la educación de los párvulos. La inclinación de emprender tal labor con los párvulos puede ser más frecuente entre mujeres. Pero el hombre que también la siente puede desempeñar la función con la misma destreza que su colega femenina.

En términos de patrones culturales dominicanos, hay que señalar también que el magisterio no cae dentro de las profesiones fuertemente estereotipadas por género. En nuestros estudios anteriores de los colmados y de los talleres de mecánica automotriz, admitimos que hay ciertas profesiones donde el sexo del practicante es en parte determinado por prevalecientes modelos culturales. En el taller de mecánica predominan los hombres no sólo estadísticamente, sino también culturalmente. Si un dominicano se sintiera "raro" entregando su carro a una mujer mecánica para que se lo arregle, podemos hablar de una predilección cultural. Creemos que tal sentimiento existe en cuanto a la carrera de mecánico. De igual manera, se ve más normal que un salón de belleza sea propiedad de una mujer, y que las que hacen la labor de embellecimiento sean mujeres. El hombre que se gana la vida maquillando a las damas en un salón fácilmente podría ser objeto de comentarios, no internacionalmente, por supuesto, pero por lo menos en el actual contexto dominicano.

Pero la escuela es más como el colmado en ese sentido. En el caso del colmado notamos que la cultura dominicana acepta sin el menor problema un colmado cuya dueña y gerente principal es una mujer. La gran preponderancia estadística de los hombres en el mundo de los colmados proviene de factores económicos y materiales. Son los hombres los que por lo general tienen el capital fuerte requerido para un colmado de verdad, y que disponen del tiempo. La microempresaria típica no sólo tiene menos capital que el hombre, sino que también tiene obligaciones domésticas que impiden que pase el tiempo requerido en su colmado —12 ó 13 horas al día, 7 días de la semana.

Atribuimos entonces parte de la preponderancia de mujeres en la docencia dominicana también a parecidos factores económicos. No es la falta de capital o de tiempo que entra en juego como en el colmado. Es más el hecho de que ya los dos miembros de una pareja tienen que trabajar, pero que la mujer tiene que conformarse con sueldos más bajos.

La obligación de trabajar es real ya para la mujer dominicana, con implicaciones fuertes para la estructura familiar. Pasaron a la historia antigua la situación en que la madre puede quedarse en casa ocupándose de los niños. En los sectores económicos dominicanos acomodados, donde la esposa se libera de la necesidad de ganarse el pan de cada día, las doñas que se valen de dicho ocio no se destacan, según lo que hemos podido observar, por su afán de ocuparse de sus hijos. Los entregarán más bien a niñeras para poder pasar su propio tiempo en el salón o en actividades sociales.

Pero de la clase media para abajo, ya los dos cónyuges tienen que tener trabajo para poder sobrevivir. Sin embargo, la mujer tendrá que hacer el trabajo de la casa también. El magisterio es una profesión donde puede vivir esta vida doble. Justamente cuando sus niños están en la escuela, también trabaja ella. El magisterio, tal como se ejerce hoy en la República Dominicana, le da la libertad de trabajar una tanda de sólo cuatro horas, o dos tandas para un total de ocho. Los fines de semana ella está libre, igual que sus hijos. Y las épocas de vacación también las tiene iguales que sus hijos. En fin el magisterio es una profesión atractiva y viable para la mujer en una sociedad donde el hombre típico da pocos pasos, para no decir ningunos, en eso de cocinar, barrer, lavar ropa, y cuidar los niños.

Ganará poco en el magisterio, es cierto. Pero en eso ya entran otra vez dos premisas culturales. (a) Se supone que la maestra eventualmente tendrá marido e hijos, y (b) se supone o se espera que el sueldo del marido supere al de ella. Es decir, la realidad económica obliga a la mujer trabajar fuera de casa. Pero las normas culturales prevalecientes siguen imponiendo al hombre, por lo menos en teoría, la obligación de ganar más que su mujer. Hay hombres criollos que se sentirían incómodos si se supiera públicamente que su mujer gana más que él.[88] La mujer puede darse el lujo de conformarse con una profesión donde se supone que nunca ganará gran cosa. Hasta ahora el magisterio cae dentro de esa categoría.

De las dos normas en juego, una es más resistente que la otra. Por ejemplo admitimos que la norma de que la mujer no debe ganar más que él hombre es muy débil. Son pocas las mujeres que protestarían si les ofrecen un trabajo que subiría su sueldo por encima del de su marido. "Ay, no, no me suba el sueldo. Mi marido se pone bravo..." Eso no se oye. Y dudamos que haya muchos maridos que saldrían furiosos de la casa al saber que su mujer va a entrar más dinero, o que la mandarían a devolver parte del dinero, para que él siga aportando el grueso. Eso de que la mujer debe ganar menos que el hombre es una norma, muy, pero muy flexible. En cambio, si la mujer con el sueldo subido anuncia que de ahí en adelante el hombre tendrá que ayudar lavando o planchando o barriendo o cocinando, como se usa en muchos contextos industrializados, sospechamos que ahí si alguien saldría furioso de la casa, por lo menos en el lado oriental de La Española. (Y probablemente del otro lado también.) Hay ciertas reglas culturales menos flexibles que otras.

Para resumir, atribuimos la prevalencia de mujeres en el magisterio dominicano no sólo a los factores biológicos y cultu-

---

[88]Las mismas normas culturales se ven en el mundo industrializado, pero están en vías más rápidas de desaparición. Conocemos en la capital a un joven antropólogo norteamericano casado con una joven ejecutiva dominicana, dinámica y profesional, cuyo sueldo triplica el de su marido. El hombre, que está terminando su doctorado, tiene que chiripear aquí y allá para contribuir por lo menos algo a la olla. Este joven, de raíces culturales exógenas, se siente, no avergonzado, sino contentísimo con el arreglo.

rales que producen patrones parecidos a través del mundo, sino también a factores económicos ligados al relativamente bajo sueldo del magisterio. Tales factores económicos están estrechamente combinados con los factores culturales que exigen que la mujer trabaje en casa también pero que le permiten también ganar menos que su marido.

H. LOS PUESTOS DIRECTIVOS: EL HOMBRE FAVORECIDO

Las susodichas premisas constituyen una forma de "discriminación cultural". Pero los datos de la Secretaría también revelan un patrón de posible favoritismo institucional en favor de los hombres. Miremos los datos precisos sobre la distribución de los puestos por sexo en el cuadro 42.

Cuadro 42
Sexo de los profesionales educativos
del sector público en la República Dominicana[89]

	Sexo		*Porcentaje*
Categoría de empleado	*Masculino*	*Femenino*	*femenino*
Personal directivo	2,925	4,103	58.4
Maestros tiempo completo	8,543	28,398	76.9
Maestros tiempo parcial	1,917	2,247	54.0
TOTAL	13,385	34,748	72.2

Fuente: Datos preliminares de la Secretaría de Educación para el año lectivo 1997-1998.[90]

[89]Las hojas de los datos preliminares que pudimos ver no indicaban si se incluían también los colegios del sector privado en dichas tablas. Como había tabulaciones distintas para los directores y maestros de los colegios privados, interpretaremos esta tabla como referencia exclusivamente al sector público.

[90]De los 48,133 empleados que aparecen en el cuadro, un 65 por ciento están en zonas urbanas. Es una proporción que parece representar casi perfectamente la dis-

Las primeras dos líneas de dicho cuadro, que tratan de empleados a tiempo completo, son las más importantes para la discusión en curso. La primera línea presenta los directores, y la segunda presenta los maestros. Los puestos de directores son, por supuesto, más codiciados. Pagan más y tienen más status y autoridad que el del maestro típico. En las dos categorías las mujeres salen favorecidas, ¿verdad?. Sí y no. Es cierto que en los dos casos son las mujeres que ocupan la mayoría de los puestos.

Pero examinemos los porcentajes. *Sólo 22 por ciento de los maestros a tiempo completo son hombres, mientras 42 por ciento de los directores son hombres.* Es decir, cuando se trata de la asignación de los puestos más codiciados, un hombre dentro del sistema tiene casi el doble de probabilidad de lograr tal puesto que una mujer.

¿Por qué los hombres del sector público logran puestos directivos con tanta frecuencia relativa? En eso no hay que buscarle la quinta pata al gato. Empecemos con la hipótesis del simple favoritismo institucional hacia los hombres. Una mirada superficial diría que el sistema favorece más bien a las mujeres: tres de cada cuatro maestros son mujeres. Pero el subyacente drama discriminatorio se revela a través de los porcentajes, no de las cifras crudas. En las instituciones públicas dominicanas, el puesto de director es asignado desde arriba, no creado por el incumbente, como en el sector privado, donde las directoras son mayormente mujeres que se lanzaron a abrir sus propios cole-

---

tribución rural/urbana de la población dominicana en general. Dicha cifra sirve para fortalecer nuestra observación anterior de que la demanda educativa en zonas rurales tiene la misma fuerza que la de las zonas urbanas. Mirando los maestros, es interesante notar que mientras un 57 por ciento de los maestros son urbanos, un 70 por ciento de las maestras lo son. El maestro rural es muchas veces itinerante —yéndose a su casa en el pueblo el viernes y regresando el lunes, así abreviando la docencia efectiva. La mujer con niños difícilmente puede llevar tal vida itinerante. De ahí quizás provenga el porcentaje más elevado de hombres que se dedican a la enseñanza rural.

gios. En el sector público, en cambio, es alguien arriba de mí quien decide si seré director o no. Y aun en este renglón educativo, dominado por una presencia femenina, sigue habiendo un favoritismo institucional hacia los hombres cuando se trata de la asignación de los puestos más codiciados y mejor pagados. Dicho trato preferencial no es producto de nuestra imaginación. Se ve claramente en las mismas estadísticas de la Secretaría que acabamos de presentar.

"Espérate, espérate, no tan rápido..." susurra el Angel Guardián de las Estadísticas. "Antes de gritar *discriminación sexual*, hay que examinar las credenciales profesionales. ¿Será posible que los hombres en su colectividad gocen de mejor preparación académica que las mujeres? ¿Será por sus credenciales más fuertes que logran mayor probabilidad de ser directores?" Una pregunta muy valida. Quizás las autoridades de la Secretaría, cuando buscan a directores, se comportan como profesionales fríamente objetivos, mirando no el género del candidato sino simplemente sus credenciales profesionales. Si los hombres dentro del sistema están mejor preparados que las mujeres y por eso reciben tantas invitaciones al puesto de director, se trata entonces no de favoritismo sexual sino más bien de seriedad profesional e institucional.

Vamos a explorar la hipótesis, utilizando los excelentísimos datos de la Secretaría, que nos hablan del nivel de preparación de cada uno de sus maestros y directores. En el cuadro 43 seleccionamos varios distritos escolares y examinamos el porcentaje de los empleados públicos educativos de cada género dentro de las zonas urbanas de aquel distrito que tienen un título pedagógico. Queremos ver si en términos globales son los hombres o las mujeres dentro del sistema que tienen mejor preparación académica.

Cuadro 43
Preparación profesional de los empleados públicos urbanos desglosada por sexo y por distrito escolar

	Porcentaje del personal educativo que tiene título pedagógico	
Región y Distrito	*Hombres*	*Mujeres*
Santo Domingo I		
Cambita Garabito	83.3	92.5
San Cristóbal Norte	81.7	90.6
San Cristóbal Sur	80.0	92.9
Villa Altagracia	75.7	71.0
Haina	68.2	71.5
Los Alcarrizos	57.8	56.9
Santo Domingo II		
Yamasá	69.2	87.5
Monte Plata	75.0	80.3
Bayaguana	74.2	59.5
Sabana Grande de Boyá	14.3	77.4
Santo Domingo III		
Santo Domingo Norte	52.0	71.8
Santo Domingo Centro	63.7	76.9
Santo Domingo Sur-Central	68.2	80.0
Santo Domingo Noroeste	66.0	76.6
Santo Domingo Oeste	64.9	73.4
Santiago		
San José de las Matas	72.7	83.3
Jánico	85.7	73.6
Santiago Sureste	72.4	78.3
Santiago Noroeste	76.7	84.4
Santiago Centro-Oeste	57.3	78.2
Santiago Noreste	57.5	73.3
Navarrete	75.6	73.2
La Vega		
José Contreras	70.0	100.0
Constanza	55.6	62.9

Cuadro 43 (Cont...)

	Porcentaje del personal educativo que tiene título pedagógico	
Región y Distrito	*Hombres*	*Mujeres*
Jarabacoa	69.2	78.0
La Vega Oeste	67.9	86.7
La Vega Este	61.5	95.3
Moca	59.6	82.0
Gaspar Hernández	100.0	73.3
San Pedro de Macorís		
San Pedro de Macorís Este	49.2	73.8
San Pedro de Macorís Oeste	47.6	84.9
La Romana	47.4	68.4
Hato Mayor	74.6	83.0
Sabana de la Mar	68.8	87.5
Consuelo	67.9	83.3
San José de los Llanos	60.0	94.9

Sacamos porcentajes de titulación para las escuelas urbanas de 36 distritos escolares. Consideraremos los dos porcentajes ser "iguales" si no difieren por más de 5 por ciento. El cuadro 44 nos da los resultados.

Cuadro 44
Credenciales educativas de hombres y mujeres
en 36 distritos escolares

Comparación	*Número distritos*	*Por ciento*
Porcentaje femenino superior	30	83.4
Porcentajes iguales	3	8.3
Porcentaje masculino superior	3	8.3
TOTAL	36	100.0

Pregunta contestada: los hombres, obviamente, **no** gozan de credenciales profesionales mejores que las de las mujeres. Al contrario. Una mirada aun superficial a los datos indica que los hombres empleados dentro del sistema educativo público[91] tienen en su colectividad un nivel de preparación profesional muy por debajo del nivel de sus colegas femeninas.

¿Se dan también los mismos patrones en el sector de los colegios privados? El cuadro resulta muy distinto cuando pasamos a los datos para el sector privado. Aunque ahí las mujeres siguen dominando en el magisterio a tiempo completo, no sufren de desventajas tan abiertamente discriminatorias en cuanto a la ocupación de puestos directivos. Miremos los datos en el cuadro 45.

Cuadro 45
Porcentaje de mujeres en distintas categorías profesionales desglosado por sector público y privado

Categoría de empleada	*Escuelas públicas*	*Colegios privados*
Personal directivo	58.4	73.7
Maestras tiempo completo	76.9	81.5
Maestras tiempo parcial	54.0	46.7
TOTAL	72.2	75.5

En el último rango del cuadro 45 notamos que el total de personal femenino en el renglón "colegio privado" (75.5%) es casi el mismo que en el renglón de las escuelas públicas (72.2%).

[91]Tuvimos que hacer los cálculos porcentuales a mano a base de las hojas preliminares emitidas por la Secretaría de Educación. Escogimos ciertas regiones estratégicas para las tabulaciones. Los datos del cuadro cubren sólo maestros urbanos en aquellas regiones. Hemos mirado brevemente los datos de las demás regiones. De extender estas tabulaciones a la población docente total del país, sospechamos que el mismo patrón de favoritismo se manifestará.

En términos del magisterio, el porcentaje de mujeres es más o menos igual para los colegios: un poco más alto en términos de trabajo a tiempo completo, un poco más bajo en términos de trabajo a tiempo parcial. Pero las diferencias no son contundentes. Sin embargo, si examinamos el rango "Personal Directivo" vemos inmediatamente que en el caso de los colegios privados más o menos el mismo porcentaje de personal femenino (73.7%) se da que en el rango "total personal". No baja drásticamente como en el caso del personal directivo del sector público, donde sólo 58.4 por ciento de los directores son mujeres. Es decir, en los colegios privados no se dan los mismos patrones de discriminación por género en la asignación del rol de Director.

¿A qué se debe la diferencia entre los dos sectores? Defensores del sistema público dirían que quizás haya tanto "tigueraje" en las aulas de las escuelas públicas que se necesita la mano fuerte del director hombre. Un antropólogo escéptico sospecha, en cambio, que el tigueraje que produce tal discriminación se encuentra, no en las aulas del sector público, sino en sus oficinas administrativas donde se reparte el bizcocho de los puestos codiciados.

Los datos son, por lo tanto y desafortunadamente, consistentes con la siguiente hipótesis poco atractiva: que a pesar del papel preponderante que juega la mujer en la educación, ha existido, sin embargo, en la Secretaría de Educación un favoritismo institucional en favor de los hombres y en contra de las mujeres. El favoritismo se manifiesta de por lo menos dos maneras.

1) El hombre tiene más probabilidad de lograr entrar en el sistema, de conseguirse un nombramiento, con menos preparación técnica que la mujer. Es decir, las autoridades encargadas de contratar al personal docente en el sistema educativo público les exigen más a las mujeres como grupo en términos de preparación profesional para que puedan ob-

tener un empleo. El hecho comprobado de una cantidad más grande de hombres sin título en la nómina educativa pública da lugar a la sospecha de que se aplican criterios menos austeros para el nombramiento de los hombres.

2) Una vez ingresado en el sistema, el hombre tiene mayor probabilidad que la mujer de conseguir uno de los puestos codiciados de director de escuela. Que se acuerde que mientras los hombres constituyen 22 por ciento del magisterio a tiempo completo, ocupan 42 por ciento de los puestos directivos. Tal preferencia masculina nada, pero nada, tiene que ver con un nivel superior de preparación profesional. Al contrario. Al seleccionar sus directores, el sistema educativo público favorece a los hombres como grupo a pesar de que sus antecedentes profesionales como grupo son visiblemente y palpablemente inferiores a los de las mujeres.[92]

Para concluir con este tema, aquí sólo queremos señalar que el renglón educativo se caracteriza por la preponderancia de mujeres tanto en el sector público como en el privado. Pero debemos aclarar que las mujeres logran un porcentaje de puestos directivos consonantes con su presencia estadística en la profesión educativa principalmente cuando los puestos de directoras son logrados por iniciativa propia (por haber fundado un colegio). En cambio, en el sector público, donde los puestos son asignados por decretos desde arriba, se nota un favoritismo marcado en favor de los hombres, aun cuando el puesto más alto de la Secretaría sea ocupado por una mujer.

---

[92]¿Los datos podrían interpretarse de otra manera menos crítica? Claro que sí. Para eso se inventó la pintura. Se podría plantear que los hombres se especializan menos en la educación, pero que la Secretaría necesita tener una presencia masculina en las escuelas, y por lo tanto se ve obligada a contratar una mayor cantidad de hombres menos preparados. Tal versión inocente, sin embargo, claudica cuando se yuxtapone al favoritismo sexual que también se ejerce en la asignación de puestos directivos.

Desconocemos si el favoritismo se extiende también al asunto de los sueldos. Como los sueldos son fijados por política institucional, parecería que cabe poco espacio para favoritismo en ese renglón, ¿verdad? Sí y no. Además del sueldo básico, existen también políticas de incentivos que, según se nos explicó, se aplican hasta la fecha sólo a algunos maestros, pero todavía no a todos. ¿Realmente se aplican de igual manera a los dos sexos? No sabemos. Es simplemente una pregunta, justificada por el comprobado favoritismo que se aplica en la susodicha asignación de nóminas y de puestos directivos.

¿Las autoridades practican dicho favoritismo conscientemente? "Bueno, aquí hay un hombre y una mujer buscando un puesto directivo. Déjame darle el puesto al hombre porque después de todo, es hombre...." ¿Se piensa así en la Secretaría de Educación al momento de hacer un nombramiento? Lo dudamos. Pero no importa. Los datos indican simplemente que el favoritismo se practica. Conscientemente o inconscientemente. Es un patrón institucional, heredado del pasado, no un invento nuevo creado por las autoridades actuales. Y lo institucional en este caso va ligado a lo cultural. Es decir, el favoritismo institucional hacia el hombre va ligado al susodicho patrón cultural que impone a la maestra dominicana una triple tanda: las dos en la escuela y la tercera tanda de cocinera, lavandera y cuidadora de niños en su propio hogar. El magisterio, en otras palabras, le deja tiempo "libre" a la mujer para someterse a un fuerte régimen doméstico creado por normas culturales en que ella no sólo tiene que aportar dinero para comprar los plátanos, sino que los tiene que pelar y cocinar también.[93]

---

[93]En casas de clase media para arriba, será una cocinera u otra trabajadora doméstica la que pela y cocina los plátanos. Nos faltan datos, pero dudamos que la maestra típica, que se gana sólo sus 3,000 y pico por tanda, pueda darse el lujo de contratar ayuda doméstica a tiempo completo.

I. FANTASMAS Y ZOMBIS: POSIBLES DISTORSIONES DE LA PROPORCIÓN MAESTRO/ESTUDIANTES

Resulta desafortunado tener que enfocar patrones de favoritismo. Cuando salen a la superficie, como salieron en los datos de la Secretaría, hay que enfrentarlos sin tapar el sol con un dedo. Sin embargo, aun su rectificación completa no conduciría automáticamente a mejoras educativas. Es decir: si un hipotético sistema educativo está brindando educación de mala calidad, y favorece a los hombres como directores, aumentar el porcentaje femenino de directores sólo les otorgaría a las mujeres el derecho de participar equitativamente en el suministro de educación inferior. Ese no es el punto de una "reforma educativa". O no debe ser el punto.

El punto analítico más importante es la calidad intrínseca de la educación brindada. Y probablemente la variable más importante que determina la calidad de la educación, sobre todo con párvulos, es la proporción maestro/estudiantes. Terminaremos este capítulo discutiendo esta variable.

Sobre este asunto nos vemos obligados a compartir con el lector otra discrepancia, esta vez realmente inquietante, entre los datos de la Secretaría de Educación y la información que pudimos recoger en nuestras entrevistas cualitativas con maestros del sector público y del sector privado. Algo raro pasa.

A nivel nacional, el informe estadístico de la Secretaría de Educación nos proporciona una cifra de más de 1.3 millones de estudiantes matriculados en los centros públicos y privados de la República Dominicana. El mismo informe estadístico de la Secretaría de Educación reporta para el año lectivo 1996-1997 casi 36,000 maestros. De ser fehacientes dichas sumas, generan una tasa de un maestro para cada 36 estudiantes matriculados.

Nos sorprendió francamente ver estas estadísticas. Las reportamos aquí con inquietud, porque chocan con la imagen que se dibujó en nuestras entrevistas con maestros tanto del sector público como del sector privado. Ya hemos constatado que la gran mayoría de las escuelas dominicanas operan con dos tandas, y muchas con tres. Por el momento tomemos dos tandas como la norma. El maestro típico a tiempo completo está autorizado a enseñar dos tandas. Recuerde: la misma Secretaría basó su cálculo del "sueldo promedio" sobre la premisa de una carga laboral de dos tandas. Pero según la Secretaría de Educación este maestro promedio tiene un promedio nacional de 36 alumnos. Divididos por dos tandas, serían 18 estudiantes por tanda! Es decir, que de ser ciertas las cifras suministradas por la Secretaría de Educación, la República Dominicana sería un paraíso educativo donde cada maestro del sector público maneja sólo 18 estudiantes por aula por tanda. Ni en los suburbios más opulentos de Suiza o de los Estados Unidos existe tal proporción privilegiada.

Dicho escenario, por supuesto, es pura (o impura) ficción, que nada tiene que ver con la situación real de las aulas dominicanas. En nuestras entrevistas con maestros, la situación que se nos presentó como típica del maestro del sector público dominicano era bastante diferente: un aula abarrotada con hasta 60 alumnos cada tanda,[94] dos veces por día. Quiere decir que el maestro típico del sector público que salió de nuestras entrevistas cualitativas era una figura que tenía que bregar no con 36 estudiantes, *sino con casi 120 estudiantes por semestre.*

¿A qué se debe esta discrepancia entre lo que nos dijeron varios maestros y los datos de la Secretaría de Educación? Hemos considerado por lo menos cinco posibilidades, enumeradas en el recuadro 2.

[94]En este sentido, los datos estadísticos reportados por la SEEBAC en el año 1984 parecen más realistas. En el informe "Actualización del Diagnóstico Educativo: Nivel Primario" de aquel año, se informa que había "en promedio, un aula por cada 62 alumnos matriculados" (Santos, p. 305).

Recuadro 2

Posibles fuentes de discrepancia entre la imagen abarrotada de las aulas en nuestro estudio y la imagen idílica en los datos de la Secretaría
• ¿Habrá administradores, directores y otros empleados incorrectamente categorizados como maestros?
• ¿Los maestros entrevistados exagerarían la condición abarrotada de las aulas públicas?
• ¿El abarrotamiento de las aulas se dará sólo en la Capital?
• ¿Habrá maestros fantasmas circulando en los datos?
• ¿Habrá maestros zombis cobrando cheques?

Examinemos las posibles explicaciones punto por punto.

1. El incluir por error administradores y directores y otros empleados con los maestros en los datos de la Secretaría de Educación bajaría artificialmente la proporción maestro/estudiantes. Es decir, habría administradores y hasta secretarios y serenos siendo contados como maestros. Pero verificamos que tal error no se hizo, ni por la Secretaría ni por nosotros. La cifra de 36,000 incluye sólo maestros.
2. ¿Nuestros encuestados nos habrían mentido o exagerado sobre la situación del maestro en las escuelas públicas? No. Hemos recibido información de demasiado fuentes fehacientes, incluyendo maestros y representantes de la ADP, que nos aseguran que el maestro típico del sector público, por lo menos en el Distrito Nacional, (a) enseña dos tandas y (b) tiene por lo menos 50 y hasta 60 alumnos por tanda.
3. ¿Nuestros encuestados hablarían sólo de una masificada situación capitaleña, atípica para el resto del país? ¿Los maestros en zonas rurales o fuera de la capital tienen menos estudiantes? Posiblemente el maestro fuera de la capital enseñe menos estudiantes que el maestro capitaleño. Decimos: posiblemente. Carecemos de los necesarios datos desglosados.

Pero de todas maneras las cifras distorsionadas no se pueden derivar de esta diferencia. En primer lugar, ya una tercera parte de la población dominicana —y por lo menos una tercera parte del estudiantado— está concentrada en el Distrito Nacional, caracterizada por una situación masificada en la aula típica. Segundo, la situación de las aulas de Santiago, San Pedro, La Romana, y otras ciudades y pueblos y campos tendría que ser eminentemente descongestionadas —10 estudiantes por aula o algo por el estilo— para servir de contrapeso contra la masificación de las aulas capitaleñas para bajar el porcentaje. Simplemente, no es así. La masificación de las aulas públicas es un fenómeno urbano nacional, no sólo capitaleño.[95]

4. La discrepancia se podría producir, por lo menos en parte, por el fenómeno del "maestro fantasma", un maestro artificialmente duplicado por un primitivo sistema administrativo que cuenta un maestro como "dos maestros" si enseña dos tandas y "tres maestros" si enseña tres tandas. En dicho caso los que manejan el sistema saben sólo cuántos cheques emiten por mes, no cuántos maestros humanos realmente hay. Los "36,000 mil maestros dominicanos" pueden ser realmente 18,000 mil maestros cada uno de los cuales enseña dos tandas, cobra dos cheques sepa-

[95]Las escuelas públicas de la capital tienen más aulas y más estudiantes que las escuelas públicas en otras regiones. Las escuelas son más grandes. Pero aquello no significa necesariamente que el maestro típico de la capital tenga más estudiantes que su contraparte santiaguero o sanjuanero. El maestro capitaleño que enseña en una hipotética escuela grande con 20 aulas, 20 maestros, y 1,200 estudiantes en dos tandas tiene la misma cantidad de estudiantes que un maestro sureño o cibaeño en una escuela con 5 aulas, 5 maestros y 300 estudiantes. El maestro capitaleño, en este modelo, enseña en una "escuela más grande", es cierto, pero tendrá la misma cantidad de estudiantes que el que enseña en una escuela más pequeña. La calidad de la educación depende más de la tasa estudiantes/maestro que de la tasa estudiantes/escuela.

rados, y, por lo tanto, cuenta como "dos maestros". O pueden ser 22,000 maestros, 12,000 de los cuales enseñan una tanda, 8,000 con dos tandas, y 2,000 con tres tandas. O cualquier otra combinación. En tal sistema lleno de fantasmas nadie tendría la menor idea de cuántos maestros reales laboran en el sistema educativo estatal. Sólo se sabe cuántos cheques se cobran. Entonces la cifra de "36 estudiantes por maestro" significará simplemente "Tenemos un promedio nacional de 36 estudiantes por maestro por tanda, sin tener la menor idea de cuántos maestros reales tenemos."

5. Finalmente, tal discrepancia se produciría si hubiera un número elevado, pero *bastante* elevado, de maestros zombis —es decir, de "maestros" entre comillas que aparecen en la nómina de la Secretaría de Educación, que reciben cheques mensuales, pero que por alguna razón nunca aparecen en las aulas. Difieren radicalmente de los susodichos fantasmas. Los fantasmas no cobran sin realmente aparecer en las aulas. A los zombis, en cambio, nadie los ve nunca. Serían los muertos misteriosos que cobran un cheque mensual, o cuyas amistades generosamente se encargan de cobrárselo, si es que aquel ya pasó a su descanso eterno y está impartiendo docencia en las aulas celestiales. Oímos por primera vez el término *chek zombi*, "el cheque de un zombi", del otro lado de la frontera, en los círculos estatales de Puerto Príncipe. Supimos también, sin embargo, que en los medios públicos dominicanos han circulado rumores —muy maliciosos por supuesto— de que quizás anden zombis hispanohablantes de este lado de la frontera, por el Huacal, por la Feria, o por otros lados.

A un sistema educativo moderno, por supuesto, manejado con competencia administrativa y con honestidad moral, no le conviene tener ni fantasmas ni zombis. Pero éstos son definitivamente más nocivos y peligrosos que aquellos. En un sistema educativo infestado con grandes números de empleados zombis, los maestros reales de carne y hueso, que aparecen y enseñan antes de cobrar, serían víctimas de una enorme injusticia institucional, estando en efecto enseñando sus propios estudiantes al igual que los estudiantes de los "maestros zombis" que recibirían cheques sin tener que aparecer en ninguna aula. Es decir, si en la nómina hay 300 maestros y 9,000 estudiantes, el informe estadístico informa al público que "tenemos un promedio de 30 estudiantes por maestro". Muy bonito. Pero si 15 de los 30 maestros son zombis, el pobre maestro real enseña 60 estudiantes, no 30. Al maestro le pagan por enseñar 30, oficialmente, pero realmente tiene que bregar con 60. Por supuesto, aquello no aparece en ningún informe estadístico.

¿Existen fantasmas o zombis en el sistema estatal dominicano? Como soy un simple antropólogo, no me incumbe el papel ni de exorcista, ni de detective, ni de juez. Mi deber profesional principal al momento consiste simplemente en indicar que la cifra oficial de 36 ó 37 estudiantes por maestro por semestre —es decir 18 por tanda— nada tiene que ver con lo que me aseveraron cuantiosos maestros y otros profesionales educativos dominicanos en el curso de mis observaciones y entrevistas. Según lo que pudimos constatar, (a) el maestro típico del sector público, para sobrevivir económicamente, intenta (y logra) enseñar dos tandas, no una; y (b) fácilmente tendrá en cada aula 50 ó hasta 60 estudiantes, lo que genera una proporción real de más de 100 estudiantes por maestro, no 36.

¿De dónde viene la diferencia? Descartaríamos el fenómeno zombi como explicación única o hasta principal. Consideramos que es muy pero muy improbable que la discrepancia de cifras sea producto principalmente de una infestación sistémica de individuos cobrando cheques sin enseñar. Es cierto que los medios públicos han hablado del peligro de por lo menos una ligera infestación de las nóminas públicas dominicanas con muertos que reciben cheques. Tales zombis después de todo aparecen en otros países también. Y el sector público dominicano no se destaca, ni en los medios internacionales ni en la emisora Radio Bemba de su propio pueblo, por un exceso de honestidad por parte de sus funcionarios. A alguien tiene que habérsele ocurrido la idea por lo menos. Sin embargo, para producir la enorme discrepancia que identificamos, más de la mitad de los maestros en la nómina pública tendrían que ser zombis. Ni el pillo más audaz del milenio podría ingeniarse un macuteo de tal magnitud. En sistemas donde existe el *chek zonbi*, tiende a ser más bien una forma de picoteo a menor escala.

El fenómeno del fantasma me parece mucho más probable como explicación —una práctica administrativa de simplemente contar un maestro que enseña dos o tres tandas como si fuera dos maestros, y presentarlo así en las estadísticas. La cifra de 37 estudiantes por maestro simplemente significaría 37 estudiantes por maestro *por tanda.*

Si es así, entonces, es un error inocente, ¿verdad?. El maestro enseña dos tandas y cobra dos tandas. Como si fuera dos maestros. Punto. ¿Problema resuelto? *Absolutamente no*. Tal "error inocente" genera una enorme tergiversación estadística, delante de la ciudadanía dominicana y de la comunidad internacional, de la situación difícil real del maestro dominicano. Las estadísticas del informe lo presentan como un "maestro a tiempo completo" que tiene que bregar con un promedio de "36 estudiantes". No se ve tan mal. Pero en la realidad aquel maestro, para sobrevivir, *tiene que enseñar dos tandas* a tiempo completo y bregar con hasta 120 estudiantes por semestre. Es decir, mi hijo comparte su profesor capitaleño, no con 35 alumnos más, como dice el informe de la Secretaría, *sino con hasta 119 estudiantes más*. Los de su tanda y los de la otra. Si mi maestro tiene tantos estudiantes, no sólo no tendrá ni tiempo ni energía para corregirme las tareas que hago en casa, si es que se molesta en asignármelas. Es posible que ni llegue a saber mi nombre. Por lo tanto, aquella bonita cifra de "36 estudiantes por maestro", que aparece tan orgullosamente en el informe de la Secretaría, tergiversa y enmascara la situación real tanto del sobrecargado maestro dominicano como de sus estudiantes masificados y abarrotados.[96]

El lector que comparte nuestras inquietudes con respecto a la cifra debe acordarse también, sin embargo, que las discrepancias pudieron identificarse sólo porque los profesionales de la Secretaría tuvieron la diligencia profesional de suministrar los datos crudos que permiten que otros como el que escribe haga un reanálisis. Concluyamos con la esperanza de que la sociedad civil, el magisterio y los medios públicos dominicanos soliciten de la Secretaría de Estado de Educación una clarificación sobre estos datos, para que tales ambigüedades no vuelvan a empañar la labor excelente que dicha Secretaría ha comenzado a hacer con la recopilación y publicación de estadísticas educativas.

Muy concretamente: las publicaciones estadísticas en el futuro deben informar exactamente cuántos maestros reales hay, cuántas tandas enseñan y cuál es, por lo tanto, la verdadera proporción maestro/estudiantes que prevalece en el territorio nacional. Si el maestro tiene a su cargo más de una aula —y la gran mayoría de maestros dominicanos la tiene— *no se puede presentar la proporción aula/estudiantes como si fuera la proporción maestro/estudiantes*. Es un error. Tal cifra no documenta, sino que tergiversa, la realidad. El informe de la Secretaría parece caer en ese error, y se necesita una corrección urgente. Y dicha cifra corregida debe ser desglosada por sector. La cifra de 36 alumnos por maestros —o más bien por aula— mezcla datos de los sectores públicos y privados. Se necesita una cifra desglosada que nos indique exactamente cual es la real proporción maestro/estudiantes en el sector público, el sector que

[96]Reconocemos que existen algunos maestros especializados en materias como música, arte y otros renglones que no tienen un aula a su cargo, sino que reciben niños de todas las aulas. Pero desconocemos cuántos son y en qué porcentaje su presencia bajaría legítimamente la proporción estudiantes/maestro en el sistema educativo público.

hasta la fecha sigue educando el grueso de la juventud dominicana.

J. Resumen del capítulo

Para resumir la información presentada en este capítulo sin entrar en cifras, señalamos lo siguiente.

- En un momento dado, al final de los años 1990, más del 88 por ciento de los maestros dominicanos ya tenían algún título pedagógico formal. Esta cifra cruda, por supuesto, poco dice sobre la calidad de la preparación. Pero lo que sí se puede aseverar es que desapareció la era del maestro o la maestra sin preparación.
- Esta tasa de titulación magisterial, que se daba hacia el final de los años 1990, estaba por encima de la cifra que se reportó para la América Latina en general, que andaba por el 75 por ciento. Paradójicamente, ha habido un leve aumento en años recientes de maestros sin título pedagógico. Pero los recién contratados que no tienen títulos pedagógicos están en vías de conseguirlo.
- Los profesionales que no tienen título pedagógico, sin embargo, pueden desempeñar papeles docentes. Las reglas vigentes exigen que cada distrito escolar tenga cierto porcentaje de maestros con título pedagógico. Esto abre la puerta a la contratación de otros profesionales.
- Reconocemos que un porcentaje alto de titulación magisterial no garantiza enseñanza de alta calidad. Pero la ausencia de títulos sí garantizaría mala calidad. El país está por lo menos en buen camino con respeto a la preparación profesional de sus maestros.
- El sindicato magisterial, la ADP, ha creado en el país una cultura de huelga escolar. La huelga escolar en otros países se ve como una traumática medida excepcional. Por resul-

tado de la conducta del liderazgo de la ADP, la huelga escolar, o su amenaza, ha llegado a formar parte de la rutina normal de la vida escolar dominicana. El año escolar sin por lo menos amenazas locales de huelga magisterial se vería como excepcional. Y aun sin huelga los dirigentes sindicales pueden cerrar las aulas de una escuela convocando reuniones.

- Los mejoramientos salariales conseguidos por el sindicato se han logrado sin mejoramiento objetivo en la calidad de la educación. Como vimos en el capítulo I mediante datos comparativos internacionales, los niños dominicanos siguen logrando las puntuaciones más bajas del hemisferio. Las presiones de la ADP son de carácter puramente salarial, no profesional.
- A diferencia de muchos otros sindicatos, cuya importancia ha mermado en décadas recientes, la ADP ha logrado mantener su poder paralizante por dos razones. En primer lugar es un sindicato monopolista que ha logrado reclutar el mismo gobierno como cobrador de las contribuciones obligatorias de una membresía que carece del derecho de no pertenecer al sindicato. La Secretaría no contrata un maestro o una maestra sin obligarlos a afiliarse al sindicato; un arreglo bizarro en el que un empleador obliga al empleado a unirse al sindicato antagónico a la compañía. Es más, la Secretaría de Educación hasta sirve de agente cobrador para la ADP, deduciendo las contribuciones sindicales automáticamente del sueldo y traspasándolas a la ADP. En otras palabras, es el Estado mismo que sostiene el poder del sindicato que tantos estragos ha cometido en contra de los niños dominicanos.
- En segundo lugar, a diferencia de otros sindicatos ya más débiles, la ADP mantiene su poder porque tiene bajo su control una población de los centenares de miles de niños pobres que acuden a las escuelas públicas. Ningún otro sindicato tiene a su disposición una población tan enorme de

potenciales rehenes infantiles que pueden amenazar con sacarlos a la calle, cerrando sus aulas, creando así enormes dolores de cabeza tanto para los padres de los niños como para las autoridades públicas. En breve, es una combinación de cuestionable apoyo estatal en combinación con tácticas de amenaza en contra de los niños pobres de la nación, que ha permitido a la ADP mantener su poder durante un período de disminución general de poder sindical en el país.

- Los niños que estudian en colegios privados no son vulnerables a las amenazas del sindicato. Los maestros de los colegios privados no pertenecen, en principio, al sindicato, con la excepción de aquellos que trabajan una tanda en escuela pública y otra en colegio privado. La ausencia de huelgas en los colegios privados constituye una de las ventajas principales que conducen aún a las familias pobres a pagar colegio de barrio en vez de someter a sus hijos a las arbitrariedades de los dirigentes sindicales. Para los dominicanos de la clase media, es más bien miedo al bajo rendimiento académico y al "tigueraje" que puede darse en las escuelas públicas lo que motiva la búsqueda de colegios privados. Para los pobres del barrio, es el miedo a la sempiterna y medalaganaria huelga lo que más los motiva a pagar colegio.
- Existen antecedentes prometedores aún en escuelas públicas para rescatar los niños del peligro de arbitrariedades sindicales. Hay ciertas escuelas públicas —llamadas "semioficiales"— donde el sindicato no logra hacer daño. Son escuelas públicas manejadas por entidades privadas bajo contrato con el gobierno, mayormente congregaciones religiosas católicas. Como tienen nombramiento público, los maestros tienen que pertenecer al sindicato y pagar sus cuotas. El Estado se lo obliga. Pero el contrato gerencial estipula que la directora de la escuela, no la Secretaría, escoge los maestros, y que los maestros no irán a la huelga digan lo que digan los dirigentes sindicales. Es precisamente dentro de este subgrupo de escuelas públicas donde no hay huel-

gas y donde los padres de familia saben que sus hijos recibirán una educación "tipo colegio". Por eso la gente compite para que sus niños sean admitidos en tales escuelas.

- Se reconoce, por un lado, que fueron las presiones del sindicato las que elevaron los sueldos de los maestros dominicanos. Pero hay que señalar también que ello se logró mediante huelgas que destruyeron el sistema escolar, y bajo eslóganes maoístas que nada tenían que ver con la educación ni con la historia ni la cultura dominicanas. En los últimos 15 años, los dirigentes sindicalistas parecen haber metido el librito rojo y la retórica maoísta en el zafacón (o quizás en una gaveta). Pero la amenaza de la huelga sigue sobre la mesa.
- Los maestros del mundo necesitan sindicatos. Sin embargo, existen sindicatos magisteriales en muchos países que han logrado elevar el estatus de los maestros de su país sin causar los estragos al sistema educativo entero ocasionados por la conducta del sindicato magisterial dominicano.

1. Los sueldos de los maestros

- Con el inicio del Plan Decenal a principio de los años 1990 los sueldos de los maestros dominicanos aumentaron dramáticamente. En el año 1991, la Secretaría de Educación reportó el sueldo promedio del maestro en $608 pesos. Para el año 1992 esta cifra subió a $3,300. Para el año 1997, la cifra reportada estaba en $7,250. Fue una década de aumentos dramáticos.
- Las cifras reportadas son exageradas, en el sentido de que representan lo que gana un maestro a tiempo completo —es decir, de dos tandas— que recibe los aumentos del "escalafón." Los maestros nombrados por una sola tanda pueden recibir solamente el sueldo básico sin los aumentos del escalafón.

- Aun con los sueldos aumentados por el escalafón, los maestros dominicanos difícilmente suben a la "clase media", con casa y carro propios.
- Los maestros del sector público ya gozan de más recursos que las familias pobres cuyos niños educan, lo que no era necesariamente el caso anteriormente. Gracias a estos aumentos de sueldo, ya el magisterio constituye una carrera más atractiva para gente de las clases más pobres.
- Los maestros del sector privado, sobre todo en los colegios más élite, enseñan niños cuyo nivel económico queda muy por encima del del maestro. Para niños de esa clase el respeto por el maestro puede ser genuino, pero el magisterio no constituye una carrera atractiva, ni en los ojos de los padres de estos niños, ni entre los mismos niños.

2. Politización del magisterio

- Hasta cierto punto, las escuelas dominicanas siempre han jugado un papel político. Durante tres décadas servían como vehículos de adoctrinamiento trujillista. Luego, en los años turbulentos de los 60 y los 70, ciertos sectores del magisterio intentaron convertirlas en centros de adoctrinamiento maoísta o socialista. En décadas recientes, sin embargo, la politización ha dejado de ser de carácter intelectual. Ya la politización del sistema educativo toma la forma cruda y vulgar de convertir las escuelas y oficinas centrales y regionales en simple potrero para engordar los activistas del partido de turno con sueldos.
- En las escuelas del sector público la selección de personal, sobre todo para puestos altos de director de escuela para arriba, es guiada o aun determinada por factores políticos muchas veces ajenos a la capacidad del individuo escogido.
- Pero la politización no sólo afecta los puestos realmente necesarios. Conduce también a la creación de "botellas",

puestos innecesarios cuya función es premiar a los activistas del partido de turno con sueldos.

- Dicha politización sabotea los esfuerzos de mejorar el sistema. Cuando un director de escuela competente, que ha recibido capacitación costosa mediante una u otra beca, y que ha logrado establecer una relación de confianza con los padres de la escuela, repentinamente se encuentra "trasladado" o "jubilado", el sistema educativo ha sido invadido, debilitado y ensuciado por el sistema político.

3. La feminización del magisterio

- La nómina educativa también cae bajo la influencia de dinámicas de preferencias por género. Por un lado, la educación constituye un renglón dominado por mujeres. Más de 7 de cada 10 personas empleadas por el sistema educativo público, sea a nivel de maestro, sea a nivel administrativo, son mujeres. De hecho, más de 8 de cada 10 docentes a tiempo completo son mujeres.
- Ha sido costumbre durante los últimos quince años, con raras excepciones, asignar la cartera educativa a una mujer.
- Sin embargo, este gesto de gran importancia pública y simbólica enmascara una realidad administrativa subyacente que favorece a los hombres. Analizamos en el capítulo datos que demuestran de manera contundente que existe una preferencia hacia los hombres cuando se trata de la asignación de puestos administrativos de mayores sueldos, prestigio y poder.
- La posición privilegiada del hombre no proviene de su mejor preparación académica. Cuando examinamos los datos sobre titulación de maestros, vimos que la tasa de titulación de los hombres cae por debajo de la de las mujeres en 80 por ciento de los distritos escolares. El hombre tiene más probabilidad de lograr entrar en el sistema, de conseguir un nombramiento como maestro, con menos preparación técnica que la mujer.

- Una vez ingresado en el sistema, el hombre tiene mayor probabilidad que la mujer de conseguir uno de los puestos codiciados de director de escuela. Mientras solo 2 de cada 10 docentes a tiempo completo son hombres, casi la mitad de los directores de escuela son hombres.
- En los colegios privados los datos desglosados por puesto y por género no indican discriminación en contra de la mujer. Más o menos 3 de 4 maestros de los colegios privados son mujeres, y más o menos 3 de 4 directores de escuela también son mujeres.
- El favoritismo hacia el hombre en el sector público proviene de la politización del sistema. En el sector apolítico de los colegios privados, el hombre y la mujer compiten igual. Cuando se trata del sector público altamente politizado, los hombres echan para un lado a las mujeres dándose codazos para cosechar ellos mismos los frutos del favoritismo.

4. Proporción maestro/estudiantes

- Los datos de la Secretaría indicaban que en las escuelas públicas hay un promedio de 36 alumnos para cada maestro. Esta cifra es completamente equivocada.
- La distorsión se engendra por la práctica de confundir la tanda con el maestro. Cada clase en cada tanda se cuenta —y se paga— como un maestro. Si el maestro enseña dos tandas, se cuenta como dos maestros.
- Nuestros entrevistados indicaban que las aulas en las escuelas públicas pueden tener más de cincuenta niños. El maestro que tiene dos tandas a su cargo, entonces tiene la responsabilidad, no de 36 alumnos, sino de 100. La cifra oficial de un maestro por 36 estudiantes falsifica la realidad del maestro del sector público.

CAPÍTULO VIII

Resumen y conclusiones

En este capítulo resumiremos los planteamientos y los hallazgos más importantes que salieron de este estudio de la educación en la República Dominicana. En el capítulo siguiente, que es el capítulo final, formularemos recomendaciones concretas.

A. CARÁCTER COMERCIALIZADO DEL VOCABULARIO EDUCATIVO DOMINICANO

Encontramos una diferencia insólita entre la terminología educativa dominicana y la que prevalece en otros países hispanohablantes. Tales fenómenos lingüísticos pueden servirnos de ventana hacia orientaciones culturales. Hasta hoy en día hay otros países en las Américas donde la diferencia entre colegio y escuela reside en el nivel de docencia impartido. Si se imparte docencia a nivel secundario se llama *colegio,* no importa que sea público o privado. Y hay inclusive otros países, como el Perú y por lo menos las provincias de Cataluña y Valencia en España, donde se nos dijo que *colegio* y *escuela* se usan casi sinónimamente. Los muchachos peruanos "van al colegio", sea del Estado, sea de monjas. En Valencia son mayormente los de pueblo pequeño que mandan sus hijos a una escuela, que se llama *instituto* en el nivel secundario. Los de la ciudad prefieren el término *colegio,* aunque sea público. La guía telefónica de Valencia, se nos contó, contiene *colegios públicos.*

En la República Dominicana, en cambio, ya el criterio principal que distingue una *escuela* de un *colegio,* no sólo en el hablar popular sino también en documentos oficiales, es una variable comercial. Si es del Estado, y por lo tanto gratuita, es *escuela* (o *liceo*, a nivel secundario). Si es privado y se cobra, es *colegio*, del nivel que sea. A nivel universitario, la obsesión léxica con el asunto del cobro parece apaciguarse: todo centro universitario se llama *universidad.* Es cierto que en el hablar común y corriente se hace alusión a "las escuelas públicas" y a "los colegios privados". Pero son expresiones redundantes, como "vaca hembra" y "toro macho". Así como toda vaca es hembra, toda escuela es pública. La variante privada aquí se llama colegio. Cada vez que tropezamos con un conocido (o desconocido) de otro país hispanohablante, lo molestamos con preguntas sobre la diferencia entre *escuela* y *colegio* en su país. No ha sido un estudio lingüístico muy científico. Pero osamos plantear la tesis de que la comercialización total de la terminología educativa, en cuanto a *escuelas* y *colegios*, es algo muy criollo. Perdemos tiempo examinando este asunto que para el dominicano ya es tan obvio porque abre una ventana lingüística y cultural hacia aquella misma obsesión nacional que dio origen al financiamiento de este estudio: ¿Por qué cobran tanto los dueños de colegio? ("Esos bandidos", a menudo se agrega.)

Se trata de un cambio algo insólito que ocurrió en la República Dominicana en el significado de dos palabras importantes, *escuela* y *colegio.* En el siglo 19, el término *colegio* todavía no se había comercializado. El Colegio Central de Santiago en aquel siglo era público. ¿Sería porque impartía docencia secundaria? No sabemos. Planteamos como hipótesis que la transformación semántica de la distinción entre escuela y colegio es producto secundario de ciertas políticas trujillistas. Por razones ligadas quizás a su aspiración de ser reconocido como Benefactor de la

Iglesia, Trujillo suavizó el monopolio estatal sobre la educación invitando a congregaciones católicas extranjeras a instalarse en el país con la misión principal de fundar escuelas privadas, política que cogió auge especial en los últimos quince años del régimen de Trujillo. Pero se les puso el nombre de *colegio* a la mayoría de estas escuelas privadas, fuera cual fuera el nivel de docencia impartida. ¿Sería para diferenciarlas de las escuelas del Jefe? ¿O para darles más prestigio? ¿Fue el mismo gobierno que impuso la nueva distinción terminológica? No sabemos. Pero sí sabemos que aun la famosa Carol Morgan School, hoy por hoy educadora de los extranjeros y los dominicanos más pudientes, que al principio se llamaba Escuela Carol Morgan, tuvo que cambiar su nombre a Colegio Carol Morgan para adaptarse a la nueva terminología criolla. Bernardo Vega, en su libro *Los Estados Unidos y Trujillo: Los Días Finales,* nos indica que el Instituto Agronómico de Dajabón, manejado por los jesuitas que habían sido mandados a la frontera por Trujillo, se llamaba bajo Trujillo "Colegio Agrícola de Dajabón" (p. 481). Había, aparentemente, una política estatal que imponía el título *colegio* a todos los centros docentes de los extranjeros. Vemos en esto la manera en que una política estatal ejerce impacto sobre el vocabulario popular. (Frank Moya Pons, en una serie de artículos, documentó de manera parecida el origen trujillista del término "indio" como etiqueta racial, vocablo que ha llegado a formar parte del vocabulario popular sin que los mismos usuarios se den cuenta del origen de la práctica.) En resumen: los gobernantes ejercen poder sobre la evolución terminológica. Introducen distinciones —como *colegio* y *escuela*— que se incorporan en el hablar cotidiano, y la gente empieza a tomarlo como normal, olvidándose de sus orígenes.

Pero se puede preguntar ¿por qué y por dónde entró la cuestión del dinero y el prestigio en la definición dominicana de *colegio*? A las congregaciones católicas extranjeras Trujillo les dio terrenos y hasta edificios. Pero a la mayoría no les daba ni sueldos ni otros flujos monetarios sostenidos. Tenían, por tanto, que cobrar a los padres de los estudiantes. Y ahí surgió la situación actual. Los centros docentes de Trujillo —las escuelas— eran gratuitos. Los otros centros docentes —que ya se llamaban colegios— cobraban. Y, por supuesto, los que podían pagar pertenecían a los estratos económicos más altos. El término colegio llegó a asociarse no sólo con el cobro, sino también con el prestigio social. Quizás fue en aquel período histórico que la variable comercial —gratuito vs. pagado— y el elemento de prestigio social entraron como elementos en el uso criollo de *colegio*. Si es así, se trata de una evolución semántica provocada inicialmente por políticas estatales, pero que ya refleja una preocupación cultural con el asunto de los precios que se cobran por la educación privada.

B. Relaciones entre el colegio privado y la escuela pública

La evolución del colegio dominicano está íntimamente ligada con la evolución —o más bien el deterioro— de la educación pública. Por eso ha sido que ensanchamos el enfoque del estudio de los colegios privados para abarcar también la realidad de la educación pública. El estudio empezó con un enfoque en el colegio privado. Pero la educación privada en la República Dominicana está relacionada con la pública en cuatro sentidos.

1. En primer lugar, a nivel teórico, el colegio privado y la escuela pública son dos especies del mismo género de fenómeno. Los dos son estructuras organizativas con los mismos componentes básicos y la misma función básica. Difieren principalmente en su manera de financiamiento. En la República Dominicana difieren también en cuanto a la calidad de la educación que brindan. Pero esta diferencia es "accidentada", producto de factores históricos extrínsecos, no de rasgos ontológicos esenciales que distinguen los dos

tipos. Había momentos en la historia dominicana —durante el régimen de Trujillo— cuando las escuelas públicas brindaban una educación de tan alta calidad que muchos colegios privados. Y hay países hoy en día, como Francia, en que las escuelas primarias públicas probablemente sean superiores en su disciplina educativa que muchas escuelas privadas, que pueden haber sido establecidas para acomodar niños de estratos pudientes que sufren de problemas en las escuelas públicas. El colegio privado y la escuela pública, en resumen, difieren sólo en su manera de financiamiento. En principio son sistemas con idénticos rasgos fundamentales y metas educativas.

2. Pero en la República Dominicana hay relación entre los dos géneros en términos no sólo de rasgos sistémicos básicos, sino también de lazos históricos. Los colegios religiosos fueron, en su mayoría, formados bajo invitación de Trujillo por congregaciones católicas extranjeras. Por un lado tal presencia extranjera contribuía al deseo del dictador de "blanquear" y "civilizar" el país en contra de la influencia haitiana. Por otro lado, su apoyo a congregaciones religiosas católicas contribuiría, según él pensaba, a la realización de sus deseos de ser declarado Benefactor de la Iglesia, meta que nunca logró. No fueron formados para que sirvieran de modelo o de capacitadores a los maestros públicos. Tampoco fueron formados, a que sepamos, para remediar defectos en la educación pública, que en aquella época caminaba con disciplina.

   Pero los colegios privados que surgieron después, desde los años 1970 en adelante, si fueron formados como resultado directo de dos crisis educativas que azotaron la sociedad después de la muerte del dictador. La crisis principal fue lo que llamamos un "secuestro funcional" del aparato educativo público. La burocracia educativa quedó de pie y hasta creció. Pero su función educativa fue seriamente dañada reemplazadas por metas ajenas a la original función educativa. De esto tratamos en gran detalle en el libro. La segunda crisis fue precipitada en los años 60 y 70 en las huellas del Concilio Vaticano II, con el retiro parcial de la Iglesia Católica de su misión educativa tradicional. La crisis tenía dos dimensiones. En primer lugar, la presencia de monjas y frailes en las aulas disminuyó tanto por éxodos masivos de la vida religiosa como por carencia de nuevas vocaciones. Y en segundo lugar, aun los religiosos que quedaban deseaban salirse del apostolado tradicional de ser los maestros de las capas pudientes. Como Trujillo daba terrenos y edificios, pero no sueldos a la mayoría de las congregaciones religiosas, éstas tenían que cobrar sus servicios educativos y acabaron siendo los educadores de los estratos más acomodados. Después del Vaticano II muchos religiosos que quedaron en su vocación religiosa cambiaron de apostolado para estar más con los pobres.

Fue esta combinación de la destrucción de las escuelas públicas y la disminución de los colegios religiosos tradicionales la que provocó un brote de colegios privados laicos. Las escuelas privadas habían existido en el siglo decimonoveno, pero habían casi desaparecido por factores que discutiremos a continuación. La demanda educativa crecía geométricamente con la repentina urbanización que se provocó con la desaparición de los controles trujillistas. Al mismo tiempo, la oferta educativa tradicional fue saboteada por las dinámicas que acabamos de señalar. Es decir que en la República Dominicana el movimiento de privatización educativa va estrechamente ligada con las dinámicas de la educación pública. No se puede, en otras palabras, captar la educación privada sin entrar en la historia y la dinámica de la educación pública. Ligamos los dos temas en el libro.

3. Pero hay un tercer lazo entro lo privado y lo público en el renglón educativo. El dueño de colegio privado tiene que sacar una licencia para abrir su colegio y seguir pautas curriculares. Eso es normal bajo estándares internacionales.

El Estado dominicano, sin embargo, va más lejos. Hasta le obliga a pagar impuestos a Rentas Internas, cosa que no se hace en el país civilizado típico, donde se reconoce el aporte social que brindan las escuelas privadas. En la República Dominicana, en cambio, prevalece más bien un resentimiento que "aquellos bandidos se están enriqueciendo con nuestros hijos". No que están educando nuestros hijos. Sino que están cobrando más de lo que a mi me gustaría pagar. Ventilamos a continuación las tarifas absurdamente baratas que cobra el colegio típico. Pero los señores legisladores por supuesto no mandan sus hijos a colegio de barrio, sino a colegio élite. Y aquellos señores, aparentemente enfurecidos con la indignación de tener que pagar colegio élite como todos los demás, acabaron pasando una ley que controla los precios de los colegios. (Que sepamos, ninguno sacó a su hijo indignadamente del colegio para ponerlo de manera patriótica en escuela pública.) Este control fue dictado, por supuesto, en nombre de los pobres de la nación. Es decir, en cuanto a los colegios privados el Estado dominicano no sólo regula, como hacen todos los Estados, sino también castiga y embroma. El educador privado en la República Dominicana es hostigado y públicamente menospreciado con un trato que en otros países se reserva para dueños de prostíbulo y no para educadores de la juventud.

4. Hay un cuarto lazo entre la educación pública y la privada en la República Dominicana. El sistema educativo público se ha estancado, resistiendo las reformas que han modernizado ciertos otros sectores de la sociedad dominicana. El único renglón de la educación pública que ha caminado es aquel renglón donde ciertas escuelas públicas han sido entregadas a la gestión privada por parte de congregaciones religiosas católicas. Es un modelo híbrido público/privado que ha logrado protegerse, mediante contratos que la Iglesia Católica dominicana ha logrado hacer cumplir, de las invasiones políticas y sindicales que paralizan la escuela pú-

blica común y corriente. En el capítulo final, donde se elaborarán recomendaciones concretas, exploraremos la posibilidad de aplicar dicho modelo de gestión educativa privatizada de fondos públicos a círculos más amplios, y de aplicar también experimentos de colaboración educativa entre el Estado y colegios privados que se han realizado con éxito en otros países. Es decir, la búsqueda de arreglos de gestión privada, que prevalece por supuesto en el mundo de los colegios, puede constituir una salida también para la evolución del sistema público.

Por este conjunto de razones insistimos en encajar nuestro estudio de la educación privada dentro de la problemática educativa nacional.

C. LOS GIGANTES EDUCATIVOS Y LA CUESTIÓN HOSTOSIANA

Muchos antropólogos abordan el fenómeno del ser humano en términos de sistemas culturales. Estudian la estructura de aquellos sistemas culturales, sus funciones explícitas y escondidas, y su evolución a través del tiempo. He abordado el fenómeno del colegio privado como si fuera un subsistema cultural. Pero he intentado encajar el colegio dentro de un marco sistémico más amplio, viéndolo como solamente un elemento en un complejo compuesto de tres renglones: Estado, Iglesia y Sector Privado laico. Estos han sido los tres "gigantes educativos" que han competido a través de la historia occidental para el derecho de forjar las mentes de la juventud.

Descartamos militantemente cualquier premisa escondida en cuanto a los "derechos" o a los "deberes" del Estado en cuanto a la educación de los niños de la nación. La ingerencia de los gobiernos en asuntos de educación universal y popular es un fenómeno antropológico reciente, producto de accidentes históricos, no un deber o un derecho permanente del Estado como entidad. El Estado B —y aquí hablamos en términos genéricos y no sólo del gobierno dominicano B— ha llegado a ser un gigante educativo sólo en tiempos recientes.

La educación dominicana en el siglo 19 era poca en cantidad, pero mezclada en su modalidad. Gran parte de las pocas escuelas que había en el siglo 19 eran escuelas privadas. Existía, como quien dice, una colaboración harmoniosa entre los tres gigantes. En el libro hemos hecho un planteamiento histórico que por su carácter herético agradará muy poco en ciertos círculos educativos dominicanos. Cada nación, por supuesto, tiene derecho a sus mitos y sus leyendas. Un mito educativo nacional que circula en la República Dominicana postula que la verdadera educación dominicana no empezó hasta fines del siglo 19 con Eugenio María de Hostos, quien abogara por una educación que fuera pública y que fuera laica. Los portavoces de este mito pintan a Hostos como héroe que finalmente liberó la educación dominicana de las garras y cadenas de educadores eclesiásticos.

Hemos planteado al contrario de que la Iglesia Católica dominicana del siglo 19, a diferencia de muchas otras iglesias postcoloniales de las Américas, era una iglesia nacionalista en su orientación, criolla en su clero y jerarquía, y pragmática en su actividad educativa. Una figura histórica como Padre Billini "guayaba la yuca" con su colegio que impartía cursos hasta de carpintería. Fue el Profesor Hostos, al contrario, quien llegó al país con un desdeño, no sólo hacia la educación religiosa sino también hacia la educación vocacional pragmática y que introdujo más bien un enfoque clásico y elitista en el contenido de la educación.

Pero el error más dañino de Hostos para el futuro de la educación dominicana no fue su selección de contenido sino el amo educativo a quien se sometió. Con su visión estadocéntrico insistió en sembrar toda su semilla educativa en el patio del Estado, pasando por alto la realidad educativa de la historia dominicana, en que tanto Iglesia como Sector Privado habían jugado papeles imprescindibles. El panorama educativo dominicano era, como quien dice, un rico y diverso conuco intercalado. Profesor Hostos trató de convertirlo más bien en un cañaveral estatal monocultivado. Para realizar su visión educativa estadocéntrica, dejó al lado los dos actores educativos más serios y dedicados, los de la Iglesia y del sector privado. Sembró su semilla más bien en el terreno que no era, el terreno donde hasta hoy en día más reina la incompetencia y la corrupción, el terreno del Estado.

Sin quitarle valor a los esfuerzos del héroe educativo nacional, ni al entusiasmo que engendró para el magisterio, el elemento estadocéntrico de la visión hostosiana y su desprecio para el potencial educativo del sector religioso y del sector privado, era equivocada e históricamente mal fundada. El Maestro pagó caro el error, muriendo en pobreza, abandonado por los gobernantes de turno. Y si los muertos realmente ven, el purgatorio del fallecido Hostos tiene que consistir en la visión triste de la educación dominicana actual. Son los descendientes de los despreciados curas y monjas, y de los educadores privados. Quienes siguen "guayando la yuca" día tras día en las aulas de los barrios. En cambio su propia prole intelectual, los maestros del sector público, son los que se han especializado durante varias décadas en irse de huelga y en meter en la calle a sus desafortunados alumnos.

Pero dejemos que Hostos descanse en paz y que se le perdone el error de confiar en el Estado. Ni habría que entrar en este debate si se tratara de un lejano error histórico del pasado remoto, sin repercusiones pragmáticas actuales. Desgraciadamente, sin embargo, los errores de la visión estadocéntrico y anticlerical que regó Hostos se siguen sintiendo en el terreno educativo dominicano hasta ahora en el presente. Tanto los colegios privados como los educadores religiosos siguen siendo blancos de hostilidad estatal. Supimos del caso de la monja educadora que fue insultada dentro de la Secretaría por una muy pero muy alta funcionara de los años 1990. ("Aquí en mi despacho no quiero ver hábitos religiosos. ¡Es un símbolo de atraso!") Tal manifestación de patanería vulgar raramente se ve aun en los colmadones. La atmósfera prevaleciente en los pasillos de la Secretaría en la Máximo Gómez ha sido en muchas ocasiones bastante inhóspita para actores de los otros sectores educativos. Es bien posible —y bien deseable— que se darán cambios a ese respecto en este momento de transición.

D. ¿Cuántos colegios hay?

Había un total de 1,806 colegios en la base de datos de la Secretaría de Educación, basada en el censo de colegios privados hecho en el año 2000 por la ex-Secretaria de Educación Milagros Ortiz Bosch. La utilizamos para nuestro análisis. (Se realizó un censo posterior, al cual no tuvimos acceso.) Como se indica en otros párrafos, dicha cifra de 1,806 puede incluir entre dos tercios y tres cuartos de los colegios que realmente existen. Tenemos tres bases empíricas para sospechar que las cifras de la Secretaría del año 2000, constituyen por lo menos una ligera subestimación. Primero, sabemos que muchos colegios bien conocidos no cumplieron con la Secretaría y no mandaron los datos. Segundo, un estudio de FondoMicro en el año 2000 encontró casi 7,000 microempresas que caían bajo la etiqueta de "educación". Por supuesto, la mayoría de ellas no son colegios. Pero la cifra indica una alta incidencia de microempresas educativas. Y tercero, un estudio comisionado por EDUCA en los años 1990 identificó un gran número de colegios que eludieron las estadísticas oficiales. El estudio parecía indicar que casi la mitad de los alumnos capitaleños estudiaban en aquel entonces en colegios privados. Conclusión: puede haber muchos más colegios en realidad de los que aparecen en las listas oficiales.

Pondremos una cifra tentativa de 2,500 colegios privados en el país, sabiendo que la cifra podría modificarse con información más reciente o empíricamente mejor establecida. Y dicha cifra ni toma en cuenta la cada vez más importante actividad de la "sala de tareas"; aquel maestro que, quizás en su propia casa, ayuda al niño con sus tareas, o le enseña las materias que el niño no aprendió bien en su aula. Esa enseñanza adicional se cobra como "colegio", pero no se trata realmente de un colegio.

E. ¿DÓNDE ESTÁN LOS COLEGIOS?

Para entender el significado de la ubicación de los colegios, primero habría que preguntar ¿dónde está la gente? ¿Hay relación entre la distribución demográfica de la nación y la distribución de los colegios? Las zonas rurales de la República Dominicana ya están en vías de despoblarse. De los 8.7 millones de dominicanos que puede haber ahora en la isla (sin contar los dominicanos ausentes), quizás siete de cada diez ya viven en ciudades o en pueblos. Muchos de los que quedan en los campos tienden a estar entre los muy jóvenes, quienes se irán un día a buscar su vida en zona urbana. En tiempos pasados muchos de los muy jóvenes de las zonas rurales se iban a la ciudad colocados por sus padres en casas urbanas como "hijos de crianza". La labor doméstica se prestaba a cambio de la educación. Ya, como vimos, hay escuelas públicas por donde quiera y los niños, sobre todo los varones, se quedarán. Pero a la edad de liceo, se irán. Muchos adultos muy viejos se quedan en el campo. Pero gran parte también se irá cuando ya no puedan trabajar más. Irán adonde los hijos en las ciudades. Se calcula, sin tener datos muy precisos al respecto, que 30 por ciento de la población nacional ya vive en la capital o en el área metropolitana circundante.

Miremos ahora la ubicación primero de las escuelas y luego de los colegios. Si 30 por ciento de la población se encuentra dentro o en los alrededores de la capital, se esperaría que igual porcentaje de escuelas se construyeran ahí. No es el caso. Sólo 18 por ciento de las escuelas públicas se encuentran en Santo Domingo (incluyendo los alrededores). Miremos los tres centros poblacionales más grandes en términos de población escolar: Santo Domingo, Santiago y San Pedro de Macorís. (Puerto Plata les sigue muy de cerca.) Dichas regiones abarcarán más de la mitad de la población dominicana, y cuidado si más. Sin embargo, sólo un 30 por ciento de las escuelas públicas se encuentra en aquellas regiones. Casi 70 por ciento de las escuelas públicas están repartidas por el resto del país, muchas en regiones fuertemente despobladas. En la región fronteriza hemos observado bien construidas escuelas con pocos estudiantes. Hay una escuela pública en las afueras de Restauración donde casi todos los alumnos son niños haitianos residiendo en el país. (No tienen documentos, pero las escuelas públicas de dicha región aceptan niños haitianos en los cursos primarios. Sólo a partir del liceo se exigen papeles.)

Pensamos que el desajuste se produce por el hecho de que las decisiones sobre la construcción de escuelas públicas se toman, no con miras a la demografía o la demanda educativa objetiva, sino a base de consideraciones políticas. Cada comunidad aspira tener sus propias escuelas, y los políticos escuchan. Planteamos esto no como crítica. Más criticable sería una política en que se construyeran escuelas sólo para las poblaciones urbanas grandes. Lejos de haber un prejuicio urbano, la República Dominicana es un país donde las zonas rurales tienen más acceso a escuelas públicas por cabeza que la ciudad capital. Pero el carácter político de las decisiones educativas (que se manifiesta también, por supuesto, en la asignación de puestos, tal como se ha indicado en otros capítulos) crea un desajuste entre la oferta y la demanda de escuelas.

Ahí entran los colegios. Mientras sólo 18 por ciento de las escuelas públicas se encuentran en Santo Domingo, 58 por ciento de los colegios privados se encuentran en aquella región donde reside casi un tercio de la población dominicana. Mirando las tres ciudades más grandes como hicimos arriba, mientras Santo Domingo, Santiago y San Pedro de Macorís abarcan sólo 30 por ciento de las escuelas públicas, casi 80 por ciento de los colegios privados se encuentran concentrados en aquellas regiones. El resto del país, las regiones menos pobladas, tienen 70 por ciento de las escuelas públicas, pero sólo 20 por ciento de los colegios. Hay un porcentaje *mayor* de colegios en los centros urbanos que si los colegios se construyeran a base de consideraciones puramente demográficas. No es un misterio. Siguiendo dinámicas de oferta y demanda, los colegios privados están llenando una brecha en la oferta educativa creada por la escasez relativa de escuelas públicas en zonas urbanas densamente pobladas.

¿No será también que hay un poder adquisitivo mayor en las ciudades que en los pueblos y campos del interior? Si hay tantos colegios urbanos, ¿no será porque la gente de la ciudad puede pagar con más facilidad? Sí y no. Eso juega un papel, pero un papel muy parcial a nuestro parecer cuando se trata del colegio de barrio. Mientras muchos de los clientes de colegios de barrio hacen el sacrificio de pagar colegio por determinación filosófica, otros lo hacen porque sencillamente "no hay cupo" en las escuelas urbanas para su prole. Si se ponen más escuelas públicas gratuitas en los centros urbanos, predecimos que se dará por lo menos un éxodo menor de los colegios de barrio. (Cuando la Falconbridge empezó un apadrinamiento de las escuelas públicas de Bonao, mejorando las escuelas públicas gratuitas, el mercado para los colegios privados casi se desvanece, según un comentario de Arelis Rodríguez en un taller educativo reciente.) Es decir, mientras los dominicanos de clase media y alta ya acuden a los colegios privados por no negociables consideraciones educativas, ideológicas y sociales, muchos (no todos) dominicanos de estratos económicos inferiores lo hacen por razones más pragmáticas y reversibles.

F. ¿Cuál es la distribución de colegios según orientación filosófico-religiosa?

Intentamos categorizar los colegios, en base a sus nombres, en cuanto a su orientación religiosa o filosófica. Establecimos tres categorías: Católica, Protestante y Seglar. Como señalamos en el libro, es una categorización muy tentativa. Pero da una idea de evolución profunda en el mundo de la educación privada. Ha habido una fuerte laicización de la educación privada, dominada durante la Era de Trujillo por colegios de la Iglesia Católica. En la actualidad, dos de cada tres colegios en la lista de la Secretaría parecen ser, a base de sus nombres, colegios laicos. No sólo eso, sino que aun dentro del sector educativo religioso, la Iglesia Católica ya comparte el escenario educativo con colegios cristianos no católicos. Hay 293 colegios con nombres católicos y 304 con nombres que parecen indicar afiliación protestante. Los criterios de categorización se ventilan en el texto.

Estos datos dan evidencia dramática de la transformación profunda que en las últimas décadas ha sucedido en el balance de prominencia educativa en el país. Es más, si aceptamos la definición más oficializada de lo que constituye un colegio católico, es decir, si incluimos en el rango católico sólo los 208 colegios que pertenecen a la organización oficial de colegios católicos, entonces la influencia puramente cuantitativa de la Iglesia Católica se encogería aun más.

Hay que repetir y enfatizar, sin embargo, que hay un renglón de importancia crucial donde la Iglesia Católica juega un papel preponderante: aquel subgrupo de escuelas públicas manejadas por congregaciones católicas bajo convenios formales ya discutidos. Según opinión de todos los entrevistados, son las mejores escuelas del sistema público entero.

Planteamos con firmeza la tesis de que habrá directores y maestros en el mundo protestante y el mundo laico que a nuestro parecer podrían dirigir tales escuelas "semioficiales" con la misma mística y disciplina que se encuentra entre las monjas y curas. Lo que no se sabe es si aquellos otros grupos podrían hacer cumplir los contratos y asegurar que la política y la sindicalización se mantengan afuera, sin lo cual el modelo se debilita y se destruye. El poder social y legal de la Iglesia Católica ha permitido una resistencia contra esfuerzos de violar lo convenido que quizás no sería posible en el caso de otras iglesias más dispersas o de directores laicos.

En realidad, aunque lo sepa poca gente, la Iglesia Católica dominicana en sí está descentralizada. Cada obispo tiene autonomía en su diócesis y su superior inmediato es el Papa Juan Pablo II, no el Cardenal López Rodríguez, que encabeza formalmente sólo la diócesis de Santo Domingo. Sin embargo, la organización de los colegios católicos sí está unificada y protegida, por lo menos en imagen popular, por la figura del Cardenal, un hombre nacionalista bien dispuesto a ponerse de pie y hablar en público cuando se trata de abusos por parte del gobierno. De todas maneras, ningún funcionario, político o dirigente sindicalista se mete con la Iglesia Católica dominicana sin pensarlo dos veces. Lo que le sucedió aun a Trujillo en ese respecto no se ha olvidado.

¿Podría aquel convenio educativo tan eficaz expandirse a otros sectores y mantenerse con el mismo nivel de cumplimiento por entidades que no gozan del peso social de la Iglesia? Hacemos la pregunta sin poderle dar una respuesta firme. Pero recomendaremos en el último capítulo que se haga el intento.

G. ¿Cuántos alumnos tiene el colegio típico?

La gran mayoría (79 por ciento) de las escuelas dominicanas, sean públicas sean colegios privados, educan 300 alumnos o menos. Un mayor porcentaje de los colegios privados (86 por ciento) son pequeños, en este sentido, que de escuelas públicas (78 por ciento) pero la diferencia carece de importancia estadística o teórica. Sin embargo, las diferencias entre los sectores resultan más dramáticas cuando miramos las escuelas "gigantes", con más de 600 alumnos. Sólo el 2 por ciento de los colegios privados tienen ese carácter de "fábrica educativa", mientras 10 por ciento de las escuelas públicas son gigantes. Sólo en el Distrito Nacional hay una leve diferencia de tamaño entre colegios y escuelas. 20 por ciento de las escuelas públicas son gigantes de más de 600 alumnos. Sólo 2 por ciento de los colegios privados son gigantes.

¿Por qué hay tan pocos colegios gigantes? Por un lado, son pocos los dueños de colegio que tienen los medios para montar colegios realmente grandes. Pero hay otro factor limitante también. Mientras la escuela pública típica fue construida como escuela, el colegio típico funciona en una casa privada convertida en colegio. La realidad física crea limitaciones en cuanto a la cantidad de alumnos.

Según la base de datos de la Secretaría, podemos establecer el tamaño mediano del colegio privado en 142 alumnos por colegio. El promedio, el average aritmético, es de 221. Pero ese promedio está inflado por la presencia de un pequeño número de colegios que tienen más de mil alumnos. En el colegio que queda a mitad de camino entre el que más estudiantes tiene y él que menos estudiantes tiene, hay 142 estudiantes. Es la cifra mediana.

Dicho sea de paso, podemos usar esa cifra para calcular una posible cifra alternativa en cuanto a la cantidad de estudiantes dominicanos en colegio privado. Si el tamaño típico del colegio es de 142 alumnos y hay 2,500 colegios, entonces hay 355,000 niños dominicanos en colegios privados. Las cifras oficiales para los años 1990 daban 283,000. Las cifras son compatibles. Si ponemos la cantidad de estudiantes de colegio en 300,000, probablemente no estamos lejos de la realidad.

H. ¿Hay diferencias empíricas entre colegios y escuelas en cuanto a calidad educativa?

Eso de medir calidad es un asunto complicado. Se pueden medir resultados educativos con datos cuantitativos. Se pueden observar y comparar procesos mediante observaciones cualitativas. Pero acudamos también al sentido común. El indicador más convincente en cuanto a los problemas de los cuales sufre la educación brindada en escuela pública es el éxodo total de todo el que puede —incluyendo los funcionarios educativos— de las aulas públicas.

Pero incumbe matizar discusiones de calidad. Por un lado la calidad se mide por resultados, por indicadores estadísticos —resultados en Pruebas Nacionales, tasas de promoción, etc. Cada uno de dichos indicadores tiene sus problemas. Pero la calidad de una escuela o colegio también se mide por variables cualitativas —limpieza, disciplina en las aulas, cumplimiento de horarios, atención individualizada brindada al niño, tranquilidad y ausencia de gritos y regaños, en resumen, una gama amplia de indicadores cualitativos. Supongamos que hay dos colegios que salen igual en las Pruebas Nacionales. El colegio A tiene 50 niños por aula, está sucio, los maestros llegan tarde y se van temprano, hay desorden, gritos y peleas en las aulas . El Colegio B es lo contrario: tranquilo, disciplinado, aulas con pocos estudiantes y atención individualizada, etc. Se diría que la calidad de la educación del Colegio B es mejor por el mismo carácter del ambiente. Prefiero mandar mi hijo a un colegio donde hay orden y respeto La calidad de la experiencia es más alta, aunque los resultados en las Pruebas Nacionales sean iguales. En ese sentido, nuestras entrevistas parecen indicar claramente que la experiencia cualitativa del colegio tiende a ser muy superior que la de la escuela pública, que sufre de los defectos ampliamente discutidos en el libro.

Pero cuidado. No romanticemos. Hay colegios terribles en sentido cualitativo también. Hemos oído cuentos de horror de padres que han tenido que rescatar su prole de colegios cualitativamente abominables. Y, por otro lado, hay escuelas públicas donde la disciplina, el orden, la limpieza, el cumplimiento magisterial y la mística educativa son tan altos como en el mejor de los colegios. Tal situación se da sobre todo en las escuelas públicas manejadas autónomamente por monjas u otros religiosos católicos. Y se dará también en otras escuelas públicas bien organizadas y dirigidas por directores y maestros dominicanos laicos, cuya calidad sencillamente no fue adecuadamente captada dadas las limitaciones del presente estudio. Pero volvamos al tema del histórico éxodo, no de Egipto, sino de las escuelas públicas dominicanas. Algo cualitativamente problemático pasa en las escuelas públicas en general.

Los pocos indicadores cuantitativos disponibles parecen apuntar hacia la misma conclusión. Los alumnos de colegio privado sacan promedios más altos en las Pruebas Nacionales. Y los datos oficiales sobre tasas de aprobación indican que 13 por ciento de los niños de escuelas públicas, pero sólo 8 por ciento de los niños de colegio privado, son reprobados. En las escuelas públicas 21 por ciento de los niños del primer curso tienen que repetir el curso. Sólo 4 por ciento de los niños en colegio privado repiten el primer curso.

No todos los colegios, sin embargo, logran resultados superiores a los de las escuelas públicas. Algo raro, en ese sentido, pasa en el Sur. En Barahona sólo 60 por ciento de los alumnos privados fueron aprobados y 74 por ciento de los públicos. En San Juan de la Maguana 54 por ciento de los privados y 75 por ciento de los públicos fueron aprobados. En Independencia 43 por ciento de los privados y 72 por ciento de los públicos fueron aprobados. No sabemos qué pasa en los colegios de aquellas regiones del Sur. ¿Serán tan buenos y exigentes que queman estudiantes que hubieran sido aprobados de manera rutinaria en escuelas públicas? No. Sería un "fowl" analítico concluir así. Si una tasa baja de aprobación se toma como signo de inferioridad en una escuela pública, resulta injusto e científicamente ilegal tomarla como signo de altos estándares en un colegio privado. Más bien sacamos una conclusión: Hay que tener cuidado cuando uno generaliza, ni romantizando el colegio privado ni estigmatizando la escuela pública. Pero, *grosso modo*, la calidad de la experiencia educativa en colegio es mejor que la de las escuelas públicas.

I. ¿Qué porcentaje de niños dominicanos estudia en colegio privado?

Aquí sí hay una posible discrepancia entre cifras oficiales y la objetiva realidad estadística. Le ha costado mucho trabajo a las autoridades públicas, a pesar de reales esfuerzos realizados, inventariar todos los colegios del país. Según las estadísticas nacionales recogidas por la Secretaría de Educación en el año 2000, había más o menos 1.5 millones de niños matriculados entre las edades de 3 y 18 años. De estos, más de 283,000, o sea 19 por ciento, estaban matriculados, según los datos de la Secretaría, en colegios privados. Vimos que dicha cifra cae un poco por debajo de lo que se da multiplicando la cifra mediana de 142 estudiantes por la cantidad posible de colegios, 2,500. Por lo menos 75 por ciento de los alumnos dominicanos están en escuela pública.

Sabemos también que la cifra porcentual publico / privado varia según la edad del estudiante. En el subgrupo de menos de siete años, casi cuatro de cada diez están en un centro privado. De los que tienen desde 7 hasta 14 años, 15 por ciento están en colegios, el resto en escuelas públicas. En el grupo de 15 hasta 18 años, el porcentaje en colegios sube a 25 por ciento.

Hay que tomar esta información con un poco de cautela. Ya indicamos los estudios patrocinados por EDUCA sobre los colegios en la zona capital en los años 90 indicaron que muchos colegios habían escapado el escrutinio de la Secretaría y que en un momento dado más o menos la mitad de los alumnos capitaleños estudiaban en colegio privado. De ser cierta dicha cifra, y no tenemos razón para dudarla, y recordando que en Santiago y San Pedro de Macorís también hay menos escuelas públicas y más colegios privados, que lo que la situación demográfica requeriría, sospechamos que porcentaje real de niños en colegio puede ser más alto que la cifra oficial de 20 por ciento.

J. ¿Qué porcentaje de niños dominicanos de clase media o alta está en colegios privados?

No hay estadísticas nacionales desglosadas por capa socioeconómica. Pero a diferencia de países como Argentina, Chile, Estados Unidos y Francia, donde hay escuelas públicas de alto calibre y donde por lo menos una minoría fuerte de familias aun de las capas más altas utilizan las escuelas públicas, ninguna familia dominicana de clase media o alta mandaría sus hijos a ninguna escuela pública. Aun sin datos estadísticos, el lector dominicano sabe que se trata de un fenómeno colectivo casi unánime. Nuestros entrevistados nos aseguraron que 100 por ciento de los niños no empobrecidos de la nación están en colegios privados.

Sabemos, sin embargo, de casos en Monte Plata, donde hay una escuela pública "semioficial" manejada por una congregación de monjas españolas, y donde hay pocos colegios, que hay por lo menos algunas familias acomodadas que mandan sus hijos a dicha escuela pública, donde la disciplina y la docencia gozan de calidad de "colegio privado". Para acomodar tales casos excepcionales, bajemos la cifra de 100 por ciento a 99 por ciento de niños dominicanos no pobres que estudian en colegios privados. Por razones que se ventilaron en el libro, hay un fuerte rechazo de la escuela pública dominicana por cualquier persona que tenga un ingreso modesto. Ese rechazo se encuentra aun entre los funcionarios y los empleados de la Secretaría de Educación cuyos hijos todos estudian en colegio privado —muchos con "becas" que los colegios privados se ven obligados a ofrecer a los hijos de dichos funcionarios.

K. ¿Es la escuela privada un fenómeno nuevo en la historia educativa mundial?

Hacemos esta pregunta porque prevalece entre muchos de nuestros entrevistados la noción de que el Estado es la verdadera educadora de los niños de esta nación y de otras naciones. Los actores educativos de los otros dos sectores educativos —Iglesia y Sector Privado— han sido tratados, no sólo por ciertos funcionarios dominicanos, sino también por consultantes extranjeros dotados como intrusos en el renglón educativo. (Al momento de escribir estas líneas [diciembre de 2004], acaba de instalarse un nuevo gobierno. No hemos conversado con las nuevas autoridades, pero hemos escuchado de actores en cuyo juicio confiamos, que hay razón para gran optimismo. Nuestros juicios a veces severos sobre "el aparato público", por lo tanto, se refieren al pasado. Y se refieren al "sistema" impersonal, no a las personas de muy alta calidad intelectual y personal que han ocupado los puestos más altos de la cartera educativa desde por lo menos los inicios del Plan Decenal.) Bajo un marco ideológico miope, las actividades educativas de estos intrusos, las iglesias y los docentes privados, deben desarrollarse sólo con el beneplácito y permiso, y bajo el estricto escrutinio, de los agentes del Estado.

La respuesta a la pregunta es: no, la escuela privada definitivamente no es un invento reciente. Al contrario, el intruso reciente en el renglón educativo es el Estado. El invento nuevo es la escuela estatal. Las primeras escuelas de la historia empiezan a aparecerse hace unos cinco mil años después del invento del alfabeto y la escritura. Su función era la de enseñar a los hijos de capa élite a leer y escribir. En la antigüedad las primeras escuelas primarias, definidas como centros docentes a los cuales acudían los niños para aprender a leer y escribir, fueron establecidos o por maestros privados o por instituciones religiosas. El Estado ingresó tardíamente al renglón educativo.

En esta línea, bajo el imperio romano había escuelas primarias, pero eran casi todas del sector privado. Las familias pudientes romanas o traían tutores a la casa o, en la mayoría de los casos, mandaban sus hijos a maestros privados que habían fundado escuelas. Las pocas escuelas públicas que había —y eran realmente pocas y atípicas— se establecieron para entrenar funcionarios del Estado romano. Pero los estudiantes ya habían estudiado letras básicas en escuelas privadas. Escuelas públicas primarias no había.

En el mundo occidental la Iglesia Católica la que se encargaba de la educación. Empezó con sus escuelas religiosas bajo el imperio romano en vías de deterioro. Y en sus centros monásticos se encargó de la poca educación que había después de la caída definitiva del imperio. Más tarde aparecerían en los centros urbanas escuelas catedralicias, bajo el control del obispo diocesano, no del abad monástico. Pero fue la Iglesia Católica que llevó la voz cantante en la educación europea y, por supuesto, en la educación que se daba en las colonias españolas y portuguesas.

En las Antillas británicas y francesas no había educación organizada hasta mucho más tarde. Y cuando surgió, por ejemplo después de la emancipación de los esclavos en Jamaica, fue encabezada también por actores religiosos protestantes.

La ingerencia directa del Estado en la educación occidental vino en el contexto de una lucha entre el gobierno anticlerical de la revolución francesa y la Iglesia Católica. Los gobernantes de la revolución francesa fueron los primeros que organizaron una red nacional de escuelas públicas para alfabetizar, con docentes laicos, los niños de una nación entera.

L. ¿Es la escuela no estatal un fenómeno nuevo en la historia dominicana?

Al contrario, la escuela estatal vino a la República Dominicana después de las escuelas religiosas y las escuelas del sector privado. Los primeros gobernantes dominicanos adoptaron de los franceses el ideal de la educación gratuita universal. Desde que la República se independizó de Haití. (La influencia cultural francesa se mantenía fuerte a pesar de la hostilidad entre la nueva República Dominicana y la antigua colonia francesa al otro lado de una frontera en aquel entonces fluctuante y mal definida.) Los dominicanos, sin embargo, obraban de manera pragmática, no ideológica. Había pocos recursos para la educación en una nación preocupada con el peligro de una reinvasión haitiana. Los tres actores —Estado, Iglesia y Sector Privado— colaboraban de manera harmoniosa y pragmática en la poca educación formal que había.

En este período de historia dominicana había pocas escuelas. Pero muchas de las que había eran privadas. Concluimos que constituye una estereotipa históricamente incorrecta considerar como algo nuevo el brote de escuelas privadas laicas que surgieron desde los años 70.

M. ¿Por qué desapareció la escuela privada del panorama educativo nacional?

Este pequeño sector privado educativo casi desapareció por completo a raíz de tres factores. Primero, la armonía pragmática entre los tres sectores se quebró con la llegada del ideólogo puertorriqueño Eugenio María de Hostos, intitulado "El Sembrador" por su hagiógrafo Juan Bosch. Como ya indicamos, entre la semilla que dicho sembrador llevaba en su macuto e introdujo al país era una visión estadocéntrica de la educación por un lado, y una cizaña anticlerical por otro. Ello fue un factor ideológico que por lo menos contribuyó a la desaparición de la educación privada.

El segundo factor fue la ocupación norteamericana de 1916. El ideal de la educación universal no empezó a convertirse en realidad estadística hasta aquel entonces. Los norteamericanos hicieron hincapié en la educación primaria y emprendieron la construcción de una red de plantas escolares, lo que no se había hecho bajo ningún gobierno anterior. Tercero, el sistema educativo de Trujillo solidificó el modelo del Estado como educador principal. Trujillo siguió en ese rumbo. Fue Trujillo quien consolidó, al principio de su régimen, un casi-monopolio del Estado en la educación. Fue bajo Trujillo que la visión de una educación pública gratuita para las masas se hizo realidad estadística. Y todos tenían que cumplir con esta visión. A los padres de familia renuentes se les pegaban multas. Y el maestro o director de escuela que incumplía con sus deberes se ponía en peligro de demisión o algo peor suplementado por colegios religiosos. El sector privado educativo realmente desapareció del escenario educativo de la República.

Por lo tanto, cuando los colegios privados laicos empezaron a aparecer en los años 1970, daban la impresión de ser un fenómeno nuevo. En realidad se trataba no de la aparición de algo nuevo, sino de la reaparición de algo viejo pero que se había desvanecido.

N. ¿SIRVE EL COLEGIO PRIVADO MAYORMENTE A LOS SECTORES PUDIENTES?

La pregunta toca un estereotipo muy equivocado. Citamos en el libro ciertos documentos sobre la educación en América Latina que pintan la educación privada como privilegio de los hijos de los sectores más ricos de la sociedad latinoamericana. La escuela pública, en este modelo ideológico, lucha noblemente en servicio de los pobres. La escuela privada en cambio es un refugio puesto al servicio de los hijos de los ricos. Se oyen y se leen planteamientos parecidos en las emisoras y los periódicos dominicanos.

Por supuesto que hay colegios dominicanos que sirven a una clientela acomodada. Pero los mismos constituyen una excepción estadística. De ser cierto que los colegios sirven sólo a los ricos, sería absurdo aquel rito anual en el cual los legisladores y los periódicos expresan su santa indignación en contra de los aumentos en las matrículas de los colegios. ¿Lloraría y protestaría el pueblo, se indignarían los periodistas y subirían los legisladores a su púlpito porque a los acomodados hijos de papi y mami se les está cobrando muy caro en sus colegios? Por supuesto que no.

Los datos que presentamos en el libro comprueban de manera contundente que la clientela fuertemente mayoritaria del colegio dominicano no son los niños acomodados, ni siquiera los niños de clase media, sino los hijos de la cocinera que trabaja en la cocina de papi y mami. Ya el colegio dominicano ha dejado de ser un refugio sólo para los acomodados. Si limitamos nuestra visión —como a menudo suele acontecer en discusiones públicas sobre el asunto de las tarifas— sólo a los centros "bilingües" de las ciudades grandes o a los centros privados caros que se especializan en la educación de las capas más pudientes, sacamos una versión tergiversada. Pero si incluimos todos los centros educativos que los dominicanos tildan de "colegio", cuyo número real probablemente puede llegar a 2,500 , y si contamos todos, incluyendo los menospreciados "colegios de barrio" que ni aparecen en la pantalla de radar de la familia acomodada como opción para sus hijos, entonces la realidad se manifiesta.

Si examinamos la población completa de los colegios, y dejamos a un lado la muestra visible pero atípica de los colegios elites que provocan los llantos anuales provocados por aumentos de matrícula, tenemos que reinsistir, como hicimos en capítulos anteriores, que *la clientela del colegio dominicano ya es mayormente pobre.* Hoy por hoy a pesar de ciertos estereotipos públicos en cuanto al carácter supuestamente elitista y carero de la educación privada, la abrumadora mayoría de las escuelas privadas que ya existen en la República Dominicana sirven mayormente una clientela pobre, muy por debajo de lo que se denominaría "clase media".

Hay que tener cuidado estadístico, por supuesto. Los colegios de barrio cobran tan poco, y hay colegios elite tan caros, que si miramos las cifras crudas, la mayor parte de la inversión educativa privada viene de familias acomodadas. Pero si nuestra unidad analítica es el alumno, en términos fríamente estadísticos, el alumno típico de la escuela privada dominicana ya no es un niño privilegiado que llega a la escuela en carro manejado por chofer. Al contrario. El alumno de colegio privado típico es un niño o una niña de familia pobre cuyos padres hacen un esfuerzo económicamente difícil para rescatarlo de los defectos educativos y de las huelgas paralizantes de las escuelas públicas pagando la matrícula objetivamente modesta pero subjetivamente difícil que cobra el colegio típico de barrio.

Se trata de una ilusión estadística. Es cierto que más de 99 por ciento (para no decir 100%) de los niños de clase media y alta se educan en colegio privado. Y es cierto que la mayoría de los niños pobres son educados (o, según las tristes estadísticas internacionales que presentamos, dejan de ser educados) en las escuelas públicas. Pero los alumnos de la mayoría de los colegios vienen de sectores pobres.

Ñ. ¿Cuánto cobran los colegios?

Siempre pregunto a mis amigos dominicanos de capas profesionales: Dime, fulano, ¿qué calcularías tú que es el pago mensual promedio del colegio privado en República Dominicana? Se rascan la cabeza, consultan con sus cerebros y nunca dejan de dar una respuesta de por lo menos $2,000 pesos. "... Como poco. Porque esa gente sí cobra."

Son cálculos muy alejados de la realidad estadística. La gran mayoría de los colegios privados que funcionan en el país cobran tarifas baratas de menos de $30 dólares mensuales. Los datos anuales que analizamos provienen del año 2000. Sabemos que ha habido cambios, sobre todo en los colegios más élite, por causa de la crisis reciente de la moneda dominicana. Pero dudamos que los cambios invaliden nuestro planteamiento de la tarifa mediana baratísima, en perspectiva internacional, que cobra el típico colegio dominicano. Por supuesto una suma "absurdamente barata" de 400 ó 500 pesos mensuales ($14 dólares o $18 dólares) duele a la familia pobre de barrio con cinco hijos a educar. Ese es otro asunto. La pobreza es una realidad problemática, pero no es culpa del dueño de colegio. Aquí, sin embargo, únicamente intentamos establecer un hecho estadístico.

En términos de datos nacionales, el renglón de los colegios constituye uno de los renglones más baratos de la economía dominicana en términos de la importancia del servicio brindado.

El planteamiento de que los educadores privados dominicanos, la mayoría de los cuales educan por tarifas mensuales bajas, hayan entrado en el renglón para hacerse ricos constituye una seria tergiversación de la realidad. En términos más criollos: es un disparate. Y el hecho de que los periódicos lo repitan y que el pueblo lo crea no lo hace menos disparatoso.

O. ¿EDUCAN TODAS LAS ESCUELAS PÚBLICAS DE LAS AMÉRICAS SÓLO A LOS POBRES COMO EN LA REPÚBLICA DOMINICANA?

En muchos países de las Américas las escuelas públicas brindan una educación de tan baja calidad que los sectores más pudientes ya mandan sus hijos a escuelas privadas. Hay algunos países que no. Los datos disponibles para Argentina y Chile indican que muchas familias de las clases medias y altas en aquellos países siguen mandando sus hijos a escuelas públicas. Aun en aquellos países la mayoría de los que pueden utilizan escuelas privadas. Pero la educación de las escuelas públicas goza de una calidad suficientemente alta para que una minoría de las familias más pudientes siga utilizando las escuelas públicas —que no es el caso en la República Dominicana.

P. ¿EDUCAN A LOS POBRES LA MAYORÍA DE LOS COLEGIOS PRIVADOS EN OTROS PAÍSES COMO EN LA REPÚBLICA DOMINICANA?

No tenemos datos, pero sospechamos que no. No podemos afirmar, a falta de datos, que las escuelas privadas en otros países de las Américas eduquen mayormente una población pobre, como es el caso en la República Dominicana. Tal situación se da en la vecina República de Haití, donde más del 80 por ciento y quizás 90 por ciento de los alumnos están en escuelas privadas, indicando que allá también la escuela privada es educadora principalmente de sectores pobres, como en la República Dominicana.

Nos sorprendería, sin embargo, ver tal situación en los otros países de las Américas. Sin tener los datos, planteamos como simple hipótesis que la cultura altamente comercializada y microempresarial de las Antillas ha engendrado un movimiento de privatización educativa mucho más fuerte y más proletarizada que en el país latinoamericano típico. Es decir, dudamos que haya habido una proliferación tan cuantiosa de escuelitas privadas de barrio en otros países latinoamericanos. Es una simple hipótesis que ameritaría ser investigada, no un hallazgo confirmado.

Q. ¿Hay indiferencia entre los usuarios de colegios privados en cuanto a la educación pública?

No y sí. Como buenos ciudadanos, nuestros entrevistados de clase media y alta, cuyos hijos estudian en colegios privados, expresaron su esperanza de que se mejoren las escuelas públicas. Y los ciudadanos filantrópicos que encabezan o apoyan instituciones como EDUCA convierten sus esperanzas en actividades concretas y reales para mejorar la educación pública. Es más, hay por lo menos un colegio —La Primaria Montessori, la cual ganó un premio internacional— cuya directora ha adoptado como misión de servicio a la educación pública el desafío de ofrecer capacitación a los maestros del sector público en técnicas de educación personalizada. Habrá otros colegios que brinden servicios parecidos al sector público.

Pero que se diga con claridad y franqueza: Aun los que abogan, en la clase media y alta, por un mejoramiento de las escuelas públicas no tienen la menor intención de transferir sus propios hijos a estos centros públicos. El colegio privado ya es de rigor. En ninguna entrevista hemos oído una pareja o una madre dominicana (en muchos hogares hemos visto que son las madres las que tienden a encargarse más de decisiones educativas) de clase media para arriba decir que educarían sus hijos en escuelas públicas de mejorarse éstas. Quiérase o no, la escuela pública dominicana por lo tanto ha llegado a ser la "opción de los pobres".

Entre los sectores más pobres el compromiso con la educación privada es más flexible, menos definitivo. Las familias pobres que logran que sus hijos sean admitidos a una "escuela semioficial" —una escuela pública gratuita manejada autónomamente por una congregación religiosa— con alegría dejarían de pagar colegio. La familia de clase media, en cambio, difícilmente colocaría a sus hijos en una escuela semioficial de barrio o de pueblo, por lo bueno que sea la disciplina y enseñanza. También hemos notado que un programa de desayuno escolar, establecido bajo el primer gobierno del actual Presidente Leonel Fernández, logró atraer algunas familias de regreso a las escuelas públicas.

En fin: mientras algunos usuarios más pobres de los colegios estarían dispuestos a devolver sus hijos a las escuelas públicas de mejorarse éstas, los usuarios más pudientes de colegio privado, por lo menos en la República Dominicana, ya nunca mandarían sus hijos a una escuela pública. Vimos que no era así en los tiempos de Trujillo. Las escuelas públicas funcionaban de manera disciplinada, educando los hijos de distintas capas sociales. Ya no.

R. ¿Por qué los dominicanos de clase media y alta rechazan la educación pública?

El actual rechazo total de las familias más pudientes —aun entre los funcionarios educativos— de la escuela pública para su propia prole fue producto del repentino deterioro de la educación pública que empezó después de la caída del régimen Trujillista en los años 60, y que se agudizó de manera fuerte en los años 80. En este sentido la República Dominicana puede tener una historia educativa algo única. El carácter relativamente abrupto y absolutamente radical de la destrucción total de un sistema educativo otrora funcional, quizás sea un patrón que distingue a la República Dominicana del país latinoamericano típico. Dudamos que durante la vida de quien escribe o de aquellos que leen estas páginas haya un regreso a la escuela pública por parte de las familias de clase media o alta dominicana.

S. ¿Por qué se proletarizó el colegio privado?

Con el sabotaje, a manos del sector público, de un bien intencionado, generosamente financiado pero mal administrado Plan Decenal de los años 1990, la frustración educativa llegó a las capas populares. El colegio privado, que sí empezó como refugio de los más acomodados, acabó proletarizándose con el fenómeno del colegio de barrio. Ya el panorama de la educación privada en la República Dominicana refleja la estructura de la sociedad global. Hay un pequeño número de escuelas privadas caras que sirven a la clase alta, un mayor número de escuelas menos caras, pero muy por encima de la capacidad económica de las masas populares, que sirven a la clase media, y un gran número de colegios de barrio que cumplen con las necesidades educativas de las masas más pobres.

La privatización educativa no ha llegado al extremo de la vecina República de Haití, donde 90 por ciento de los alumnos de primaria están en colegios privados, por carencia casi total de acceso a escuelas públicas. Pero en cuanto a la realidad dominicana al lector le incumbe distinguir entre dos estadísticas bastante diferentes. La mayoría de los niños pobres dominicanos asisten a escuelas públicas. *Pero la mayoría de los colegios privados domini-*

canos también educan a niños pobres. Las dos estadísticas no son en lo más mínimo contradictorios. Hemos tratado en el libro de combatir el estereotipo mal fundado de que la educación privada es un fenómeno de los ricos. Al contrario. En la República Dominicana una abrumadora mayoría de colegios privados educan una clientela de escasos recursos

T. ¿TIENEN MÁS DINERO LOS QUE ESTÁN EN COLEGIO DE BARRIO QUE LOS QUE USAN ESCUELA PÚBLICA?

No hay datos cuantitativos al respecto. Por supuesto hay familias de barrio que sencillamente no pueden pagar colegio. Pero planteamos al comenzar el libro, y repetimos aquí, que las familias pobres del barrio que se aprietan los cinturones para pagar $400 ó $500 pesos mensuales por hijo en colegio del barrio dan indicios de pertenecer, no a una élite económica en el barrio, sino a una élite socio-moral. En tal ambiente del barrio sería 100 por ciento aceptable mandar el hijo a una escuela pública gratuita. Aquellos padres del barrio que reconocen las debilidades de la educación pública y deciden sacrificarse venga lo que venga para mandar los hijos a un colegio privado están dando pruebas de un admirable nivel elevado de preocupación educativa. Habrá otras familias del vecindario que sencillamente no tienen el dinero para tal gasto. Pero habrá otros vecinos que se encuentran en el mismo nivel económico pero que dan prioridades a otros gastos. Nuestras observaciones sobre la "élite socio-moral" no implican desprecio por el vecino común y corriente que canaliza sus escasos recursos hacia otras inversiones, y no hacia la educación

Pero sí queremos resistir un planteamiento cínico de que los que viven en barrio y mandan sus hijos a un colegio de barrio son los ricos locales, los más acomodados. Ello perpetuaría la caricatura del colegio como "e'cuela pa' lo' tutumpote". Consideramos más probable que los padres de familia del barrio que pagan colegio privado pertenecen a una élite moral, no económica.

En el caso de la clase media y alta dominicana, tal planteamiento constituiría una romantización injustificada. Para dominicanos de estas capas el mero acto de pagar un colegio para los hijos ya no constituye de por sí una gran prueba de preocupación educativa para los hijos. Las reglas sociales vigentes no le permitirían otra opción. La escuela pública sencillamente no constituye una alternativa para los padres de tales estratos. Pero para los pobres del barrio, sobre todo para los que encontrarían cupo en la escuela pública (lo que no siempre es el caso en la zona urbana), pero que pagan colegio de todas maneras, tal decisión los coloca, al parecer de quien escribe, en la categoría de élite moral.

U. ¿Por qué se asume en la República Dominicana que los dueños de colegio son abusadores, haciéndose ricos con "tarifas tan altas"?

Prefiero dejar que los dominicanos contesten esa pregunta delicada. Sólo quisiera hacer algunas observaciones antropo-lógicas empíricas. En primer lugar, los dominicanos no son tacaños. Repito. Los dominicanos NO son tacaños como pueblo. Los datos asombrosos que presenté en el primer capítulo sobre el astronómico consumo nacional por cabeza de cerveza y ron dan claros indicios de ello. ¿Estarán, por razones culturales, más dispuestos a comprarse una caja de cerveza, ron, whisky, o una camisa nueva, o pagar un viaje a Disney World, que pagar un colegio para los hijos o comprar un libro de texto caro? Eso lo deben contestar los lectores dominicanos.

Segundo, quien crea que los educadores privados entran en el renglón para enriquecerse debe informarse mejor sobre las tarifas reales cobradas. Los "abusadores" que cobran $6,000 por mes o más constituyen un grupo muy atípico. 95 por ciento de los colegios cobran menos de $1,000 por mes. Y son pocos los que cobran esa suma. *La tarifa media del colegio dominicano oscila entre los $300 y $350 pesos mensuales.* Que no venga a decir nadie que es un renglón de abusadores. Es un renglón de educadores dominicanos que prefieren, como muchos dominicanos microempresarios, ser su propio jefe que empleado de otro.

Y aun los que cobran los $5,000 ó $6,000 no están abusando. En primer lugar, que yo haya visto, no obligan a ninguna familia, ni con escopeta ni con decreto de la corte, a utilizar su colegio. Pero, en segundo lugar, y de mayor relevancia, los presupuestos que se han compartido conmigo me han dejado con la plena convicción de que el dueño de colegio caro invierte en mejoras educativas. La directora/fundadora de la Primaria Montessori, un colegio que sí cobra, paga excelentemente a sus maestros, los lleva al extranjero en viajes para talleres, se paga un sueldo profesional modesto en términos internacionales, y justifica cada centavo en su presupuesto. Las aulas (o "talleres") tienen menos de 20 estudiantes, y cada taller tiene 2 ó 3 maestros. Es una pedagoga apasionada con la misión de promover la educación Montessori personalizada en el país. Cobra caro, porque lo que da, a sus maestros y a sus alumnos, cuesta caro. La directora/fundadora del Colegio Babeque, pionera de la educación privada en la República Dominicana, también se ofreció a compartir su presupuesto. Lleva décadas luchando por mantener el Colegio en el mismo lugar y continuar sirviendo a las mismas capas sociales que cuando el colegio se fundó. Un día le llega una doña con muchos cuartos pero poca delicadeza y le dice, "Ay, Fulana, yo hubiera mandado a mis hijos al Babeque, pero tú cobras muy poco. Ya tú sabes como e' la cosa'..." Y el lector sabrá exactamente como e' la cosa; de qué se trata. Si la dueña del colegio cobra mucho, es abusiva. Si cobra poco, tampoco conviene, por aquello de la apariencia y la competencia. Pero la doña que colocó sus hijos en un colegio carísimo, sigue con sus metidas de pata. "Pero lo que pasa es que a mi hija fulana no le va bien en el Colegio X. Ella e' medio brutica. Yo quiero que tú me le consigas un cupo en tu colegio..." Los abusados no son necesariamente los clientes, sino los dueños de colegio que tienen que aguantar tamañas patanadas. No voy a romantizar el sector diciendo que todos son santos. Pero la acusación de que son comerciantes porque cobran, distinguido lector dominicano, son tonterías.

Las escuelas privadas tienen que funcionar como "microempresas" —a falta de subsidios estatales o filantrópicos tienen que generar ingresos, mayormente de los padres de los niños que educan, y los ingresos tienen por lo menos que cubrir sus costos. Para mejoras educativas, sin embargo, se necesita no sólo cubrir costos sino también generar excedentes. El colegio privado —sea del sector religioso sea del sector laico— constituye por lo tanto no sólo un minisistema educativo, que tiene que producir resultados educativos en las mentes y en la conducta de los alumnos, sino también un minisistema microempresarial. El dueño de colegio es a la vez educador y microempresario. La pasión de educar debe ir ligada con la capacidad de generar e invertir dinero y de lograr excedentes.

Cualquiera de las dos pasiones —la de educar y la de generar excedentes— puede pesar más que la otra. Hemos entrevistados dueños y dueñas de colegio cuya pasión educativa es ardiente, y cuya pasión por generar ingresos es secundaria. Pero es difícil juzgar móviles y uno acaba juzgando otros en base a las motivaciones imperantes de la sociedad circundante. La percepción nacional, popular y casi unánime, basada en tristes realidades que no corresponde ventilar aquí, es que muchos actores del sector público y de las altas esferas del sector privado son impulsados por el afán de enriquecerse. Como se hubiera podido predecir antropológicamente, esas percepciones y presuposiciones se generalizan y se aplican a los educadores privados. Se asume que las tarifas cobradas, y sobre todo los aumentos de tarifa anuales, son motivados por el afán de lucro, no por el afán educativo.

Nosotros discrepamos de tal juicio, por lo menos como generalización. ¿Hay quienes le dan prioridad a los excedentes? Suponemos que sí. ¿Que tal grupo constituye una mayoría? Concluimos que no. El que vive en un barrio de la República Dominicana de hoy en día generará más ingresos rápidos y seguros abriendo un colmadón para vender cerveza y ron que abriendo un colegio para educar niños cuyos padres a veces no pueden pagar a tiempo. Y los presupuestos que pudimos estudiar con los dueños de colegio más caros nos inclinan a concluir que la educación es una microempresa viable pero no un camino a la riqueza. Salimos del estudio con una visión del dueño de colegio dominicano —tanto del de barrio como del de ensanche acomodado— como educadores que también, como elemento secundario, juegan el papel de microempresarios.

V. ¿Se justifica un control de precios sobre los colegios?

El Congreso Nacional formuló una ley de control de precios para los colegios a principios de la Presidencia de Hipólito Mejía. La entonces Secretaria de Educación, Dra. Milagros Ortiz Bosch, mandó a hacer una encuesta de todos los colegios en el país. Cuando se hizo un censo de todos los colegios y sus tarifas reales, las tarifas típicas eran tan bajas que habría que subirlas. La expectativa aparentemente nacional de que "hay que controlar los precios de los colegios" parecería extraña al observador norteamericano, en cuyo país muchos optan por educación privada, sobre todo a nivel universitario, donde se queja de los precios altos, pero donde nunca se ha hecho una campaña nacional, regional o municipal para que el gobierno controle el precio de las escuelas privadas. A diferencia de los periódicos dominicanos, que tienden a apoyar y legitimar las acusaciones lanzadas contra del educador privado de que son unos abusadores, los medios de comunicación norteamericanos no se involucran en campañas públicas difamatorias en contra de los educadores privados, ni reclaman al congreso que pasen leyes controlando a estos presuntos abusadores.

Varios entrevistados justificaron B y sospechamos que varios lectores dominicanos justificarán B la diferencia diciendo que "en el país suyo hay buenas escuela públicas, pero no en el nuestro. Usted tiene la opción de una buena educación pública para sus hijos. Pero nosotros no. Por eso ustedes no reclaman control de precio, pero nosotros sí tenemos que reclamar una intervención estatal en el asunto." Dicha respuesta francamente deja de convencer. Es como si el entrevistado dijera que "la incapacidad e irresponsabilidad educativa de mi gobierno me dota de un nuevo derecho de que el dueño de colegio privado eduque mis hijos al precio que a mí me da la gana". Tal "derecho" resulta completamente ficticio. El observador foráneo sí entiende que el ciudadano local tiene derecho de reclamarle a su gobierno que facilite una educación pública de aceptable calidad. Al Estado moderno se le espera tal servicio. Pero muchos entrevistados dominicanos de clase media para arriba parecían interesarse muy poco en su derecho a una educación pública gratuita para sus hijos. La escuela pública ya no les interesa. Parecían más bien creer tener el derecho a una educación privada de alta calidad, pero al precio que a ellos les parece. Y quieren que su gobierno haga cumplir este derecho ficticio.

Esta extraña actitud cultural en cuanto a un supuesto derecho a una educación privada a precio cómodo tiene dos consecuencias negativas. En primer lugar crea un ambiente de hostilidad y antagonismo público en contra de los mejores educadores de la nación, tildándolos de abusadores, pillos, codiciosos, etc. Es una actitud colectiva muy malsana. En segundo lugar las campañas que vituperan los dueños de colegio distraen la atención pública de los verdaderos culpables de las abominables estadísticas educativas dominicanas, reportadas en el primer capítulo: las burocracias públicas y sindicales que han sido, desde la muerte de Trujillo, los enemigos principales de la educación de la juventud dominicana.

Supimos con alivio, por comentarios escuchados, no por conversaciones directas, que las autoridades educativas actuales, recientemente subidas a sus cargos, gozan de un alto nivel de moderación y sentido común con respecto a la Ley Sobre Control de Precios de los Colegios, dictada y promulgada por otra administración. Aquella otra administración también dictó, según lo que se nos contó, un decreto prohibiendo los apagones. Sospechamos que la ley imponiendo control de precios sobre los colegios acabará gozando del mismo nivel de cumplimiento que el decreto que prohibió los apagones.

W. LA EDUCACIÓN DE UN ANTROPÓLOGO

En los últimos días de la redacción de esta conclusión, el día 29 de diciembre del 2004, se me hizo disponible, por cortesía de la Lic. Aida Consuelo Hernández, el borrador de los resultados de una serie de talleres educativos patrocinados por EDUCA que pronto saldrán a la luz pública. Devoré su contenido con nerviosismo, para cerciorarme de si los investigadores y pensadores dominicanos del renglón educativo sacaban conclusiones muy diferentes de las mías. Habiendo escrito artículos antropológicos sobre el campesino haitiano, la agroforestería y el vudú, y habiendo escrito libros en la República Dominicana sobre los colmados y los talleres mecánicos, me consideraba y me considero un invasor reciente del renglón de la educación. Uno siempre teme hacer el ridículo delante de los profesionales de un renglón tan complicado como la educación de los niños.

Habiendo leído los resultados y los planteamientos del taller, me sentí al mismo tiempo aliviado e inquieto. Aliviado porque ninguna de mis conclusiones en cuanto a los dilemas del sistema educativo público difiere sustancialmente de las de los profesionales dominicanos que tienen mucho más experiencia profesional en el renglón y que por añadidura conocen mejor que uno los detalles cotidianos de cómo funciona la educación en este país. Pero me sentí al mismo tiempo inquieto, hasta atónito, porque hay cierto fenómeno educativo local que todos tenemos delante de nuestros ojos, pero ellos lo miran de una manera y mi cerebro lo piensa de otra. Permítaseme entrar en detalle sobre mi propia "educación" a medida que iba haciendo el estudio.

Los antropólogos y los sociólogos distinguen entre las funciones formales de un sistema y las funciones latentes, escondidas. La función formal de un sistema educativo es la de educar la juventud de un país. Pero en la evolución del sistema educativo dominicano han entrado lo que he llamado "infecciones sistémicas" —funciones invasoras que "secuestran" el sistema y lo desvían de sus funciones formales hacia otras funciones. Las infecciones sistémicas que han invadido el sistema educativo dominicano son por lo menos cuatro:

1. **Centralización**. Las decisiones en cuanto a quién va a enseñar en Pedernales o Dajabón y quién va a ser director de las escuelas se toman en la Av. Máximo Gómez. Hasta para mandar una caja de tiza o cuadernos se necesita una firma de dicho centro, y cuidado si no la de la Secretaria de Estado. Hay sistemas donde la modalidad de decisión central funciona. En Cuba, por ejemplo, la centralización económica ha producido consecuencias desastrosas, pero el sistema educativo centralizado aparenta funcionar bien. (Ciertos ciudadanos cubanos de Miami me reportarán ante el presidente de la Universidad de la Florida, donde enseño. Se prohíbe en tales círculos decir que algo funciona bien en Cuba...) De todas maneras (desde la muerte de Trujillo), la centralización educativa no funciona y no funcionará en la República Dominicana.
2. **Politización**. La cartera educativa se utiliza como fuente opípara de puestos y botellas, y de los salarios que van asociados con aquellos puestos y botellas, para los activistas del partido de turno.
3. **Sindicalización monopolista y paralizante**. La ADP, el sindicato de los maestros dominicanos, ha tenido durante décadas una política de confrontación y huelgas. En los años

1990 logró penetrar hasta la maquinaria interna del Estado. El Estado mismo ya apoya el monopolio de la ADP obligando a todo maestro a inscribirse para conseguir nómina. Y el Estado hasta le sirve de cobrador a la ADP, sacando las cuotas gremiales de los sueldos de los maestros y traspasándolas a la ADP.

4. **Incumplimiento profesional impune**. Las tres susodichas infecciones sistémicas debilitan por completo el poder del director de la escuela. El o ella no puede seleccionar sus maestros. Son asignados desde arriba. No puede sancionarlos si dejan de cumplir. Los maestros están protegidos desde abajo por un sindicato. No hay absolutamente ninguna manera de premiar a los maestros buenos ni de castigar a los malos.

Estas infecciones sistémicas existen porque hay grupos incrustados en el sistema que se benefician de ellas. Y es la presencia de aquellos beneficiarios de un sistema dañado la que explica ciertas posturas que al principio me parecían bizarras. En la capital, en un momento dado de los años 1990, quizás el 50 por ciento de los alumnos, según estudios patrocinados por EDUCA, estudiaban en colegios privados. Para el forastero, los colegios están sacando al gobierno de un gran apuro. Pero aquí entramos en arcanos misterios culturales cuya lógica ni los antropólogos logran captar. Noté un tono casi de triunfo en ciertos informes de la Secretaría de Educación cuando señalan un regreso de muchos niños a las aulas públicas. Tal regreso, a finales de los años 1990, fue en parte resultado de programas de desayunos escolares, que se dan a alumnos pobres de las escuelas públicas pero no a los alumnos igualmente pobres de colegios de barrio muchos de los cuales no encontraron cupo en la escuela pública local. Esta política algo punitiva contra los alumnos pobres de colegio, al igual que el tono de triunfo que se detecta cuando se habla de un regreso a las aulas públicas, sugiere una actitud negativa, defensiva y competitiva por parte del Estado en contra del colegio privado. Es como si los pobres (pero no, por supuesto, los acomodados) que acuden a un colegio hayan dado una bofetada a las autoridades educativas.

Como antropólogo percibo otra opción que me parece más lógica. La sociedad dominicana goza de una riqueza de energía microempresarial que se desborda hasta el renglón educativo. Estableciendo políticas de apoyo económico y moral para los colegios privados, tratándolos como aliados educativos (como se ha hecho en el previamente aludido caso chileno), el gobierno podría llenar la brecha educativa urbana, no necesariamente con nuevas escuelas públicas, sino con un programa de apoyo a los colegios privados. Sería mucho más barato, por ejemplo, tener un programa de bonos o becas para niños pobres (parecido al controvertido programa de "*school vouchers*" que se han intentado en algunos estados de los Estados Unidos) para que estudien en colegios que construir nuevas escuelas y aumentar la nómina pública con más maestros.

La probabilidad de tal programa de becas para que los pobres estudien en colegio, por supuesto, es bastante reducida. El Estado dominicano tiende a portarse hacia los colegios de barrio, no como aliados sino como intrusos que hay que controlar y hasta que castigar. Por lo menos es aquella la impresión que recibimos en nuestras entrevistas en los colegios de barrio.

Mi asombro antropológico inicial en cuanto a la actitud poco amistosa del Estado hacia los colegios, sobre todo los de barrio, fue basado en una premisa cuestionable de mi parte, una premisa que creo que he logrado corregir. Mi premisa original fue que el empeño imperante que motivaba a los actores en el aparato educativo público era la educación de las masas. Me chocaba que no se considerara, por lo menos como posible alternativa lógica, un programa de alianza entre el Estado y los colegios, en que el Estado apoyaría a los miles de colegios mediante subsidios, becas u otros mecanismos para educar un sector de los niños urbanos en colegios.

Lo que me tomó tiempo comprender era que dicho empeño educativo, que sigue latiendo como motivo principal entre las maestras fajadas día tras día en las aulas, no necesariamente es el empeño imperante en el pecho de los políticos y dirigentes sindicales incrustados dentro de la burocracia. Las escuelas públicas constituyen para los políticos una fuente de trabajo para los militantes del partido, y para los dirigentes sindicales una población de potenciales rehenes juveniles cuya vulnerabilidad masiva a las huelgas dota a los dirigentes del sindicato educativo con un poder mucho mayor que el poder de otros sindicatos más débiles, que no gozan de tal población vulnerable. Pues no debe sorprender que tales actores miren de reojo, o con hostilidad, a los colegios privados. Los utilizan para su propia prole, la cual sacan de las aulas públicas. Pero les conviene que la prole de otros siga atrapada dentro del sistema público. Pero en cuanto a los colegios privados, ahí los políticos no encuentran puestos para repartir. Los dirigentes sindicales ahí no encuentran maestros que puedan controlar o niños impotentes que puedan amenazar con huelgas.

Habiendo yo comprendido finalmente aquellas funciones y motivaciones latentes, que poco tienen que ver con la función educativa formal y oficial del sistema, la hostilidad hacia los colegios por parte de ciertos sectores poderosos dentro de las esferas más altas de aquella burocracia dejó de asombrarme. No es una reacción equivocada de su parte. Es una reacción desafortunada para los niños de la nación, pero completamente lógica en vista de los reales intereses de los aludidos subgrupos. Para aquellos grupos el colegio privado constituye una amenaza, no un aliado.

La misma dinámica explica otro misterio que me confundía. Las mejores escuelas del sistema público son las escuelas "semioficiales" dirigidas por congregaciones religiosas católicas. Con quizás raras excepciones, son éstas las escuelas públicas cuya calidad más se asemeja a la calidad de la educación tradicional impartida en un colegio. Como antropólogo me pareció que el gobierno dominicano, en alianza con la Iglesia Católica dominicana, había dado en el clavo, que había encontrado una fórmula muy eficaz para convertir fondos públicos en educación de decente calidad. Las congregaciones religiosas, en el ambiente post-Vaticano-II, querían educar a los pobres que no podían pagar. El contrato establecido satisface las agendas de los dos grupos. Las monjas o los curas manejan la escuela como si fuera un colegio, con la excepción de que los niños no pagan. Estos centros educativos pueden hacerlo porque el Estado manda y paga maestros del sector público, con la diferencia de que las monjas seleccionan, supervisan y pueden despedir en caso de no cumplimiento, y los maestros no pueden irse a la huelga. El resultado interesantísimo es un nuevo género de "colegio público".

Sin embargo, los informes anuales de la Secretaría, en vez de pregonar el éxito de esta alianza entre Estado e Iglesia, escondían y enterraban los éxitos bajo la misteriosa etiqueta de "escuela semioficial". Punto. Sin explicación. Sin clarificación. El arreglo se había instituido bajo gobiernos anteriores, y las autoridades de turno difícilmente podían nulificarlo. Pero lo enterraron como una cosa que ni valía la pena explicar.

Mi reacción antropológica inicial hacia tales experimentos de manejo educativo privado con fondos públicos fue que constituían un invento evolutivo maravilloso que podría servir de base para una eventual transformación y mejoramiento del sistema entero. Habría que generalizar el arreglo más allá de la Iglesia Católica, que había sido pionera en el experimento, y abarcar otros grupos de igual capacidad y mística para manejar fondos públicos y suministrar una educación "tipo colegio". ¡Pero qué va! La reacción de la Secretaría parecía ser una reacción de indiferencia, o casi de vergüenza, de que estas escuelas especiales funcionaran.

Ya se entiende la lógica de esa reacción. Al igual que sucede con los colegios privados, en estas escuelas "parroquiales" o "semioficiales" los niños están cuidadosa y militantemente protegidos en contra de invasiones políticas o sindicales. La indiferencia u hostilidad mostrada por los políticos y los sindicalistas no debió ser una sorpresa. Los religiosos protegen a los niños de los políticos y de los dirigentes sindicales. Y parecen hacerlo con bastante éxito.

Con respecto al sistema público, he llegado a aceptar un 50 por ciento de lo que aseveran ciertos amigos dominicanos descorazonados. "El aparato público educativo no se va a reformar, y hay que destruirlo por completo y comenzar desde la nada". La primera parte, ya admito que es verdad. Es difícil creer que los políticos y los dirigentes sindicalistas dejarán tranquilo al sistema educativo oficial. ¿Por qué dejar tranquilo al sistema si ellos son beneficiarios del mismo? Los políticos se benefician de los puestos y las botellas de la cartera educativa. Quitando y poniendo. Los dirigentes sindicales se benefician de algo mucho más inmediato y constante: no sólo un caudaloso ingreso mensual sacado por el mismo Estado de los sueldos de los maestros obligados a ser miembros, quieran o no, sino también la disponibilidad de una población de más de un millón de niños pobres, rehenes impotentes que pueden amenazar con meter en la calle. ¿Por qué soltar esa vaca gorda? ¿Por bonachones y patriotas?

Con lo que no estoy de acuerdo es con la visión de realizar una demolición total y un nuevo comienzo. La evolución cultural raras veces sucede así. La evolución funciona a base de mutaciones —irregularidades esporádicas que surgen dentro de un sistema pero cuyo carácter inesperadamente positivo los hace multiplicar y convertirse eventualmente en el mecanismo dominante. Ya existe tal mutación educativa, tal irregularidad sistémica, que apareció hace unas dos décadas en el seno del aparato de educación pública dominicana y que permite una educación pública de alta calidad. Se trata de la "escuela pública de monjas o curas" La onda reformadora del futuro puede consistir en *la paulatina conversión de una cada vez mayor cantidad de escuelas públicas en "escuelas protegidas", financiadas con fondos públicos pero puestas bajo el control gerencial de educadores privados.*

¿Se trata de la propuesta de extender una red nacional de escuelas de monjas con fondos públicos? Por supuesto que no.

Utilícese por favor un poco de imaginación antropológica. Se trata más bien de tomar estas escuelas como experimento pionero, de ver cuáles logros y cuáles problemas han tenido, y de ver cómo se podría extender el arreglo a un cada vez mayor número de escuelas dirigidas por otras entidades. Actualmente hay contratos con docenas de escuelas semioficiales; contratos que garantizan al director el derecho de seleccionar y supervisar y sancionar sus propios maestros, y que protegen a los maestros de dichas escuelas de interferencia sindical en el cumplimiento de sus labores. Estas escuelas constituyen una reforma educativa estructural, pero una reforma que procede, no atacando el sistema entero, sino abriendo una puerta lateral, creando nichos educativos legalmente protegidos que logran funcionar aun dentro de un sistema infectado.

En conformidad con la energía educativa que ha desplegado a través de la historia dominicana, la Iglesia Católica ha sido la pionera en este nuevo arreglo. Que se busque la manera de extender este modelo de "educación calidad-colegio con fondos públicos" a un cada vez mayor número de actores educativos, fuera del renglón católico. Habiendo trabajado en la República Dominicana desde el año 1964, me he convertido en un oligopisto bíblico (gente de poca fe). Los activistas políticos y los dirigentes sindicalistas tienen atrapado a un opíparo aparato educativo. ¿Por qué lo van a soltar? ¿Por buenos que son? Lo que sí sé, sin embargo, es que resulta posible, aun dentro de un sistema educativo infectado, crear "nidos protegidos" y "nichos inoculados" como ya se ha hecho. Es una reforma "por la puerta de al lado" o "por la puerta de atrás", no un vano ataque directo contra un sistema de impregnables intereses creados.

Y es una reforma que el mismo Estado puede dinamizar. Ningún Presidente o Secretaria de Educación puede transformar el aparato educativo entero. Son herederos de un organismo defectuoso. Lo que sí pueden hacer es abrir nuevas puertas y ventanas laterales o traseras para que un cada vez mayor número de niños se ubiquen en nichos protegidos.

Y hay aun otras "opciones de subterfugio", basadas en alianzas estratégicas con el sector de los colegios privados. Tales lazos entre sector público y colegio privado han funcionado en otros países y se pueden considerar en la República Dominicana también. El colegio privado constituye, en su manera actual de funcionar, un mecanismo de escape para aquellas familias —mayormente pobres en el caso de la República Dominicana— que lo utilizan. Puede convertirse en un mecanismo de transformación hasta del aparato público.

El último capítulo será dedicado a la elaboración de propuestas concretas en este respecto.

Capítulo IX

Los próximos pasos. Recomendaciones

En este último capítulo propondremos pautas generales en cuanto a los "próximos pasos"; el posible rumbo de las modificaciones a las estructuras y a los procedimientos actuales respecto a los colegios privados y a las escuelas públicas de la nación. Trataremos de evitar la tentación de proponer pasos específicos, de "manipular" a distancia la aplicación de intervenciones. Las intervenciones y las modificaciones específicas deben ser diseñadas por actores en el terreno. Sin embargo, si los hallazgos y los argumentos educativos presentados en este libro tienen validez, permiten la formulación por lo menos de pautas generales en cuanto al rumbo evolutivo que se esperaría en la educación. Pero hay tantos actores diferentes que actúan en el escenario educativo que vale subcategorizar las pautas de mejoramiento por renglón.

Empezaremos de manera lógica con los padres de familia, los más importantes tomadores de decisiones educativas. De ahí pasaremos a los dueños de colegio privado. Luego vendrán los actores de la sociedad civil, empezando con el sector filantrópico, pasando al sector industrial y luego a los medios de comunicación. Finalmente, formularemos pautas respetuosas para las autoridades públicas, cuyas decisiones y conducta ejercen un fuerte impacto, no sólo en los colegios privados, sino también, y con más poder directo, sobre las escuelas públicas, adonde más de un millón y medio de niños de los sectores más pobres se ven obligados a acudir. Tal formulación no sufre de la menor exageración. Si éstos pudieran ir a colegios privados, irían —como lo hacen los hijos de los mismos funcionarios de la educación pública. Y no por razones de ínfulas sociales, sino por el estado actual de la educación pública.

Terminaremos, sin embargo, con una nota de alto optimismo. Existe un grupo pequeño y especial de escuelas públicas que están funcionando, si no a las mil maravillas, por lo menos de manera altamente positiva. Si el Estado reorienta sus esfuerzos y da los pasos valientes pero necesarios para convertir este exitoso modelo minoritario en arreglo mayoritario, el panorama educativo dominicano se puede transformar, y sin que el gobierno tenga que pedir un centavo prestado. El modelo exitoso ya está diseñado en la República Dominicana, no en Cambridge, Hong Kong o Madrid. Lo que hay que hacer es percibirlo, reconocer su valor y sencillamente aplicarlo a un cada vez mayor número de escuelas públicas.

Pero miremos primero los colegios privados, enfoque central del libro, y empecemos con los padres de familia.

A. Padres y madres de familia

1. Pautas generales para el "consumidor educativo"

a) *Conviértanse en "consumidores educativos" informados.* Quiérase o no, guste o no la terminología, el que entrega su niño a un colegio privado es consumidor de un servicio, y un servicio mucho más importante que el de arreglar el carro o limpiar el patio. Que se pongan los padres y las madres en la onda de "consumidores educativos" dotados de tres rasgos: (1) están informados sobre lo que debe haber y lo que debe pasar en principio en el colegio; (2) se mantienen informados de lo que de hecho pasa; y (3) insisten, de manera razonable y cortés, en el cumplimiento de lo acordado cuando hay una brecha seria entre lo ideal y lo real.

b) *Sálganse de la modalidad de beneficiarios agradecidos pasivos.* Reconocemos que habrá colegios tradicionales en donde se espera que los padres se porten no como clientes exigentes, sino como beneficiarios agradecidos de que su hijo haya sido admitido. Y que no se pongan a cuestionar mucho. Su deber principal no es opinar, sino pagar a tiempo. Los directores de los nuevos colegios laicos no tienden a portarse así, pero los directores de ciertos colegios tradicionales, sobre todo los religiosos, sí. Pues esa filosofía no encaja con la realidad actual de una clientela que en muchos casos ya goza de igual nivel educativo que el maestro o el director/cobrador. La primera recomendación es que los padres de familia salgan de la modalidad de beneficiarios agradecidos y se transfieran a la modalidad de consumidores informados. Lo quiera o no el director o la directora del colegio.

   Esta pauta valdría igual para las familias de las escuelas públicas pero con una importante aunque desafortunada diferencia: pueden informarse, pero difícilmente pueden exigir resultados. En un porcentaje tristemente alto de escuelas, el mismo director, paralizado desde arriba por una burocracia indiferente y letárgica, y desde abajo por un sindicato, carece de poder. El modelo de consumidor informado desafortunadamente encaja mejor con la realidad del colegio privado.

c) *Pórtense como consumidores de servicios profesionales, no como patanes*. Ahí entra, sin embargo, una distinción. El jardinero es empleado del consumidor. Pero el maestro o el director no. Reconózcase que, como los cirujanos y los arquitectos, las maestras son profesionales dotadas de destrezas especializadas, no niñeras o sirvientas sin uniforme. Las preguntas y las quejas deben hacerse más en la modalidad respetuosa empleada para hablar con médicos, que con sirvientes o jardineros.

d) *Sean consumidores educativos activos, no pasivos*. Si contrato los servicios de un jardinero o de un chofer, es para liberarme de la pesada tarea de desyerbar o de manejar en el congestionamiento del tráfico. Cuando contrato los servicios de un colegio, no me libero de la tarea de educar. Sigo siendo —o debo seguir siendo— el educador principal de mis hijos. Los padres no sólo les enseñan a sus hijos asuntos que no se tocan en la escuela. Se supone que continuarán participando activamente, sobre todo con niños jóvenes, en asuntos de la escuela. Se asegurarán de que hagan sus tareas. Crearán un ambiente propicio al estudio. Limitarán las horas de ver televisión, del uso de videojuegos y de la computadora. Y si son de clase educada hasta brindarán ayuda en el estudio de las materias. Estas recomendaciones, por supuesto, no salieron como "hallazgos" sorprendentes de nuestro estudio. La participación activa en la educación de los niños jóvenes es un ideal social, por lo menos dentro de estratos medianos y altos cuyos adultos ya pasaron estudios avanzados. Lo mencionamos para suavizar y contextualizar la recomendación de convertirse en "consumidores educativos". No estamos abogando por una variante vulgarmente comercializada del concepto de consumidor, en el cual "pago mi' cuarto' pa' que el colegio se encargue de to' esa' vaina'..."

2. Variables sobre las cuales informarse

a) *Consideración del pago*. Probablemente, la variable clave en la selección de un colegio para la mayoría de las familias son las tarifas. Tome en cuenta que hay dos modalidades de pago en la República Dominicana. Los colegios de barrio cobran por mes, y sufren grandes problemas con la morosidad en el pago. La mayoría de los colegios más caros se protegen de la morosidad, en cambio, cobrando por adelantado. Las fórmulas precisas difieren de un colegio a otro. Pero hay que prepararse a pagar por adelantado y no peder tiempo ni derramar lágrimas quejándose de lo "abusivo" del arreglo, que si se están enriqueciendo con los intereses, que si esto, que si lo otro. La modalidad de pago adelantado se hace también en el mundo industrial. El colegio de barrio tiene que cobrar por mes pues su clientela no puede pagar por adelantado. El colegio caro con gastos recurrentes fuertes, en cambio, corre el riesgo de caer en bancarrota si no cuenta con el pago mensual a tiempo. Hay individuos acomodados que sencillamente no pagan a tiempo, sobre todo en algo de importancia aparentemente tan secundaria como el colegio. Los dueños de colegio más caros conocen bien las costumbres y prioridades de su tribu, y se protegen. Y se tienen que proteger.

b) *La realidad de los aumentos anuales en tarifas.* Sería maravilloso si se aplicara una "cláusula para viejitos" mediante la cual los alumnos ya inscritos estarían exentos del pago de los aumentos, y quedarían pagando lo mismo que cuando entraron. El mundo, desgraciadamente, no funciona así. Los costos suben, los maestros quieren aumentos, al igual que los directores, y el colegio necesita ganancias para fines de inversión en mejoras.

Existe una sospecha colectiva de que los aumentos de tarifa son productos de la codicia, que abusan y violan los derechos de los padres, y que el gobierno debe intervenir en el asunto. Estoy 100 por ciento de acuerdo con que existe un abuso de derechos educativos en la República Dominicana. Los dominicanos de toda clase social tienen derecho a una educación pública gratuita de alta calidad, como la reciben los franceses, los alemanes y la mayoría de los norteamericanos de sus respectivos gobiernos. *Pero nadie, repítase, nadie tiene derecho a exigir una educación privada de alta calidad al precio que le dé la gana, ni al precio que encaje objetivamente con sus recursos*. A mí me enfurece tener que hacer cola en los aeropuertos. Yo quiero tener un avión privado, y me enfurece que los abusadores que construyen y venden aviones me quieren cobrar tan caro, por encima de lo que puedo pagar. El gobierno debe poner un control de precio sobre aquellos abusadores para que gente como yo podamos andar montados en avión privado. Pues el derecho de la familia dominicana de dictar precios de colegio es tan ficticio y mal fundado como el derecho de quien escribe a dictar precios de avionetas o helicópteros.

"Como el gobierno dominicano no pone buenas escuelas públicas estamos obligados a mandar los hijos a colegios privados. Por eso queremos que el gobierno controle los precios." Eso se oye mucho en el país. Y nunca deja de dejar atónito al forastero que lo escucha. ¿Desde cuándo en la historia antropológica de la especie humana la irresponsabilidad y la incompetencia de las instituciones educativas públicas crea y confiere un *derecho* a una educación privada a precio cómodo?

Y si se permite una observación final sobre este punto, la haré en forma de una pregunta dirigida a un lector hipotético de Altos de Arroyo Hondo. Supongamos que en Cristo Rey, que de hecho no queda muy lejos de donde vives, el gobierno logra poner la mejor escuela pública de las Américas, mejor que la educación del colegio donde tienes a tus hijos. Un "enllave" que tienes en la Secretaría te invita a matricular tus hijos allá para que reciban aquella educación espectacular al lado de los muchachos de Cristo Rey y Guachupita. Completamente gratuita, imagínate. ¿Trasladarías tus hijos? Si me contestas que sí, te felicito por tu conciencia social. Pero tú sabes mejor que yo que, para empezar, tu enllave en la Secretaría no lo haría (sus hijos ya están en colegio privado con una de las "becas" que los colegios tienen que facilitar a los empleados de la Secretaría), y que la gran mayoría de tus vecinos en Altos de Arroyo Hondo tampoco lo harían. ¿Quién va a querer que los hijos de uno se mezclen con el "tigueraje" de "aquella gente"? Prefieren un colegio privado, donde los hijos entablarán amistad con gente de su mismo nivel. ¿Verdad?

Pues saca la cartera, sin mojarla con lágrimas, por favor. Repito: El cliente de colegio privado debe prepararse para aumentos anuales de tarifa. Tales aumentos crean un *dilema*. Pero no crean un *derecho*. El derecho que tiene el ciudadano es el derecho a una educación pública gratuita de decente calidad, no de una educación privada barata. Hay violadores de aquellos derechos educativos. Pero no son los dueños de colegio privado.

c) *La planta física.* Dejemos la obsesión con el precio y ocupémonos con variables que afectan la calidad de la experiencia educativa. Cuando salgas en busca de colegio, entrena tus ojos y tu cerebro para observar como si fueras antropólogo. Observa si el colegio bajo consideración fue construido como tal o si funciona más bien en una casa privada convertida en colegio —como es el caso de la gran mayoría de los colegios dominicanos—, y pregunta si la casa es propiedad del dueño o si está alquilada. ¿Y qué tiene eso que ver? Pues, que cuando venza el alquiler, el dueño puede pedirle la casa al colegio, cosa que ha sucedido con varios colegios, creando una inseguridad en cuanto a la viabilidad a largo plazo del colegio. Si el colegio está en una casa de familia convertida en colegio, asegúrate de que se hayan hecho las modificaciones requeridas. En aquel sitio donde tu hija o tu hijo va a pasar gran parte de su vida, debe haber sistemas adecuados de iluminación y ventilación. En vista de que cierto decreto presidencial emitido en años pasados prohibiendo los apagones parece no haberse cumplido, infórmate también de si el colegio tiene planta eléctrica propia. Debe haber baños suficientes y limpios, al igual que una fuente o varias fuentes de agua potable. Entrénate a observar y preguntar. Observa si hay un patio seguro donde jugar, una muralla que aísle el colegio de los ruidos callejeros, que proteja los niños del tránsito local. Observa si hay guardián o policía armado para la seguridad de los niños. Si el niño llega al colegio en carro, observa el flujo de tráfico a las horas de traer o buscar a los niños. ¿Hay agentes de tránsito que manejan la congestión?

d) *Historia del colegio*. ¿Cuántos años tiene el colegio funcionando? Un porcentaje alto de empresas nuevas quiebran. Un colegio nuevo puede tardar años en sentar sólidas bases económicas y pedagógicas. Si es un colegio nuevo que un grupo de padres entusiastas se juntaron para fundar, o que convencieron a un director para que lo fundara, sea por razones religiosas o filosóficas, ya es otro asunto. Con una clientela comprometida ya hay menos peligro de desaparición repentina. ¿Cuántos cursos tiene el colegio? Lo ideal sería que tus niños tuvieran garantía de cupo desde maternal hasta bachillerato, que no hubiera duda en cuanto a dónde podrán estudiar. La cuestión de cupo puede resultar difícil. Si es sólo maternal o un colegio de primaria, averigua a qué colegio van luego los graduados. ¿Es el colegio autónomo? ¿O todavía está bajo la supervisión de una escuela pública y de la Secretaría de Educación para fines de exámenes y otros asuntos? ¿Y qué tal los logros académicos de los alumnos del colegio en las Pruebas Nacionales?

e) *El director*. Averigua si el director del colegio es el dueño o si es empleado. Cuáles son sus antecedentes educativos, sus títulos pedagógicos, sus años de experiencia. ¿Es una persona verdaderamente comprometida con la educación? Si no tiene antecedentes de educador profesional, no le juzgues con automática severidad. Hemos visto colegios excelentes dirigidos por gente que entraron tardíamente al renglón. Pero es un dato que vale la pena saber. (Si el director no tiene títulos colgados y parece ofenderse con tus indagaciones sobre sus antecedentes pedagógicos... cuidado.)

f) *Los maestros.* ¿Cuántos alumnos hay por curso? Es una variable absolutamente clave. ¿Cuántos maestros hay por aula? ¿Hay asistentes en las aulas? ¿Cuáles son los niveles de titulación pedagógica de los maestros? ¿Quién será la maestra de tu hijo? ¿Cuántos años de experiencia pedagógica tiene? ¿Cuánto se le paga a los maestros? (En muchos colegios de barrio se paga menos a los maestros que en el sector público. A menos que se trate de un colegio bien establecido, cuyo magisterio trabaja por convicción religiosa, los maestros mal pagados resienten el hecho y se van desde que encuentran algo mejor. ¿Son la mayoría de los maestros de tiempo completo? Si tienen otro trabajo y están "chiripeando" en el colegio, cuidado. ¿Cuántas tandas enseña el maestro? En los mejores colegios los maestros son bien pagados y enseñan una sola tanda, por la cual reciben mejor pago que los maestros del sector público o de colegio de barrio que enseñan dos tandas. De todas maneras, haz lo que puedas por informarte bien de la situación económica y profesional de los maestros a cuyas manos piensas entregar tus hijos.

g) *El currículo.* Se asume que el colegio tendrá un currículo que cumple con los requisitos de la Secretaría de Educación. Los colegios, sin embargo, no son nada monolíticos en su currículo. Hay tres destrezas de cada vez mayor importancia en el mundo moderno, y el cliente potencial debe indagar cuidadosamente sobre la enseñanza de estas tres destrezas en el colegio bajo consideración.

   - *El inglés.* La primera es la enseñanza del inglés. Para algunos entrevistados de clase media y alta el criterio principal que dominaba su selección de colegio ha sido la probabilidad de que sus hijos salgan hablando inglés sin acento, con fluidez nativa o casi nativa. Hemos oído educadores e intelectuales nacionalistas lamentar la anglofilia que ha llegado a penetrar aún el currículo de las escuelas públicas. Alguien propuso recientemente que hasta el aprendizaje del creole haitiano podría ser una alternativa importante en la República Dominicana de hoy en día. Dudamos, sin embargo, que un colegio que enseñara creole en vez de inglés atraería muchos clientes dominicanos. Quiérase o no, el inglés ha llegado a ser importante. Hemos visto en años atrás algunos padres rechazar como opción para sus hijos uno de los colegios que nosotros entendemos ser de los mejores del país, sólo porque se consideraba que era flojo en cuanto al inglés. ("Colocamos nuestro hijo angloparlante allá durante dos años precisamente para que se empapara sólo con castellano"). Se nos informó recientemente que ya los alumnos salen hablando inglés de dicho colegio. Si el inglés te importa, indaga bien sobre el nivel de inglés impartido en el colegio. Si puedes, conversa en inglés con dos o tres de los alumnos más avanzados para ver si es verdad que se aprende inglés en el colegio.

- *Destrezas en computadora*. Es crucial hoy en día el aprendizaje del manejo de computadora. No se trata aquí, por supuesto, de saberla prender para matar invasores espaciales. La destreza crucial es la destreza de aprender a escribir textos usando nueve de los diez dedos mirando la pantalla y no mirando las teclas. Eso de mirar el teclado y teclear con dos dedos ya no se estila. El niño hispanohablante tiene que aprender por añadidura cómo poner el acento sobre las vocales sin mirar. De menos urgencia, pero también de alta utilidad, es el uso de Excel u otras hojas electrónicas para organizar datos, o de PowerPoint para hacer presentaciones. Averigua si el colegio tiene computadoras para los alumnos y si el currículo realmente incluye un componente en que estas destrezas se aprenderán.
- *Trabajos de investigación bibliográfica*. Entrevistamos a muchos padres de clase media y alta que aspiran a que sus hijos estudien en una universidad norteamericana o eu-

ropea. La debilidad más grande de muchos recién llegados estudiantes dominicanos a una universidad extranjera es que nunca en su vida han aprendido a hacer un trabajo de investigación bibliográfica —recoger datos de los libros y reformularlos en palabras propias para que no se les acuse de copiar, utilizar un sistema reconocido de citas y, sobre todo, organizar los hallazgos en un trabajo lógico con introducción, presentación de datos, análisis y conclusión. Un buen colegio obligará a los estudiantes desde temprana edad a presentar trabajos escritos utilizando datos de tres o cuatro fuentes y organizando la presentación lógicamente. Indaga sobre la presencia de este componente en el currículo del colegio.

h) *Equipos pedagógicos.* Un colegio de barrio tendrá pupitres, pizarra, tiza, borrador, cartelones, y otros materiales tradicionales. Pero un colegio más caro debe tener más. Tendrá biblioteca, sala de computadoras o por lo menos acceso a computadoras, laboratorio científico y equipos audiovisuales para las aulas, ya sea permanentemente instaladas o por lo menos móviles. Habrá también instalaciones atléticas. Un genuino colegio Montessori, por ejemplo, tendrá por añadidura un juego oficial del equipo de Montessori, una colección de objetos diseñados cuidadosamente para facilitar el desarrollo cognoscitivo del niño mediante experiencias táctiles. La falta de tales objetos en un colegio dotado de la etiqueta Montessori no necesariamente constituye un defecto. La mayoría de los colegios dominicanos con el título Montessori simplemente adoptaron el nombre de aquella educadora famosa sin gozar de la verdadera capacitación o titulación Montessori oficial. Si el elemento Montessori realmente te importa, y si un colegio porta ese nombre, indaga (con cortesía y delicadeza) sobre el lugar de capacitación Montessori de la directora y sobre la relación actual del colegio con el movimiento Montessori oficial. Si no recibes respuesta clara, posiblemente se trate de un colegio simplemente titulado Montessori. Puede ser un colegio excelente, pero no un verdadero colegio Montessori.

i) *Orientación filosófica.* El tópico del sistema Montessori suscita la pregunta sobre la orientación filosófica del colegio. Hay algunos colegios —quizás una minoría aun dentro del subgrupo de colegios élite— que funcionan bajo una filosofía explícita y fuerte, sea pedagógica, sea religiosa. La población dominicana es heterogénea. La más frecuente manifestación de fuerte compromiso filosófico se ve en el renglón de la religión. Si las enseñanzas y los compromisos religiosos te importan, asegúrate de poner a tus niños en un colegio de la misma inclinación religiosa, donde dicho compromiso no se debilitará por presiones tanto del mismo colegio como de los demás estudiantes. En cambio, si valoras la exploración crítica de diferentes puntos de vista filosóficos, ideológicos y religiosos, si estás convencido de la validez de distintas orientaciones religiosas o no te gusta ninguna orientación religiosa, probablemente deberás matricular a tus hijos en un colegio laico o en uno cuya inclinación religiosa respete otros valores y creencias sin tratar de imponer los suyos y no discrimine a tus hijos.

El tópico de la educación sexual resulta controversial en este momento. Los colegios cuyos currículos están certificados por organizaciones académicas norteamericanas están obligados como condición de certificación a dar "educación sexual" como elemento en el currículo. Dependiendo del distrito escolar norteamericano, sabemos que parte de la educación sexual consiste en enseñar los alumnos, aun a los de primaria, a usar condones. (Hay escuelas que hasta enseñan a las chicas a poner condones, por si el varón no toma la iniciativa de protegerse). En otras clases la masturbación se describe como fenómeno completamente normal, al igual que la homosexualidad. Desconocemos lo que se enseña en las clases de educación sexual en los colegios dominicanos certificados por organizaciones externas. Pero si tus convicciones religiosas se oponen a la contracepción, el sexo prematrimonial, la masturbación y/o la homosexualidad, averigua con mucho cuidado exactamente qué se les va a enseñar a tus hijos en las clases de educación sexual.

j) *¿No sería exagerado aprender tanto sobre el colegio?* Hemos propuesto cuantiosas preguntas que un "consumidor educativo informado" debe preguntar sobre un colegio. Y la lista todavía es parcial. No hemos indagado todavía sobre asuntos de disciplina, de conferencias privadas con los padres sobre el progreso de sus hijos, ni de centenares de otras preguntas. ¿No sería exagerado hacer tantas indagaciones? Admitimos que hay padres que estarían satisfechos con la respuesta a sólo tres preguntas sobre el colegio. ¿Cuánto cuesta? ¿Qué tan lejos queda de mi casa? ¿A qué clase social pertenecen los estudiantes?

Otros agregarían una cuarta y una quinta pregunta: ¿Los alumnos salen hablando inglés sin acento? ¿Y qué dice la gente de mi círculo social sobre la calidad del colegio? Como dijimos, el inglés ha cobrado importancia. Pero algunos ni se hacen la pregunta sobre la calidad general de la enseñanza en otros renglones. Si queda cerca de mi casa, si las tarifas no sobrepasan mi capacidad económica pero tampoco son demasiado baratas (para que mis hijos no se estén mezclando con los hijos de "aquella gente", tú sabes), y si los hijos de fulano se graduaron de allá, pues ya no hay que buscarle la quinta pata al gato, que si los maestros tienen título, que si hay biblioteca, que cuántos baños hay, que si los limpian todos los días, que si esto que si lo otro... Son pocos los padres que se sentirían compelidos a indagar sobre todas las variables. Pero presentamos la lista —y es una lista muy parcial, por larga que sea— para promover el ideal del "consumidor educativo informado".

k) *¿Se puede realmente aprender tanto sobre el colegio?* Hablemos francamente. El dilema del consumidor educativo es que difícilmente puede juzgar la calidad del producto comprado. Se trata de un acto de fe. Lo que abogamos sencillamente es porque fortalezcas tu fe con frías observaciones empíricas. Puede resultar difícil conseguir respuestas a todas las preguntas, sobre todo en una entrevista breve de indagación y exploración. Pero aún así aprende la lista de memoria y agrégale preguntas que te parezcan relevantes. La susodicha lista es un primer esbozo.

l) El asunto es entrenarte, como consumidor educativo, a llegar al colegio con las preguntas más importantes, cuyas respuestas te darían una idea de la probable calidad del colegio. Debes llegar con los ojos, los oídos y el cerebro entrenado. Y si llegas con un cuaderno para tomar apuntes, mejor todavía. Muchos colegios tienen información escrita que presenta abiertamente la información clave sobre el colegio, su director, sus maestros, su currículo, los logros académicos de los estudiantes y las tarifas, entre otras. A falta de materiales escritos, el director debe tener toda esta información en la punta de la lengua para compartirla abiertamente con aquel subgrupo de potenciales clientes o clientes actuales que hagan indagaciones al respecto. (Son pocos, admitimos, los que se preocupan tanto o que saben exactamente qué preguntar.)

Para concluir este primer grupo de recomendaciones en cuanto a los colegios privados, exhortamos a los padres de familia a convertirse en "consumidores educativos informados", acercándose al colegio de sus hijos con ojos, oídos y cerebros entrenados para identificar rápidamente los probables puntos fuertes y los probables puntos débiles de un colegio.

B. DUEÑOS DE COLEGIO

Pasaremos ahora a ventilar pautas para los dueños de colegio. En cierto sentido tengo poco que recomendar en cuanto a los "próximos pasos". Los dueños de colegio están "fajados" en los colegios y las aulas, y sus conocimientos sobre la problemática educativa dominicana sobrepasan los de quien escribe. Sin embargo, del estudio salieron algunas observaciones que desearía ventilar con los dueños de colegio. Las ventilaré parcialmente en forma de preguntas, tratándoles de "ustedes". Sé que ustedes constituyen un grupo socialmente heterogéneo, desde los que están en los barrios hasta los que sirven una clientela muy pero muy acomodada.

1. Hostilidad pública

a) En primer lugar, salí con impresiones contradictorias y esquizofrénicas que todavía no logro reconciliar. Los datos objetivos sobre los 2,500 y pico colegios que había en el país en el año 2000, la vasta mayoría de los cuales sirven una clientela empobrecida, indican que la tarifa mensual media del colegio dominicano es ridículamente barata. Tenía datos sobre 1,600 y pico de colegios, de los cuales un 39 por ciento cobraba RD$250 pesos o menos y 41 por ciento cobraba entre $250 y $499. *Es decir, 80 por ciento de los colegios dominicanos cobraban menos de RD$500 pesos mensuales.* En aquel entonces 500 pesos valdrían unos US$25 dólares mensuales —y era la tarifa más cara para 80% de los colegios. La tarifa media de ese grupo se acercaba a los $15 dólares mensuales. Los colegios caros, en cambio, que cobraban RD$3,000 o más constituían sólo un *uno por ciento del total de colegios en la República Dominicana.* Entiéndase bien: un uno por ciento (1%). Y RD$3,000 pesos en aquel entonces equivalían a US$60 dólares mensuales, una suma absurdamente barata para un colegio de alta calidad.

b) Sin embargo, fue en ese mismo período (cerca del año 2000) que los legisladores dominicanos pasaron una ley de control de precios de los colegios, que fue firmado y promulgado por el presidente de turno. Quisiera que ustedes, los dueños de colegios dominicanos, me expliquen a mí, un extranjero, ¿cómo se le ocurrió a un congreso nacional definir como "abusadores" a un renglón económico prestando el servicio más importante de la sociedad humana, el servicio de educar a los niños? ¿Y cómo se les ocurre imponer control de precio sobre un renglón que cobra, como cifra promedio, unos $300 pesos por mes? Como antropólogo he asistido a docenas de ceremonias de vudú haitiano. Pues les aseguro que en ninguna ceremonia de vudú entre campesinos haitianos he visto yo una conducta tan bizarra como la de aquel grupo de legisladores dominicanos que impusieron un "control de precio" sobre un renglón que cobraba en aquel entonces, el año 2000, un promedio de $300 pesos mensuales.

c) "El Estado quiere proteger los derechos educativos de los niños de la nación" responderán algunos. Excelente. Entonces que arreglen las escuelas públicas, rescatándolas de las garras de los políticos y los sindicalistas. Que dejen de engañar al público con tácticas publicitarias que disfrazan el problema real, echando más bien la culpa sobre los educadores privados, como si fueran ellos los malos de la película educativa.

d) "Ah, no. Esos datos sobre colegios baratos son falsos. Equivocados. Yo pago una fortuna al colegio, $6,000 pesos mensuales, y me suben la tarifa cada año." Es la respuesta típica que recibo de amigos dominicanos que se niegan a aceptar las cifras nacionales sobre precios promedio recogidas por el mismo gobierno que impuso el "control de precio". Repetimos: aquellos colegios que cobran 4, 5 ó 6 mil pesos constituyen menos del uno por ciento de los colegios de la nación.

2. Transparencia presupuestaria

a) El dueño de colegio privado debe reconocer que funciona en un ambiente cultural donde los desembolsos para ropa, cerveza y tabaco se hacen con gusto y orgullo (analizamos datos extraordinarios al respecto en el primer capítulo), pero los desembolsos para gastos educativos se hacen con renuencia y a veces con resentimiento.

b) En vista de ello se recomienda una política de total transparencia presupuestaria frente a la clientela. ¿Cuánto entra? ¿Cuánto sale? ¿Cuánto se les paga a los maestros? ¿Cuáles son las ganancias? ¿Qué porcentaje de las ganancias van dirigidas a inversiones de mejoramiento educativo? La gran mayoría de los colegios no tienen nada que esconder. Se sale de la norma, por supuesto, pedirle a una empresa que abra los libros para los clientes. Pero las actitudes culturales prevalecientes, en cuanto al "derecho" que fulano supuestamente tiene de que usted eduque su hijo al precio que a él le parece bien, también sale de la norma. En vista de las bizarras actitudes imperantes, la mejor defensa sería una apertura presupuestaria. Es un posible paso. Por supuesto no es una obligación ni legal ni moral. Y aunque estés completamente abierto, las quejas y los llantos seguirán lloviendo. "Embuste. No se gasta tanto en X o Y. Son mentiras" O "Mi hijo se gradúa este año. Por qué tengo yo que pagar más para que se compren más computadoras..." Repetimos: hay un complejo de anómalas pero profundamente arraigadas actitudes culturales que pintan al educador privado, no como héroe nacional, sino como codicioso abusador, por el hecho de cobrar sus servicios. El educador privado que ejerce en la República Dominicana establece lazos calurosos con la mayor parte de los padres de familia cuyos niños educa. Pero tiene que funcionar dentro de una atmósfera pública hostil, sobre todo durante las semanas en las cuales se anuncian las tarifas para el año entrante.

C. Sociedad Civil

Examinaremos cuatro renglones estratégicos de lo que se llamaría la sociedad civil: el sector filantrópico, el sector universitario, el sector industrial y los medios de comunicación.

1. Sector filantrópico

a) EDUCA ha sido el principal actor filantrópico en el escenario educativo. (La compañía minera Falconbridge ha establecido una rama filantrópica para apoyo a las escuelas, pero la consideraremos bajo sector industrial.) Se ha involucrado en un sinnúmero de actividades, tanto con colegios privados, como con maestros y directores del sector público. Se ha involucrado en programas de becas para capacitación de directores y luego maestros, en la contratación de investigaciones sobre los colegios privados, en la organización de una cooperativa para maestros del sector privado y en actividades más generalizadas de sensibilización y concienciación pública.
b) En los Estados Unidos se publican compendios de información comparativa que analizan y evalúan todas las universidades públicas y privadas de la nación. Son publicaciones del sector privado, vendidas a un público listo para buscar universidad para sus hijos. De cada universidad se presentan ciertos datos críticos que pueden ser comparados con la información sobre otras universidades. Estas publicaciones son útiles y populares, y constituyen una forma de Biblia seglar para familias en busca de instituciones educativas.
c) Un inventario analítico parecido podría prepararse para las instituciones educativas de la República Dominicana, incluyendo no sólo universidades sino también colegios privados de todo nivel. Constituiría un "Guía para el Consumidor Educativo".
d) Mientras tales guías las preparan compañías privadas en

Estados Unidos, una institución filantrópica educativa, sea EDUCA, sea otra, podría tomar el liderazgo en la organización de tal compendio en la República Dominicana. El producto final podría venderse con fines de cubrir los gastos del proyecto.

e) Reconocemos que un inventario parecido, que evaluó y clasificó los distintos colegios, fue preparado por el Estado con fines de fijación de precios. Desconocemos el contenido de este documento, al igual que su nivel de credibilidad y aceptación pública. Proyectos de este género por lo general se emprenden por el sector privado o filantrópico.

f) Un primer paso, en forma de anteproyecto, sería el de determinar si los colegios estarían dispuestos a aparecer en tal compendio y a suministrar la información requerida. Si se recibe una luz verde, luego se identificarían las categorías de información comparativa que se necesitarían para tal compendio.

2. Sector académico

a) Varias universidades del país, como INTEC, tienen programas de capacitación de maestros. Algunas han jugado un papel dinámico en proyectos asociados con el ya vencido Plan Decenal.

b) Para fines de que las instituciones universitarias, mediante actividades de investigación, contribuyan al análisis de los factores que debilitan las escuelas del sector público, proponemos que se clarifique la distinción entre variables pedagógicas y curriculares, por un lado, y variables estructurales y sistémicas por otro. Hemos planteado en estas páginas que las "medicinas" pedagógicas y curriculares suministradas por el Plan Decenal dejaron de tener impacto duradero porque pasaron por alto y dejaron intactas las infecciones sistémicas del aparato educativo público. Los problemas de la centralización letárgica, la politización del quita-y-pone, la sindicalización huelguista, casi ni se mencionaron, como si fueran problemas ajenos a las variables puramente pedagógicas, asuntos sensibles y vergonzosos sobre los cuales no se debía hablar en compañía respetable.

c) Pues son precisamente aquellas variables sistémicas que constituyen el meollo del dilema del sector público. Por supuesto, se necesitan maestros con mejor capacitación, sistemas curriculares modernos, libros de texto actualizados, etc. Pero las mejoras introducidas en dichos elementos pedagógicos quedarán frustradas si las desviaciones y las enfermedades del sistema imperante no se resuelven primero. El segundo Plan Decenal debe poner las variables sistémicas —centralización, politización, sindicalización paralizante— no las pedagógicas, en el centro del microscopio y de la mesa de cirugía.

d) Exhortamos a las instituciones académicas dominicanas a emprender investigaciones educativas que analicen y ataquen, de manera empírica profesional y sin cizaña política o ideológica, los dilemas sistémicos que durante más de cuatro décadas han saboteado el funcionamiento de las instituciones educativas del sector público.

3. Medios de comunicación

a) Exhortamos a los medios de comunicación ae repensar su aparente participación anual en campañas difamatorias contra el sector de los colegios privados. En vez de echarle leña a las acusaciones candentes lanzadas contra dicho sector por causa de los aumentos de tarifas, invitamos a los periodistas y a los comentaristas de televisión a hacer exploraciones empíricas.

b) En primer lugar, les invitamos a entrevistar a una muestra de los dueños de colegio de barrio —los cuales constituyen un 80 por ciento del sector de los colegios—, sobre la realidad presupuestal de un colegio de barrio, con tarifas de

$300 ó $400 pesos, con gastos recurrentes inexorables, con morosidad crónica en el pago por parte de los padres, con resentimiento por parte de maestros justificadamente molestos con las nóminas atrasadas, con discriminación punitiva por parte del Estado en contra de sus alumnos, que ni reciben desayuno escolar, ni calificaban por los muy codiciados y apreciados premios presidenciales, cuando se daban, como si no fueran niños pobres dominicanos del barrio igual que los alumnos del sector público.

c) Pero les invitamos también a hablar con los dueños de colegio "élite" con la misma honestidad, empirismo y respeto. Estoy seguro que encontrarán muchos que estarán dispuestos hasta a compartir us presupuestos, si están convencidos de que se trata de un esfuerzo honesto de comprender y no de encontrar lodo para tirar.

d) En síntesis, los medios de comunicación modernos gozan de un poder extraordinario de informar o de mal-informar al público. Planteamos respetuosamente que los titulares que chillan en contra de los colegios por sus aumentos de tarifa deben ser remplazados por artículos analíticos que lleguen al fondo del dilema económico de los colegios.

4. Sector industrial

a) La participación del sector industrial en el drama educativo ha tomado la forma principalmente de proyectos de apadrinamiento. La compañía no "adopta" una escuela. Es decir, no llega a ser su padre o su madre. Se convierte más bien en el "padrino" de la escuela, facilitándole distintos géneros de insumos. El mejor conocido y más ambicioso y sostenido programa de apadrinamiento es el de la Falconbridge. Los beneficiarios del apadrinamiento son escuelas del sector público.

b) Sin entrar en detalles, se puede decir que la politización del sistema educativo público, la política de quitar y poner, el cumplimiento burocrático letárgico con lo acordado, debilita o a veces destruye la eficacia de un programa de apadrinamiento. Por mucho que aporte una compañía, ninguna escuela gozará de mejoras sostenidas si el director no tiene poder de seleccionar, disciplinar y hasta de despedir sus maestros, si el director mismo puede ser trasladado al antojo de un político incrustado en las capas más altas de la burocracia o si el sindicato sigue con el poder de obligar a los maestros a participar en los sempiternos paros y huelgas.

c) Hemos señalado que hay escuelas ya dentro del sistema que gozan, mediante contratos especiales, de autonomía funcional. Reciben fondos públicos en la forma de sueldos de los maestros, que pertenecen a la nómina pública. Pero son manejados por congregaciones religiosas católicas, cuyos directores o directoras seleccionan, supervisan, premian y sancionan sus propios maestros. Y dichas escuelas son protegidas por contrato en contra de los paros y las huelgas. Es precisamente en tales escuelas donde los programas de apadrinamiento pueden dar frutos más sostenibles.

d) La desventaja es que hasta ahora tales escuelas "inoculadas" y "protegidas" todas pertenecen a un sector religioso determinado, la Iglesia Católica. Lo que hace que mucha gente lo vea como un "asunto católico", de poca relevancia para el país. Discrepamos fuertemente. A continuación, como elemento final del libro, propondré una estrategia para identificar las lecciones aprendidas de este experimento hasta ahora exitoso. Propondré que las lecciones aprendidas del experimento de la Iglesia Católica dominicana se expandan a incluir otros actores educativos y que se cree, paulatinamente, una red nacional de escuelas protegidas por contrato, igual que las escuelas manejadas por congregaciones católicas. Si se da con una fórmula adecuada y si cada año se trasladan más escuelas a la nueva red protegida, creemos que podremos esperar una transformación gradual del panorama educativo dominicano.

e) Exhortamos a las industrias dispuestas a apadrinar escuelas que insistan en protecciones legales para las escuelas apadrinadas y que consideren cuidadosamente lo que se va a proponer a continuación. Nos parece que es en el contexto de una red de escuelas legalmente protegidas que el programa de apadrinamiento dará mejores frutos.

D. Autoridades públicas

El enfoque del presente libro ha sido los colegios privados. Sin embargo, el bienestar (o malestar) de éstos está fuertemente condicionado por la conducta del Estado. Es más, resultaría miope discutir la problemática de la educación privada sin formular pautas al mismo tiempo en cuanto a los dilemas de la educación pública, que afecta a la mayoría de los niños de la nación. De nuestro estudio de los colegios privados salieron posibles pautas en cuanto a pasos que serían deseables por parte de las autoridades públicas. Empezaremos con pautas de interacción con los colegios privados y terminaremos con pautas que consideramos de mayor importancia: los mismos pasos a tomar para que los niños dentro de las mismas escuelas públicas reciban una educación de calidad comparable con aquella que reciben los alumnos de colegio privado.

1. Reconocimiento de "infecciones sistémicas"

a) Abogamos por un franco reconocimiento institucional y una admisión pública del hecho de que las fallas del sistema educativo público no provienen de escasez de recursos financieros. Provienen más bien de serias y profundas infecciones sistémicas, cuatro de los cuales hemos intentado identificar en estas páginas
   - Centralización obsesiva de la toma de decisiones y letargo burocrático.

- Politización y degradación de la cartera educativa en una fuente de botín y un rico potrero salarial para activistas y miembros del partido de turno.
- Una sindicalización paralizante cuyo poder estriba, por un lado, en apoyo estatal inapropiado (el requerimiento de membresía sindical por parte de todos los maestros y la función de cobrador para el sindicato), y por otro lado, en la disponibilidad de una población de rehenes juveniles cuya exclusión de las aulas durante las huelgas ocasiona un caos nacional. Ningún otro sindicato goza del poder de amenazar una población tan grande y tan impotente.
- Incumplimiento profesional impune.

b) Reconózcase que la curación de estos males no requiere de préstamos internacionales. Requiere de voluntad institucional para enfrentarse con fuertes intereses creados cuya conducta irresponsable sabotea las esperanzas educativas de más de un millón de niños dominicanos empobrecidos. (Los no empobrecidos ya están en colegios privados.)

c) Reconózcase entre las autoridades públicas que los fracasos del Plan Decenal de los años 90 se debieron a su enfoque en intervenciones pedagógicas, curriculares y salariales, muy positivas y necesarias, pero que dejaron completamente intactas las cuatro susodichas infecciones sistémicas.

d) Reconózcase que, bajo las condiciones sistémicas imperantes, cualquier nuevo préstamo serviría sólo para ampliar la cobertura de un sistema radicalmente defectuoso y para endeudar la nación aún más de manera completamente inútil. *Que no se coja prestado un centavo más sin previos y radicales cambios estructurales.* Ofreceremos pautas respetuosas en cuanto a un posible rumbo para dichos cambios estructurales. A pesar de la fraseología pesimista de lo precedente, consideramos que de hecho hay alternativas sistémicas bastante viables *y ya comprobadas como eficaces en el contexto dominicano.*

2. Análisis de escuelas semioficiales

a) Admítase que una recomendación de despolitizar la cartera educativa de manera que no se creen botellas o que no se impongan cambios de personal cada cuatro años constituiría una fantasía piadosa. Admítase también que la esperanza piadosa de que el sindicato magisterial deje la política de confrontación, amenaza y parálisis escolar, y se convierta más bien en un gremio profesional responsable, puede tardar bastante en realizarse, por lo menos en vista de su conducta durante las últimas tres décadas bajo los gobiernos de tres partidos distintos. Que no perdamos nuestro tiempo, en otras palabras, con recomendaciones piadosas para que los políticos dejen de politizar o para que los sindicalistas ya incrustados en la misma maquinaria interna del sistema educativo dejen de amenazar y paralizar. Reconózcase que las tradiciones sistémicas son fuertes y resistentes. Búsquense —con urgencia— más bien mecanismos sistémicos alternativos para mejorar la educación pública.

b) Reconózcase que ya existe tal mecanismo alternativo, y que ya se ha comprobado como eficaz en el contexto dominicano. Se trata del contrato entre el Estado y las escuelas "semioficiales" o "escuelas parroquiales". Este arreglo constituye un "invento sistémico" que ha permitido el empleo de maestros dominicanos en contextos educativos de alta disciplina.

c) Reconózcase que la capitación magisterial, por necesaria que sea, puede constituir una pérdida de tiempo bajo las estructuras públicas imperantes. En cambio, tal capacitación dará frutos en ambientes escolares protegidos por contrato contra invasiones políticas o sindicales, como el de los colegios o el de las escuelas semioficiales. El carácter altamente prometedor de estos últimos experimentos comprueba, a nuestro parecer, que el maestro dominicano se convierte en maestro disciplinado y competente una vez que se encuentra funcionando dentro de una escuela dirigida con la misma disciplina, autonomía y mística de un colegio.

d) Para captar de manera empírica la realidad de este experimento que se ha llevado a cabo durante veinte años, y para no basarse en generalizaciones romantizadas sobre lo que pasa en dichas escuelas, que se realice un análisis antropológico basado en estudios detallados de casos de dichas escuelas. Se sabe ya, sin grandes estudios, que la autonomía de la directora para seleccionar (y si es necesario despedir) su propio cuerpo de profesores juega un papel importante en la eficacia del arreglo, al igual que la interdicción en contra de las huelgas. Pero para evitar el peligro de romantizar el arreglo alternativo, se necesitan análisis honestos de sus fuerzas y debilidades.

e) Que se organicen talleres encabezados por los directores y directoras de tales escuelas para analizar los pasos necesarios para multiplicar tales escuelas, para extender el arreglo más allá del actual renglón de congregaciones religiosas católicas, para que se incluyan actores de otras iglesias y actores de la sociedad civil. Nuestra hipótesis de base es que las escuelas semioficiales son las mejores del sistema público, las más codiciadas por los padres y las madres de familia, y que su actual carácter católico no es un rasgo esencial. Hay organizaciones protestantes e instituciones laicas, con creencias y filosofías diferentes de las de la Iglesia Católica, que podrían entrar en contratos parecidos para dirigir escuelas protegidas de invasiones políticas y sindicales. La meta analítica sería la de ver hasta que punto este experimento exitoso se podría copiar con una gama más amplia de actores educativos.

3. Análisis de modelos exógenos exitosos

a) Que se analicen también modelos educativos que se han implementado con éxito en otros países con antecedentes históricos y culturales parecidos a los de la República Dominicana.

b) De importancia especial sería un análisis cuidadoso del sistema chileno. El gobierno central se retiró del manejo de la educación, limitándose a su papel de financiador. Pasó la autonomía educativa a los municipios. Se abrieron las puertas también para que escuelas privadas entraran en el financiamiento público municipal. La cantidad de dinero recibido por cualquier escuela, sea pública sea privada, depende de la cantidad de estudiantes que atrae y de otros criterios de rendimiento. Este modelo descentralizado y competitivo parece tener resultados muy positivos.

c) Por supuesto, hay intereses creados en la burocracia educativa y en el sindicato educativo dominicano que lucharían hasta la muerte en contra de la reestructuración del sistema y en contra del desmantelamiento de su poder y sus privilegios actuales. Tal reestructuración y desmantelamiento se ha logrado sólo en las escuelas semioficiales, dejando intactos los males del sistema global.

d) Pero aún a sabiendas de las dificultades de implementación, las autoridades del país podrían comisionar, con alguna urgencia, la preparación de una serie de alternativas estructurales que se han probado eficaces, tanto en la República Dominicana como en otros países parecidos.

4. Aumento estratégicamente selectivo del presupuesto educativo

a) Huelga decir que el porcentaje del presupuesto nacional asignado a la educación tiene que subir. Como señalamos en el primer capítulo, mirando los países de las Américas, en un momento Canadá y Jamaica asignaban 7 por ciento de su PNB a la educación, Cuba 6.5 por ciento y los Estados Unidos y Costa Rica más de 5 por ciento. De los 26 países estudiados en ese momento, la República Dominicana compartía el sótano con Guatemala, con 2 por ciento o menos de su PNB dirigido a la educación. Como dijimos anteriormente, no debe sorprender que el país cuyos alumnos ocupan el sótano en las pruebas estandarizadas internacionales sea precisamente aquel mismo país cuyo gobierno ocupa el sótano en términos del porcentaje del presupuesto nacional asignado al renglón educativo. Lo barato se compra caro.

b) Sin embargo, repetimos aquí que un aumento en el presupuesto bajo las condiciones actuales serviría sólo para crear una proliferación de nuevas escuelas ineficaces.

c) Una solución presupuestaria sería la de:
   - mantener el presupuesto a su nivel actual para el funcionamiento del sistema tal como funciona hoy en día, y luego
   - agregar otra suma parecida, pero asignarla exclusivamente hacia la búsqueda de nuevas alternativas estructurales.

   Es decir, habría una nueva y generosamente financiada categoría en el presupuesto educativo, llamado, quizás, "componente para reformas estructurales y medidas exploratorias urgentes".

5. Reorganización de relaciones con el sindicato

a) El carácter monopolista, centralizado y coercitivo del actual arreglo sindical debe ser modificado, examinando modelos sindicales magistrales que logran funcionar en otros países sin debilitar ni paralizar el sistema educativo.

b) En varios otros países los maestros tienen la opción de varios sindicatos que ofrecen distintos beneficios. En la República Dominicana un sindicato goza de monopolio. Debe promoverse la diversificación de opciones.

c) El gobierno debe reconsiderar su política actual de obligar a los maestros a pertenecer a un sindicato monopolista. La actual membresía obligatoria en el sindicato podría convertirse en una membresía voluntaria por parte del maestro, tal como lo es en ciertos otros países. Los que no pertenecen gozan de los sueldos vigentes, pero dejan de recibir los otros beneficios de los miembros. Constituiría un arreglo más saludable, hasta para el desarrollo del mismo sindicato, obligarlo a competir para que los maestros se les unan, en vez de obligarlos a entrar por la fuerza.

d) El gobierno debe reconsiderar su política actual de funcionar como el cobrador para el sindicato. Los maestros deben tener no sólo el derecho de pertenecer o no pertenecer, sino también de pagar de la manera que les sea más atractiva.

e) En resumen, el mal pensado y disfuncional arreglo actual, en que el Estado fortalece el monopolio y hasta sirve de cobrador al mismo sindicato que con tanta frecuencia cierra aulas y mete niños en la calle, debiera de ser profundamente repensado y rediseñado.

6. Instituciones financieras binacionales y multilaterales

a) Repetimos nuestra convicción de que los problemas del aparato educativo público derivan no de la falta de recursos, sino del mal funcionamiento estructural y sistémico que no se resolverá necesariamente con más dinero.

b) Para no incrementar la deuda nacional con proyectos educativos bonitos pero inútiles en cuanto a los problemas reales, las autoridades, en su diálogo con eventuales fuentes de financiamiento educativo, deben cuidarse de que no se repita el error fundamental del primer Plan Decenal. Se cogió dinero prestado para excelentes reformas curriculares y pedagógicas cuando los verdaderos males del sistema eran de otra índole. El "Segundo Plan Decenal" debe enfocar transformaciones sistémicas, no intervenciones pedagógicas o curriculares. Estas, por importantes que sean, tendrán lógica y ejercerán impacto solo cuando aquellos cambios estructurales se hayan implementado. Propondremos en la última sección de este capítulo unas ideas específicas en cuanto al rumbo que dichos cambios deben tomar.

c) Otro error que se cometió fue la imposición autocrática a nivel nacional de modelos curriculares exógenos sin probar si funcionaban en el contexto local. Los funcionarios de la Secretaría se entusiasmaron, por ejemplo, con la idea de "ejes transversales", temas que se tocarían, no como materia distinta, sino como tópico que surgiría en distintas materias. En vez de experimentar localmente con estas ideas exógenas, y solicitar la reacción y las ideas de los maestros dominicanos, los maestros de la nación entera se vieron repentinamente forzados a bregar con ejes transversales. En el futuro, cualquier cambio propuesto por expertos internacionales debería ser introducido de manera exploratoria y experimental.

7. Creación de colegios públicos autónomos

a) Terminaremos el libro con una propuesta concreta en cuanto a la paulatina transformación sistémica de la educación pública dominicana. Volviendo al tema de las exitosas escuelas semioficiales, se debe considerar la posibilidad de crear una red de escuelas públicas especiales basadas en el modelo de las escuelas semioficiales manejadas exitosamente por congregaciones católicas. Los rasgos esenciales que diferenciarían tales escuelas especiales serían (1) directores permanentes y autónomos, por un lado, y (2) un magisterio especial también permanente, apolítico y prohibido de acudir a cualquier llamado sindical al paro o a la huelga.

b) La recomendación encaja perfectamente con la temática del colegio privado. Estos rasgos son precisamente los que distinguen cualquier colegio privado. Usando como modelo la "escuela semioficial", se crearía una subcategoría de escuela parecida pero completamente oficial. A este nuevo género de escuela se le podría poner el título de Colegio Público Autónomo. Serían "colegios", no porque se paga, sino porque la meta sería la de brindar en sus aulas una educación de calidad de educación privada, como lo hacen las actuales escuelas semioficiales. Serían "públicos" porque la educación sería gratuita, subvencionada por el Estado. Serían "autónomos", porque se implementaría un contrato garantizando su autonomía, parecido al contrato que gobierna actualmente la relación entre la Secretaría y las escuelas semioficiales.

c) No se trata de la creación de nuevas escuelas públicas, sino de la transformación estructural de las mejores que existen actualmente. X escuela se identificaría como sujeto del experimento, se sacaría de la categoría de escuela pública corriente y se colocaría en la nueva categoría de Colegio Público Autónomo. Se escogerían los mejores directores y los mejores maestros (sin discriminación de género, por supuesto) para trasladarlos de manera interina a la nueva unidad experimental. Estos Colegios Públicos Autónomos se definirían, por decreto presidencial, como un subgrupo especial de escuelas públicas que se mantendrían libres de las injerencias políticas y sindicales que entorpecen y sabotean las escuelas públicas comunes y corrientes. Es precisamente este arreglo el que ha permitido el funcionamiento de las escuelas católicas semioficiales.

d) En cuanto a las actuales escuelas semioficiales, hay que tener mucho cuidado de no dañarlos con un nuevo experimento. Mediante conversaciones y negociaciones con sus directoras y maestras, se decidiría entre la opción de mantenerlas tal cual —para no dañar algo que funciona bien— o de trasladarlas como miembros pioneros de la nueva categoría de Colegio Público Autónomo. Pero sería importante no dañar, mediante decreto burocrático, un arreglo educativo que ha funcionado con tanta eficacia. El objetivo de todo esto sería el de generalizar los logros y aplicar más ampliamente las lecciones aprendidas de estas escuelas semioficiales, producto de un acuerdo entre el gobierno dominicano y la Iglesia Católica dominicana. Pero ello tendría que realizarse de manera que respete la dinámica actual de estas escuelas especiales y que nos las ponga en peligro.

e) La meta institucional sería la de crear una red especial de tales escuelas públicas bajo contrato, no sólo con congregaciones católicas, sino con otros actores educativos. Como ejemplo puramente hipotético, una institución como EDUCA, que hasta ahora ha jugado un papel de capacitación, investigación y promoción, podría ser contratada y financiada para ir más allá y coordinar el manejo de una red de varios colegios públicos autónomos.

f) Es en tales escuelas protegidas e "inoculadas" que los beneficios de intervenciones exógenas serían más palpables y duraderos. Es en tales escuelas, donde los directores no se quitan y se ponen, que un programa de apadrinamiento como el de la Falconbridge podría ejercer un impacto a largo plazo. Es en tales escuelas, donde no se cambiarán los maestros, que un programa de asesoramiento y capacitación para la educación individualizada, como la que brinda la Primaria Montessori a los maestros públicos, daría mayores frutos.

g) Consideramos que hay tres rasgos esenciales que han permitido el aparente éxito del experimento hasta ahora y que deben ser incorporados en cualquier modelo mejorado y expandido.

   - El rasgo central del convenio sería la autonomía de la escuela en cuanto a asuntos de contratación magisterial y manejo de recursos. (En asuntos curriculares, por supuesto, no es autónomo. Tiene que enseñar matemática aunque la directora no sea fanática de los números.)

- Es esencial que goce también de protección absoluta, garantizada por contrato, contra cualquier injerencia política en la asignación de puestos al nivel que sea, rasgo que va ligado a lo anterior.
- Resulta igualmente esencial que sea aislada y protegida, también por contrato y convenio, contra injerencias sindicales en horas laborales. Los maestros podrán, si lo desean, ser miembros del sindicato para fines de contribuir al crecimiento y desarrollo de la organización magisterial como gremio profesional, y gozar de las múltiples ventajas que la membresía conlleva. Pero les será estrictamente prohibido acudir a llamados para paros o huelgas, y tampoco podrán ausentarse de sus aulas en horas laborales para fines de asamblea gremial.

h) Ahora viene un punto delicado. La creación de tales escuelas protegidas requeriría de tanta innovación, agilidad y flexibilidad experimental que difícilmente podría encargársele al aparato educativo actual. Se necesitaría más bien, por lo menos durante los primeros diez o quince años, una autonomía institucional y una flexibilidad experimental hasta que no se dé con la fórmula más eficaz. Para lograr tal autonomía y flexibilidad se necesitaría, durante el período de exploración y experimentación, una unidad especial —una "fuerza de choque presidencial"— bajo el control directo del presidente del país, con su propio acceso a financiamiento. Someter tal experimento educativo a las letárgicas dinámicas burocráticas del aparato educativo actual, con sus dinámicas políticas y sindicales imperantes, sería condenar el experimento al fracaso antes de empezarlo. Es un vino nuevo que no se debe echar en odre viejo.

i) Creemos —o mejor dicho sabemos— que ningún gobierno puede reformar el sistema entero de un solo golpe. Por eso abogamos por una estrategia evolutiva paulatina basada en el principio muy factible de la creación de escuelas especiales dotadas de la autonomía de que goza el colegio privado. Sabemos que es posible porque ya se ha hecho. Dudamos en cuanto a la factibilidad de una reforma directa del sistema imperante entero, con su centralización letárgica, su politización y su sindicalización paralizante. Las presiones sistémicas que emanan de los políticos que buscan puestos y botellas, y de los dirigentes sindicalistas que buscan choques como rutina normal están demasiado profundamente arraigadas después de cuatro décadas. Ningún mandatario, aunque tenga la mejor voluntad educativa, puede resistir las presiones de los militantes políticos de su partido o apaciguar la conducta de los dirigentes sindicalistas.

j) Lo que un presidente sí puede hacer, si está dispuesto a pararse firmemente frente a las fuerzas y los grupos que se opondrán a cualquier cambo de esta índole, es tomar la decisión de crear un género nuevo de Colegios Públicos Autónomos, protegidos por decreto presidencial o por ley e inoculados por contrato —igual que las escuelas semioficiales actuales— en contra de las injerencias políticas y sindicales que paralizan la escuela pública común y corriente. Si una fórmula eficaz se desarrolla, y si cada año se trasladan 25 ó 50 escuelas a la nueva modalidad, en poco tiempo la nación dominicana gozará de un nuevo panorama educativo.

k) Algunos se opondrán hasta la muerte a tal solución porque afecta negativamente sus intereses políticos o sindicales. Otros pueden oponerse, sin embargo, a la creación de "escuelas élite inoculadas" por sinceras razones filosóficas. El barco educativo entero está estancado en el lodo y no se mueve. Los que aprecian el principio de la igualdad pueden preferir medidas que intenten levantar el barco entero simultáneamente, no de crear una red cada vez mayor de escuelas privilegiadas.

l) Respetuosamente discrepamos. Dejemos de tapar el sol con unl dedo. Hay barcos carcomidos, señores, que ya no se levantan. Y que no se ofenda nadie con tal juicio severo. Los mismos funcionarios educativos rescatan sus propios hijos poniéndolos en colegio privado. Se necesita un barco nuevo de rescate y se necesitan mecanismos para trasladar sabia y paulatinamente la población actualmente atrapada en el barco enchivado hacia el barco nuevo. Pero no se puede crear instantáneamente.

m) Nosotros planteamos más bien una estrategia antropológica, una estrategia que se basa en el principio de la evolución paulatina. La evolución progresa a base de inventos aleatorios cuyo éxito los convierte a través del tiempo en mecanismos dominantes. Hace varias décadas en la República Dominicana se inventó (o se adoptó de afuera, no sabemos y no importa) un arreglo educativo innovador —la escuela pública manejada autónomamente por comunidades religiosas de la Iglesia Católica dominicana— que ha permitido el suministro, en ciertas escuelas semioficiales, de una educación pública de alta calidad. Por lo que abogamos, mediante experimentos humildemente exploratorios, es la paulatina adaptación y conversión de dicho invento en estrategia generalizada a través de todo el sistema, ya no sólo con congregaciones católicas sino con educadores profesionales de otras filosofías y orientaciones.

n) Con alta probabilidad la Iglesia Católica apoyará el mejoramiento y la expansión hacia sectores más amplios, del experimento educativo en el cual ella ha sido la institución pionera. Hemos detectado cierto escepticismo entre algunos que temen que directores no religiosos sucumbirán más fácilmente que monjas y frailes a las presiones de latrocinio y corrupción, y que el experimento por lo tanto difícilmente se puede generalizar a sectores no religiosos. Entendemos las raíces de tal pesimismo en un país infectado con corrupción institucional desde los niveles más altos de la sociedad. Sin embargo, discrepamos. La honestidad humana y la mística educativa se encuentran dispersas en muchos sectores, amenazadas, es cierto, por el veneno circundante. Creemos que si se crean nichos educativos protegidos bajo el control de directores de escuela autónomos y apoyados por ley, esa llama de mística y disciplina educativa puede crecer y expandirse a un círculo cada vez más amplio de centros educativos públicos.

8. Visión de un nuevo panorama educativo

a) *El Colegio Público Autónomo* constituiría solamente un elemento estructural en un panorama educativo evolucionado. Lo pusimos en primer lugar, porque es un arreglo criollo ya comprobado como eficaz. Cabe, sin embargo, identificar otras posibles estructuras en el escenario educativo del futuro, estructuras que no se han probado en la República Dominicana, pero que se han intentado en otros países afectados de dilemas educativos parecidos. Los nombres que les pondré son provisionales. Habría etiquetas quizás más apropiadas.

b) *El Colegio Privado Apoyado* se encuentra en varios ambientes europeos. Son escuelas privadas, mayormente religiosas, que cobran tarifas pero que reciben también dinero del Estado en recompensa por el servicio educativo que están desempeñando en materias no religiosas. El carácter religioso de las escuelas es accidente del ambiente europeo, donde una mayoría de las escuelas privadas es religiosa. Es un arreglo sano y equitativo que reconoce el servicio que brinda el colegio privado al Estado y a la sociedad. Podría extenderse en principio también a colegios privados laicos.

Tal arreglo no se encuentra en Estados Unidos por leyes que prohíben el apoyo estatal a cualquier institución religiosa. Tampoco se encuentra en la República Dominicana, no por principios filosóficos (el gobierno colabora financieramente con la Iglesia Católica en las escuelas), sino por razones de orientación institucional extractiva. La política del gobierno dominicano hacia los colegios ha sido una política no de aportar, sino de extraer. Tocamos ya el arreglo parasitario mediante el cual los que se ven obligados a otorgar becas son los colegios, y los beneficiarios no son niños pobres sino los hijos de funcionarios y empleados públicos. Lejos de apoyar, se nos dijo que el Estado hasta le cobra rentas internas a los colegios, aun a los más pobres del barrio. Como se asume que los dueños están "haciendo negocio" con "fines de lucro", los colegios privados dominicanos tienen que pagar impuestos como si fueran colmadones o salones de belleza. Es decir, el Estado se comporta no como si el colegio privado estuviera brindando un importante servicio social por el cual debe ser apoyado, sino que actúa más bien como si los colegios privados del país estuvieran haciendo un negocio lucrativo por el cual deben ser controlados y penalizados.

En un futuro, si se logra reestructurar la orientación de la cartera educativa, los colegios privados podrían recibir donaciones del Estado. Dada la actual orientación estatal, ello está lejos de suceder. Se podría comenzar con un simple cese de las exigencias de becas para funcionarios, como símbolo de una nueva orientación estatal, y hasta con eximir los colegios privados del pago de impuestos, como se hace en muchos, quizás en la mayoría, de los países. Es decir, que en la República Dominicana, la meta ambiciosa del Colegio Privado Apoyado podría empezar quizás con la más modesta meta del Colegio Privado No Embromado.

c) *El Colegio Privado Subvencionado.* A diferencia del modelo anterior, en que los alumnos seguirían pagando tarifas pero el Estado aportaría algo, hay otro modelo posible en el que un colegio privado educaría gratuitamente a cambio de fuerte apoyo estatal. Se le pagaría suficiente para cubrir los sueldos de los maestros y otros gastos, y se le daría además un monto adicional por cada alumno que estudia en el colegio. La subvención podría ser condicionada no solamente a la cantidad de estudiantes sino también a sus logros académicos. Diferiría de una escuela pública en que el dueño del colegio contrataría los maestros, como lo hacen los colegios actuales. Y el dueño, no el Estado, pagaría al maestro. La planta física sería una planta típica de colegio —quizás una casa privada alquilada y equipada como colegio— y no una escuela pública. Este arreglo diferiría del previamente aludido Colegio Público Autónomo, en que aquel por lo general sería una escuela pública preexistente y trasladada a la nueva modalidad, y los maestros seguirían cobrando sueldos de la nomina estatal. En el arreglo alternativo de Colegio Privado Subvencionado, sería más bien un colegio privado cuyo ingreso, sin embargo, proviene del sector público en vez de tarifas cobradas a los padres de los alumnos. Sería un modelo híbrido. Se puede poner bajo consideración en vista del éxito de que parece gozar un modelo híbrido análogo establecido en Chile.

d) *El Colegio Privado Becado.* Finalmente, se trata de un arreglo sencillo de bonos o becas pagados por el Estado para que estudiantes de escasos recursos económicos o de sobresalientes logros académicos puedan trasladarse al colegio privado que ellos y sus padres escojan. El colegio sigue siendo un colegio privado común y corriente. El apoyo se conceptúa, no como ayuda al colegio, sino al alumno. El alumno becado simplemente se injerta en un colegio con los otros alumnos que están pagando. Este arreglo diferiría en dos sentidos de las "becas" que actualmente se dan a los hijos de los funcionarios. En primer lugar, sería el Estado, no el colegio, el que cubra el costo de la beca. Segundo, los beneficiarios serían niños necesitados (o niños de sobresalientes logros escolares) los que se beneficiarían, no los hijos de los funcionarios.

e) Hemos propuesto cuatro arreglos estructurales alternativos: el Colegio Público Autónomo, el Colegio Privado Apoyado, el Colegio Privado Subvencionado, el Colegio Privado Becado. Todos van orientados a la población juvenil actualmente colocada en escuelas públicas problemáticas. Todos se basan en el principio de "nichos educativos protegidos e inoculados", centros docentes donde no entran ni los políticos ni los sindicalistas que tantos estragos han cometido, y siguen cometiendo, en contra de los niños dominicanos. Ninguno de estos arreglos, sin embargo, presupone de manera romántica o idealista una reforma del aparato público imperante. Solo presuponen una apertura hacia arreglos alternativos parciales, como ya se ha hecho con tanto éxito con las escuelas públicas manejadas por educadores de la Iglesia Católica dominicana.

E. Conclusión

1. La desilusión y el cinismo colectivo en cuanto a la conducta estatal dominicana han llegado a tal extremo que habrá lectores dudosos de que una entidad pública pueda emprender cualquier reforma, aun las medidas de "puerta lateral" y "puerta trasera" recomendadas aquí. Respetamos su escepticismo. Esperamos que estén equivocados. Hay renglones de la sociedad dominicana que han logrado reformarse. Hemos identificado en este libro los factores que han engendrado una resistencia extraordinaria al cambio en el renglón educativo público. Pero si otros renglones se han logrado modernizar, el renglón educativo lo puede hacer también. Hemos propuesto pasos muy concretos y, a nuestro parecer, muy factibles, para crear estructuras alternativas que pueden infiltrarse y expandirse, aun cuando los males del sistema imperante sigan vigentes. Si los pasos se implementan, cuando aquel viejo aparato finalmente fallezca y se desmantele, ya los niños dominicanos, aun de los sectores más pobres, se habrán traslado a otros vehículos educativos.
2. El colegio privado actualmente sirve de barco de rescate para un porcentaje reducido de la población juvenil. El Colegio Público Autónomo y los otros arreglos que pro-

ponemos aquí, basados en los principios de autonomía gerencial y disciplina pedagógica que se dan en los mejores colegios privados, podría servir a la población juvenil entera. Alabado sea aquel gobierno que, enfrentándose con los intereses creados e insistiendo en la creación de mecanismos de escape innovadores, logre suministrar a los niños pobres de la nación una educación pública dotada de la misma calidad que la que brinda un buen colegio privado. El gobierno que con inteligencia y persistencia logre, por primera vez en la historia dominicana, diseñar mecanismos educativos para la población entera de niños dominicanos se habrá ganado un incontestable puesto de honor en el panteón de héroes nacionales.

Bibliografía

PUBLICACIONES DIRECTAMENTE RELACIONADAS CON LA EDUCACIÓN

Acción para la Educación Básica (EDUCA)

1992 *Resultados del Censo de Educación Primaria (1991-1992).* Santo Domingo: Acción para la Educación Básica.

1995 Testimonio de agradecimiento. Santo Domingo: EDUCA.

1996 *Censo de Centros Educativos Primarios del Distrito Nacional.* Santo Domingo: Editora Taller.

1997 *Encuesta a los Centros Educativos Primarios, Distrito Nacional, 1996.* (Encuesta realizada en colaboración con el Centro de Estudios Demográficos (CESDEM).

Alvarez Santana, Fermín

1997 *Héroes Anónimos: Cien Años de Magisterio en San Pedro de Macorís.* San Pedro de Macorís.

Acción Pro Educación y Cultura (APEC)

1998 *Memorias: Primer Congreso Internacional de Innovaciones Educativas.* Santo Domingo: CENAPEC.

Arévalo, Gregorio, y Rosa Amelia González

2002 "El caso de las escuelas católicas subvencionadas en el marco del convenio con la AVEC", en Wolff, Laurence, Pablo González, y

Juan Carlos Navarro, eds. *Educación Privada y Política Pública en América Latina.* Santiago de Chile: Programa de Promoción de la Reforma Educativa en América Latina y el Caribe, pp. 335-369.

Asociación Dominicana de Profesores (ADP)

s.f. *Estatutos y Reglamento Electoral: Documento Base de la Asociación Dominicana de Profesores (ADP).* Santo Domingo: ADP

Banco Mundial

1993 *El milagro de Asia oriental.* (Resumen de un informe publicado en castellano por el Banco Nacional de la Vivienda.)

Bernbaum, Marcia and Uli Locher

1997 EDUCA: Evaluation. Creative Associates International, USAID Contract No. OUT-HNE-1-801-94-0016-00. Santo Domingo.

1998 *EDUCA: Business Leaders Promote Basic Education and Educational Reform in the Dominican Republic.* (Report prepared for the U.S. Agency for International Development in the Dominican Republic). Santo Domingo: Mograf.

Bosch, Juan

1994 (Orig. 1939) *Hostos el Sembrador.* Santo Domingo: Editora Alfa y Omega.

Campos Farías, Félix

1997 *Apuntes sobre la Historia de la Educación Superior Dominicana (1961-1996).* Santo Domingo.

Cole, Luella

1950 *A History of Education — Socrates to Montessori.* New York: Rinehart & Company.

Colletta, Nat. J.

1989 *Achieving and Sustaining Universal Primary Education: A Review of the International Experience with Relevance to India.* The World Bank Policy Planning and Research Working Paper No. 166. Washington, D.C.: World Bank.

Comisión Internacional sobre Educación, Equidad y Competitividad Económica en América Latina y el Caribe

1998 El futuro está en juego: Informe de la Comisión Internacional sobre Educación, Equidad y Competitividad Económica en

América Latina y el Caribe. Publicado en Acción Pro Educación y Cultura (APEC), *Memorias: Primer Congreso Internacional de Innovaciones Educativas.* Santo Domingo: CENAPEC, 1998, pp. 123-159.

Cruz, Elina María

1996 "El Milagro de Consuelo". *Rumbo*, Edición No. 147, del 13 al 19 de noviembre de 1996.

Dauhajre, Andrés, y Jaime Aristy Escuder

2000 Los maestros en Latinoamérica: Carreras e incentivos: El caso de la República Dominicana. Informe preparado pare el Banco Interamericano de Desarrollo. Santo Domingo: Fundación Economía y Desarrollo, Inc.

Deláncer, Víctor Hugo

1983 *Planeamiento, Educación y Política: Enfoques para una Sociología de la Educación Dominicana.* Santo Domingo: Taller.

Díaz Santana, Miriam

1987 *La Privatización de los Servicios Sociales.* Santo Domingo: Fundación Friederich Ebert.

1996 *Educación y Modernización Social en República Dominicana : Un Análisis Sociológico del Plan Decenal.* Santo Domingo: Instituto Tecnológico de Santo Domingo.

EDUCA-CESDEM

1996 *Censo a los Centros Educativos Primarios Distrito Nacional 1995.* Santo Domingo: Editora Taller.

1997 *Encuesta a los Centros Educativos Primarios Distrito Nacional 1996.* Santo Domingo: Editora Taller.

Encyclopedia Britannica

2000 "Education, History of". *Encyclopedia Britannica Online.*

Escala, Miguel J.

1997a *Creando Agentes de Desarrollo: Ideas de Renovación para la Educación y la Empresa.* Santo Domingo: Servicios Escala de Educación y Desarrollo Humano, C x A.

1997b *Supervisando Escuelas para el Desarrollo.* Santo Domingo: Servicios Escala de Educación y Desarrollo Humano, C x A.

Fernández, Jorge

1980 *Sistema Educativo Dominicano: Diagnóstico y Perspectivas*. Santo Domingo: Instituto Tecnológico de Santo Domingo.

Fuller, Bruce

1986 *Raising School Quality in Developing Countries: What Investments Boost Learning?* World Bank Discussion Paper No. 2. Washington, D.C.: World Bank.

González, Pablo

2002a "Lecciones de la investigación económica sobre el rol del sector privado en educación." En Wolff, Laurence, Pablo González y Juan Carlos Navarro, eds. *Educación Privada y Política Pública en América Latina*. Santiago de Chile: Programa de Promoción de la Reforma Educativa en América Latina y el Caribe, pp. 51-85.

2002b "Resumen y conclusiones: Elementos de la regulación de la actividad privada en educación." En Wolff, Laurence, Pablo González y Juan Carlos Navarro, eds. *Educación Privada y Política Pública en América Latina*. Santiago de Chile: Programa de Promoción de la Reforma Educativa en América Latina y el Caribe, pp. 417-439.

Gutiérrez Zuluaga, Isabel

1969 *Historia de la Educación*. Madrid: Ediciones Eiter (2da edición).

Henry, Jules

1963 *Culture against Man*. New York: Random House.

1972 *On Education*. New York: Vintage Books.

Hernández, Frank Marino

1975 *El Sistema Educativo Dominicano: Organización, Comportamiento, Resultados*. Santo Domingo: Editora Taller.

Heyneman, Stephen

1987 "Uses of examinations in developing countries: Selection, research, and education sector management." *International Journal of Educational Development* 7(4):251-63.

1990 "The world economic crisis and the quality of education." *Journal of Education Finance* 15:456-69.

Heyneman, Stephen and Joseph P. Farrell

1988 "Textbooks in developing countries: Economic and pedagogical choices." In Phillip g. Altbach and Gail P. Kelly, eds. *Textbooks in the Third World: Policy, Content, and Context.* New York: Garland Publishing, Inc.

Heyneman, Stephen, and Bruce Fuller

1989 "Third World school quality: Current collapse, future potential." *Educational Researcher* 18(2): 12-29.

Heyneman, Stephen, et al

1981 "Textbooks and Achievements." *Journal of Curriculum Studies* 13(3):227-46.

Jiménez, Emmanuel, Marlaine E. Lockheed, et al

1989 "Enhancing girls' learning through single-sex education: Evidence and a policy conundrums." *Educational Evaluation and Policy Analysis.* 11(2):117-42.

1991a "School effects and costs for private and public schools in the Dominican Republic." *International Journal of Education Research* 15(5):393-410.

1991b "The relative efficiency of public and private schools in developing countries." *The World Bank Research Observer* 6(2):205-18.

Kagan, Donald, Steven Ozment,
and Frank M. Turner

1998 *The Western Heritage* (Sixth Edition). Upper Saddle River, N. J.: Prentice Hall.

Kraushaar, Otto F.

1972 *American Non-public Schools: Patterns of Diversity.* Baltimore: The Johns Hopkins University Press.

Lárroyo, F.

1959 *Historia General de la Pedagogía.* Editorial Purrúa. (Citado en Ulloa, 1987.)

Lavarreda, Jorge (coord.), V. de Liú, M. Menjívar

2002 "Presente y futuro de la educación privada en Guatemala." En Wolff, Laurence, Pablo González y Juan Carlos Navarro, eds. *Educación Privada y Política Pública en América Latina.* Santiago de Chile: Programa de Promoción de la Reforma Educativa en América Latina y el Caribe, pp. 225-270.

Lee, Valerie E., and Marlaine E. Lockheed

1989 "The effects of single-sex schooling on student achievement and attitudes in Nigeria." World Bank PPR Working Paper No. 206. Washington, D.C.: World Bank.

Lockheed, Marlaine E., Adriaan M. Verspoor, et al

1991 *Improving Primary Education in Developing Countries.* New York: Oxford University Press.

Lockheed, Marlaine E., and Andre Komenan

1989 Teaching quality and student achievement in Africa: The case of Nigeria and Swaziland. *Teaching and Teacher Education* 5(2):93-111.

Lockheed, Marlaine E., and Eric Hanushek

1988 Improving educational efficiency in developing countries: What do we know? *Compare.* 18(1)21-38.

Mejía-Ricart, Tirso

1980 *La Universidad, La Iglesia y el Estado en la República Dominicana.* Santo Domingo: Editora de la UASD.

1981 *La Educación Dominicana, 1961-1980.* Santo Domingo: Editora de la UASD.

Mellon, Roger

1966 *La Enseñanza Primaria en la República Dominicana: sus Necesidades de Maestros y Salas de Clase en Relación con la matrícula escolar probable en el período 1960-1980.* Santiago de Chile: CELADE.

Melo de Cardona, Ligia Amada

1977 *Participación de la Mujer en la Educación Sistemática en la República Dominicana.* Santo Domingo: Editora de la UASD.

1998 "Situación de la educación dominicana: Resultados de una reforma." En *Memorias: Primer Congreso Internacional de Innovaciones Educativas.* Santo Domingo: APEC, pp. 19-34.

Moquete, Jacobo

1978 *Pedagogía y Educación Dominicanas.* Santo Domingo: Editora de la UASD.

Morduchowicz, Alejandro

2002 "(Des)regulación y financiamiento de la educación privada en la

Argentina." En Wolff, Laurence, Pablo González y Juan Carlos Navarro, eds. *Educación Privada y Política Pública en América Latina.* Santiago de Chile: Programa de Promoción de la Reforma Educativa en América Latina y el Caribe, pp. 107-142.

Morrison, Ramón

1993 *Historia de la Educación en la Republica Dominicana: Desde sus más remotos orígenes hasta 1900.* Santo Domingo: Editora Taller.

Navarro, Juan Carlos

2002 "Y sin embargo, se mueve: Educación de financiamiento público y gestión privada en el Perú." En Wolff, Laurence, Pablo González y Juan Carlos Navarro, eds. *Educación Privada y Política Pública en América Latina.* Santiago de Chile: Programa de Promoción de la Reforma Educativa en América Latina y el Caribe, pp. 305-333.

Nivar Ramírez, Consuelo

1952 *Sistema Educativo en la República Dominicana.* Tesis doctoral en la Universidad de Santo Domingo. Ciudad Trujillo: Librería Dominicana.

Oscar, Armando

1955 *La Obra Educativa de Trujillo.* Ciudad Trujillo: Impresora Dominicana.

Palacín, G.B.

1944 "Cien años de educación nacional." *Revista de Educación,* No. 73.

Peguero, Valentina, y Danilo de los Santos

1977 *Visión General de la Historia Dominicana.* Santiago: Universidad Católica Madre y Maestra.

Ponce, Aníbal

1984 *Educación y Lucha de Clases.* Editorial Alfa y Omega. Citado en Ulloa (1987) y Morrison (1993).

Portes Infante, Arzobispo Tomás de

1848 Solicitud al Congreso Nacional para erigir el Seminario. Citado en Sáez 1996b.

Prats Ramírez de Pérez, Ivelisse

1974 *Diagnóstico de la Realidad Educativa Dominicana.* Santo Domingo: UASD.

1976a *Educación, ¿gasto o inversión?* Santo Domingo: Editora de la UASD.

1976b *Educación Superior en la República Dominicana: Diagnóstico, Pronóstico y Estrategia.* Santo Domingo: Editora de la UASD.

PREAL (Programa de Promoción de la Reforma Educativa en América Latina y el Caribe)

2001 "Quedándonos atrás: Un informe del progreso educativo en América Latina." Informe de la Comisión Internacional sobre Educación, Equidad y Competitividad Económica en América Latina y el Caribe. Santiago de Chile.

Psacharopoulos, George

1991 *El Impacto económico de la educación: Lecciones para diseñadores de política.* Centro Internacional para el Crecimiento Económico. (Sumario Ejecutivo publicado por EDUCA.)

Puryear, Jeffrey

1998 La realidad de la educación pública en la América Latina. *Hoy*, 24 de junio. Santo Domingo. 1 de julio de 1998.

Rodríguez Demorizi, Emilio

1970 *Cronología de la Real y Pontificia Universidad de Santo Domingo* (1538-1970). Santo Domingo: Editora El Caribe.

Ruiz Amado, P. Ramón, S.J.

1949 *Historia de la Educación y de la Pedagogía.* Buenos Aires: Editorial Poblet. Citado en Ulloa, 1987.

Sanguinetty, Jorge A., y Jorge Max Fernández

2000 El futuro de la educación en la República Dominicana: Oportunidades y Desafíos.Evaluación interina del Plan Decenal preparada bajo contrato con la Agencia para el Desarrollo Internacional del Gobierno de los Estados Unidos. Santo Domingo: Dev Tech Systems, Inc.

Santos, Rafael

1996 *Treinta Años de Gremialismo Magisterial en República Dominicana.* Santo Domingo: Editora de Colores.

Secretaría de Estado de Bellas Artes y Cultos (SEEBAC)

1992a *Manual de Políticas y Procedimientos para la Apertura y Cierre de Centros Educativos del Sector Privado.* División de Descentralización y Control de la Educación, Departamento de Colegios Privados. Santo Domingo: SEEBAC.

1992b Síntesis de la Consulta Interna del Plan Decenal de Educación. División de Descentralización y Control de la Calidad Educativa. Santo Domingo: SEEBAC.

Secretaría de Estado de Educación y Cultura (SEEC)

1998a "Logros de la actual gestión educativa en beneficio del maestro." Publicado en *Hoy*, "De libros y cultura: El maestro de ayer y de hoy". 30 de junio (Día del Maestro), 1998.

1998b *Estadísticas e Indicadores de Educación: 1996-1997*. Santo Domingo: Secretaría de Estado de Educación y Cultura (Oficina de Planificación Educativa/Departamento de Estadísticas).

2000a Informe de Gestión 1996-2000, Oficina de Planificación Educativa. Santo Domingo.

2000b *Estadísticas e Indicadores Educativos, 1998-1999*. Santo Domingo: Secretaría de Estado de Educación y Cultura (Oficina de Planificación Educativa/Departamento de Estadísticas).

Selakovich, Daniel

1984 *Schooling in America: Social Foundations of Education*. New York: Longman.

Sorj, Bernardo

2002 "La relación público/privado en educación en Brasil." En Wolff, Laurence, Pablo González y Juan Carlos Navarro, eds. *Educación Privada y Política Pública en América Latina*. Santiago de Chile: Programa de Promoción de la Reforma Educativa en América Latina y el Caribe, pp. 143-184.

Tavares Espaillat, Gustavo A.

1990 *Educación: La base del desarrollo*. Santo Domingo: EDUCA.

1992 Discurso de clausura: Congreso Nacional de Educación sobre el Plan Decenal de Educación. 4 de diciembre, Santo Domingo.

1995 *¿Por qué EDUCA?* Santo Domingo: EDUCA.

Tavares K., Juan Tomás

1994 *Los empresarios y el Plan Decenal de Educación*. Santo Domingo: Acción Para la Educación Básica (EDUCA).

Trujillo Molina, Rafael Leonidas

1955 Patriotism and education: A momentous appeal by Generalissimo Trujillo to eradicate illiteracy in the Dominican Republic. Washington, D.C.: Embassy of the Dominican Republic.

Ulloa Morel, Luis

1987 *Estado, Iglesia y Educación en la República Dominicana, 1930-1986*. República Dominicana: Editora Búho.

Vargas, Jaime

2002 "Más allá de la dicotomía público-privado: Relaciones entre agente y principal. En Wolff, Laurence, Pablo González y Juan Carlos Navarro, eds. *Educación Privada y Política Pública en América Latina*. Santiago de Chile: Programa de Promoción de la Reforma Educativa en América Latina y el Caribe, pp. 87-103.

Vargas, Jaime y Claudia Peirano

2002 "Escuelas privadas con financiamiento público en Chile." En Wolff, Laurence, Pablo González, y Juan Carlos Navarro, eds. *Educación Privada y Política Pública en América Latina*. Santiago de Chile: Programa de Promoción de la Reforma Educativa en América Latina y el Caribe, pp. 273-303.

Vergara, Carmen Helena (coord.), M.P. Dávila,
L.F. Jiménez, J.A. Laverde y M. Simpson

2002 "La relación público/privado en educación en Colombia." En Wolff, Laurence, Pablo González y Juan Carlos Navarro, eds. *Educación Privada y Política Pública en América Latina*. Santiago de Chile: Programa de Promoción de la Reforma Educativa en América Latina y el Caribe. pp. 185-223.

Villa, Leonardo, y Jesús Duarte

2002 "Nuevas experiencias de gestión escolar pública en Colombia." En Wolff, Laurence, Pablo González, y Juan Carlos Navarro, eds. *Educación Privada y Política Pública en América Latina*. Santiago de Chile: Programa de Promoción de la Reforma Educativa en América Latina y el Caribe, pp. 371-413.

Wolff, Laurence, Pablo González, y
Juan Carlos Navarro, eds.

2002a *Educación Privada y Política Pública en América Latina*. Santiago de

Chile: Programa de Promoción de la Reforma Educativa en América Latina y el Caribe.

2002b "Epílogo: Políticas públicas y educación privada: ¿Hacia dónde vamos ahora?" En Wolff, Laurence, Pablo González y Juan Carlos Navarro, eds. *Educación Privada y Política Pública en América Latina*. Santiago de Chile: Programa de Promoción de la Reforma Educativa en América Latina y el Caribe, pp. 441-445.

Wolff, Laurence y Claudio de Moura Castro

2002 "Educación pública o privada para América Latina: una falsa disyuntiva." En Wolff, Laurence, Pablo González y Juan Carlos Navarro, eds. *Educación Privada y Política Pública en América Latina*. Santiago de Chile: Programa de Promoción de la Reforma Educativa en América Latina y el Caribe, pp. 15-49.

Zaiter, Josefina, Tahira Vargas, Alexandra Santelises,
Graciela Caracciolo y Cheila Valera

2001 *¿Cambia la Escuela?: Prácticas Educativas en la Escuela Dominicana*. Santo Domingo: FLACSO.

Publicaciones de historia y antropología general, no específicamente educativas

Abad, José Ramón

1888 *La República Dominicana: Reseña General Geográfico-Estadística*. Santo Domingo: Imprenta de García Hermanos. Publicado por la Sociedad Dominicana de Bibliófilos, 1993.

Alvarez de Abréu, Domingo

1739 *Compendiosa Noticia de la Ysla de Santo Domingo*. Citado en Sáez, 1987.

Armellada, Cesáreo de, ed.

1970 *Actas del Concilio Provincial de Santo Domingo,* 1622-1623. Caracas. Citado en Sáez.

Apuleyo Mendoza, Plinio, Carlos A. Montaner y Alvaro Vargas Llosa

1998 *Fabricantes de Miseria*. Barcelona: Plaza y Janés Editores.

Balaguer, Joaquín

1988 *Memorias de un Cortesano de la "Era de Trujillo"*. Santo Domingo: Editora Corripio.

1983 *La Isla al Revés: Haití y el Destino Dominicano.* Santo Domingo: Fundación José Antonio Caro.

1955 "Dios y Trujillo: Una interpretación de la historia dominicana." *La Era de Trujillo. 25 Años de Historia.* Ciudad Trujillo: Editora de El Caribe. Citado en Ulloa, 1987.

Bermúdez, América
(editado por Fermín Alvarez)

1991 *Manual de Historia de San Pedro de Macorís.* San Pedro de Macorís.

Calder, Bruce J.

1984 *The Impact of Intervention: The Dominican Republic during the U.S. Occupation of 1916-1924.* Austin: U. of Texas Press.

Campillo Pérez, Julio Genaro

s.f. *Historia Electoral Dominicana. 1848-1986.* Santo Domingo: Junta Central Electoral.

Carneiro, Robert

1970 "A theory of the origin of the State." *Science* 169:733-738

Cassá, Roberto

1982 *Capitalismo y dictadura.* Santo Domingo: Editora de la UASD.

Chadwick, Henry

1981 *The Early Church.* (Volume 1 in the *Pelican History of the Church*). New York: Penguin Books.

Clausner, Marlin D.

1973 *Rural Santo Domingo: Settled, Unsettled, and Resettled.* Philadelphia: Temple University Press.

Cohen, Ronald

1984 "Warfare and State foundation: Wars make States and States make war." In *Warfare, Culture, and Environment.* Brian Ferguson, ed., pp. 329-355. Orlando, Fl.: Academic Press.

Crassweller, Robert D. Crassweller.

1967 *Trujillo: La Trágica Aventura del Poder Personal.* Barcelona: Editorial Bruguera. 1967.

De Solís, Andrés

1650 Informe sobre la fundación de nuestra Compañía de Jesús en la ciudad de Santo Domingo de la Isla Española. *Archivum General Societatis Iesu*. Roma. Citado en Sáez.

Echegoyán, Juan de

1567 *Relación de la Isla Española enviada al Rey Dn. Felipe II*. Citado en Sáez.

Finegan, Edward

1994 *Language: Its Structure and Use*. New York: Harcourt Brace.

González, Antonio Camilo

1987 *Primada de América en los Días de la Colonia*. Bogotá: Consejo Episcopal Latinoamericano (CELAM).

Graham, Henry G.

1977 (orig. 1911) *Where We Got the Bible*. Rockford, Ill.: TAN Books and Publishers.

Hamell, Patrick J.

1968 *Handbook of Patrology*. Staten Island, N.Y.: Alba House.

Harris, Marvin

1977 *Cannibals and Kings: The Origins of Cultures*. New York: Random House.

Galindez, Jesús de

1956 *La Era de Trujillo: Un Estudio Casuístico de Dictadura Hispanoamericana*. Buenos Aires: Editorial Americanango.

Garrido, Víctor

1962 *Política de Francia en Santo Domingo (1844-1846)*. Santo Domingo: Editora del Caribe.

Gómez, Manuel Ubaldo

1937 *Resumen de la Historia de Santo Domingo*. La Vega: Imp. "Mercedes". Edición por la Sociedad Dominicana de Bibliófilos, 1984.

Inman, Samuel Guy

1919 *Through Santo Domingo with the United States Marines*. Citado en Rodríguez Demorizi.

Hennesey, James

1981 *American Catholics: A History of the Roman Catholic Community in the United States*. New York: Oxford University Press

Henríquez Ureña, Pedro

1936 *La Cultura y las Letras Coloniales en Santo Domingo.* Buenos Aires.

1947 *Historia de la Cultura en las Américas Hispánicas.* Colección Tierra Firme No. 28. México.

Hoetink, Harry

1971 *El Pueblo Dominicano: 1850-1900: Apuntes para su Sociología Histórica.* Santiago: Universidad Católica Madre y Maestra.

Landestoy, Carmita

1946 *Yo También Acuso.* New York: Azteca Press. (Citado en Rodríguez, 1991.)

Luperón, Gral. Gregorio

1939 *Notas Autobiográficas y Apuntes Históricos.* Santiago: Editorial El Diario. Edición publicada por la Sociedad Dominicana de Bibliófilos, 1974.

Maza, Manuel P., S.J.

1997 *Entre la Ideología y la Compasión: Guerra y Paz en Cuba, 1895-1903.* Santo Domingo: Instituto Pedro Francisco Bonó.

McKechnie, Jean L., ed.

1980 *Webster's New Twentieth Century Dictionary of the English Language.* Unabridged second edition. William Collins Publisher.

Medina Benet, Víctor M.

1976 *Los Responsables: Fracaso de la Tercera República* (2da edición). Santo Domingo.

Mejía, Félix A.

1951 *Vía Crucis de un Pueblo.* México: Editorial Veracruz. (Citado en Rodríguez, 1991.)

Moya Pons, Frank

1971 *La Española en el Siglo XVI (1493-1520).* Santiago: Universidad Católica Madre y Maestra.

1975 "Nuevas consideraciones sobre la historia de la población dominicana: curvas, tasas y problemas." Trabajo presentado en el Seminario sobre Problemas de Población en la República Dominicana, UASD. Colección Historia y Sociedad, No. 17.

1995 *The Dominican Republic: A National History*. New Rochelle, N.Y.: Hispaniola Books.

Nolasco, Flérida de

1982 *Vibraciones en el Tiempo* y *Días de la Colonia*. Publicación de la Sociedad Dominicana de Bibliófilos. Santo Domingo: Editora de Santo Domingo.

Nouel, Carlos

1979 (Orig. 1911) *Historia Eclesiástica de la Arquidiócesis de Santo Domingo, Primada de América*. (3 Tomos). Santo Domingo: Sociedad Dominicana de Bibliófilos.

Palm, Edwin W.

1984 (Orig. 1955) *Los Monumentos Arquitectónicos de la Española*. Santo Domingo: Editora de Santo Domingo. (Publicado por la Sociedad Dominicana de Bibliófilos).

Pérez Memén, Fernando

1993 *El Pensamiento Dominicano en la Primera República*. Santo Domingo: Editora UNPHU. Citado en Alvarez Santana, 1997.

Polanco Brito, Hugo

1985 La Masonería en la República Dominicana. Santo Domingo: Amigo del Hogar.

Rodríguez Demorizi, Emilio

1955 *La Era de Francia en Santo Domingo: Contribución a su Estudio*. Santo Domingo: Editora del Caribe.

Rodríguez Grullón, Julio

1991 *Trujillo y la Iglesia*. Santo Domingo.

Sáez, José Luis

1996a Constantes y pautas para leer la historia de la Iglesia Dominicana. *Estudios Sociales*, Vol. 29, No. 106. 81-89.

1996b *El Arzobispo Portes*. Serie "Hombres de Iglesia" No. 12. Santo Domingo: Amigo del Hogar

1994 *La Iglesia y el Negro Esclavo en Santo Domingo*. Colección Quinto Centenario, Serie Documentos 3. Santo Domingo: Patronato de la Ciudad Colonial de Santo Domingo.

1987 *Cinco Siglos de Iglesia Dominicana*. Santo Domingo: Editora Amigo del Hogar.

Sainz, Fernando

1995 (Orig. 1945) *Un Estudio sobre Psicología y Educación Dominicanas*. Santo Domingo: Sociedad Dominicana de Bibliófilos.

Santiago, Pedro Julio, Julio G. Campillo Pérez y Carlos Dobal

1997 *El Primer Santiago de América*. Santo Domingo: Academia Dominicana de la Historia.

Spielvogel, Jackson J.

1999 *Western Civilization* (Cuarta Edición). Belmont, Ca: Wadsworth/Thompson Learning.

Utrera, Fr. Cipriano de

1932 *Universidades de Santiago de la Paz y de Santo Tomás de Aquino, y Seminario Conciliar de Santo Domingo de la Isla Española*. Santo Domingo: Tipografía Franciscana.

1946 Enriquillo y Boyá. Conferencia leída en la Casa de España de Ciudad Trujillo, 7 de junio. Ciudad Trujillo: Tipografía Franciscana.

1978 *Noticias Históricas de Santo Domingo*. Santo Domingo. (Citado en Sáez, 1987.)

Wells, Sumner

1973 *La Viña de Naboth*. Santo Domingo: Ediciones de Taller. (2 tomos. Fecha original en inglés, 1928).

Wiarda, Howard J.

1969 *The Dominican Republic: Nation in Transition*. New York: Praeger.

Publicaciones de FondoMicro sobre microempresas en la República Dominicana

Aristy, Esther L.

1996 *Manual de Derecho para Empresarios*. Santo Domingo: FondoMicro.

Aristy Escuder, Jaime

1995 *Ahorro y Producción de las Microempresas y Pequeñas Empresas en la República Dominicana. Un Análisis Econométrico*. Santo Domingo: FondoMicro.

Bartel, Margaret

1993 *Los Coeficientes Financieros como Herramientas de Gerencia en los Programas de Crédito a la Microempresa. Manual para Directores y Gerentes.* Santo Domingo: FondoMicro.

Cabal, Miguel

1992 *Microempresas y Pequeñas Empresas en la República Dominicana. Resultados de una Encuesta Nacional.* Santo Domingo: FondoMicro.

1993 *Evolución de las Microempresas y Pequeñas Empresas en la República Dominicana, 1992-1993.* Santo Domingo: FondoMicro.

1996 *Cambios en el Tamaño y el Empleo de las Microempresas y Pequeñas Empresas en la República Dominicana, 1992-1995.* Santo Domingo: FondoMicro.

Cabal, Miguel, y Patricia Cely

1994 *Demanda de Crédito y Niveles de Desarrollo de las Microempresas y Pequeñas Empresas en la República Dominicana.* Santo Domingo: FondoMicro.

1994 *Microempresas y Pequeñas Empresas en los subsectores de Confección de Ropa y Metalmecánica en Santo Domingo.* Santo Domingo: FondoMicro.

Cely, Patricia

1993 *Microempresas y Pequeñas Empresas de Mujeres en la República Dominicana: Resultados de una Encuesta Nacional.* Santo Domingo: FondoMicro.

1996 *Dinámica de las Microempresas y Pequeñas Empresas de Mujeres en la República Dominicana, 1992-1995.* Santo Domingo: FondoMicro.

Dávalos, Mario

1998 *Las Microempresas: El Coloso Desconocido de las Economía en Desarrollo.* Santo Domingo: FondoMicro.

Moya Pons, Frank, y Marina Ortiz

1994 *Microempresas y Microempresarios en la República Dominicana 1993-1994.* Santo Domingo: FondoMicro.

1995 *Indicadores de las Microempresas en la República Dominicana 1994-1995.* Santo Domingo: FondoMicro.

Murray, Gerald F.

1996 *El Colmado: Una Exploración Antropológica del Negocio de Comi-*

das y Bebidas en la República Dominicana. Santo Domingo: FondoMicro.

1997 *El Taller: Un Estudio Antropológico del Uso y Reparación de Automóviles en la República Dominicana.* Santo Domingo: FondoMicro.

Olivares, Mirtha

1996 *Capacitación y Entrenamiento en la Microempresa Dominicana.* Santo Domingo: FondoMicro.

Ortiz, Marina

1996 *Perfil de las Microempresas en la República Dominicana y Características de las Microempresas de Santiago, 1995-1996.* Santo Domingo: FondoMicro.

1997 *Microempresas, Migración y Remesas en la República Dominicana, 1996-1997.* Santo Domingo: FondoMicro.

1998 *Microempresas y Fuerza Laboral en la República Dominicana, 1997-1998*, Santo Domingo: FondoMicro.

2001 *Pequeñas y Medianas Empresas en la República Dominicana.* Santo Domingo: FondoMicro.

2004 *Microempresa y Turismo en la República Dominicana.* Santo Domingo: FondoMicro.

Ortiz, Marina, y Jaime Aristy

2000 *Microempresas, Educación y Trabajo Infantil en la República Dominicana. 1999-2000.* Santo Domingo: FondoMicro.

Ortiz, Marina, y Jeffrey Poyo

1999 *Microempresas, Globalización y Servicios Financieros, 1998-1999.* Santo Domingo: FondoMicro.

Ortiz, Marina, y Omar Castro

2003 *La Microempresa Dominicana a Finales del Siglo XX.* Santo Domingo: FondoMicro.

Esta libro se terminó de imprimir
el día 3 de octubre de 2005
en los talleres gráficos de
AMIGO DEL HOGAR
M. M.Valencia 4, Los Prados
Santo Domingo, República Dominicana